魅丽文化 深海

绝世风光不及你

章琪琪 著

江苏凤凰文艺出版社
JIANGSU PHOENIX LITERATURE AND
ART PUBLISHING, LTD

图书在版编目（ＣＩＰ）数据

绝世风光不及你 / 章琪琪著． -- 南京：江苏凤凰
文艺出版社，2016
ISBN 978-7-5399-8888-7

Ⅰ．①绝… Ⅱ．①章… Ⅲ．①长篇小说－中国－当代
Ⅳ．① I247.5

中国版本图书馆 CIP 数据核字 (2015) 第 270685 号

书　　　名	绝世风光不及你	
作　　　者	章琪琪	
出 版 统 筹	黄小初　邹立勋	
选 题 策 划	深海工作室	
责 任 编 辑	胡小河　姚　丽	
文 字 编 辑	张　燕	
责 任 监 制	刘　巍　江伟明	
出 版 发 行	凤凰出版传媒集团	
	凤凰出版传媒股份有限公司	
	江苏凤凰文艺出版社	
集 团 地 址	南京市湖南路 1 号 A 楼，邮编：210009	
集 团 网 址	http://www.ppm.cn	
出版社地址	南京市中央路 165 号，邮编：210009	
出版社网址	http://www.jswenyi.con	
经　　　销	江苏省新华发行集团有限公司	
印　　　刷	湖南翰林文化商务有限公司	
开　　　本	880 mm×1230 mm 1/32	
字　　　数	285 千字	
印　　　张	9.5	
版　　　次	2016 年 5 月第 1 版，2016 年 5 月第 1 次印刷	
标 准 书 号	ISBN 978-7-5399-8888-7	
定　　　价	24.80 元	

目 录

c o n t e n t s

You are

the one

目 录

c o n t e n t s

You are the one

You are

the one

目　录

c　o　n　t　e　n　t　s

目 录

c o n t e n t s

You are the one

You are

the one

/// // 楔子 ///
我该怎么做，才能找到你？

空旷开阔的办公室里，只摆放着一张黑色真皮沙发、一个暗红色实木茶几、一张宽大的办公桌，以及角落里一盆孤零零的绿植。

由于是白天，房间没有开灯，然而窗外艳丽的阳光却被厚重的窗帘遮挡了大部分，使得屋内光线略显幽暗。

年轻 Boss 微倾上身坐在桌前，双手交握撑着下巴，目光幽深。他已经一动不动地坐了很长时间，身影都似与幽暗融合在了一起。

直到桌上的分机骤然响起，电话里传来秘书小姐甜美的声音："厉总，严特助来了。"

Boss 目光一亮，面部冷硬的线条居然也显得柔和了许多。

"请他进来。"

严特助推门进来，似乎也早已适应了他的上司喜欢黑暗的癖好。

严特助微微欠身："抱歉，没能找到。"然后，他心虚般抬头看了 Boss 一眼，旋即又将头埋得更低，"问过附近所有知情人，都说那户人家几年前陪女儿去法国念书后，就再也没有回来过。"

一阵难熬的沉默。

"知道了。"他没能藏住声音里淡淡的失望。

严特助退出办公室后，他像再也挡不住情绪的袭击一样，向后一倒，任由身体颓然地瘫在了椅子上。

已经不是第一次派人去打探她的下落，也不是第一次听见这样一无所获的消息。他以为自己早该习惯的，却不想在听到这个意料之中的答案时还是忍不住失望。

分别已经近八年了啊。八年时光，足够改变一个人，也足够忘记一个人。

现在的他再不是从前的他，他拥有了骄傲的事业，也拥有了富足的生活。

他的一切都看似完美，只是，这一切填补不了他心里空空洞洞的缺失。

1. 此刻，我就在这，你却不会知道 /// //

北京 C 大学生活动中心。

"你们知道吗，那个 9 号是靠傍上学生会会长梁浩才进决赛的！"

"啊？不会吧，那么多评委呢，一个学生会会长能搞定全部？"

"你太天真了，学生会可是比赛的主办方，弄虚作假又有什么难的呢。"

另一个女孩搭腔："原来如此，我就说嘛，她一个学外语的懂什么唱歌，凭什么跟咱们声乐学院的竞争，还不是为了出风头！"

叽叽喳喳的声音清晰地传到门外，方昕瑶不甚在意地笑笑。这个 9 号，说的不就是自己吗？

听见讨论声消停后，她推开门走了进去。女孩儿们大概不知道八卦主角有没有听见，脸上皆露出尴尬的神色。

方昕瑶礼貌性地点了点头。这个歌唱比赛的确是学校里出风头、吸引眼球、刷存在感的好去处，可她参加比赛的目的只是为了挣奖金。

她独自走到角落属于她的妆镜前坐下。今天的她穿着一件天蓝色雪纺纱连衣裙，腰上搭配同颜色的钉珠腰带，荷叶边裙摆刚好落在膝盖上十厘米处，脚上则穿着一双奶白色百搭鱼嘴高跟鞋。顺直的长发披在肩上，头上戴着一个镶水钻的发箍用来压住刘海。白净柔美的脸上拍了一层隔离霜，略微刷了点睫毛膏和唇彩。

方昕瑶这样的打扮若在日常生活中一定会夺目亮眼，可是相对于今天盛大的舞台来说，几乎等于素颜出镜。

而另几个参赛的女孩儿无不是做了适合舞台的精致造型，仔细描化了妆容，穿了款式虽不同却同样高大上的礼服。她们讨论的爱马仕、香奈儿、MiuMiu、Tod's，都是方昕瑶只闻过名、从来没见过的东西。

校园歌手大赛虽号称全校参与，但最终决赛的十个名额历年来都是被声乐学院牢牢占据的，其他专业的同学只配在初赛复赛里替他们暖暖场。

而本次比赛中方昕瑶却以黑马之姿强势杀入决赛。她也知道自己的出现必然挑战了正牌声乐专业的威严，因此本场决赛人人都做了充分准备，她想拿到三甲难上加难。

没有三甲就没有奖金。方昕瑶收拾收拾心神，开始默唱待会儿上台要演唱的歌曲。

这时，身后传来一个不屑的声音："喊，有的人还真自以为是白莲花。"

声音分贝不低，她自然是听见了。不管妆容还是衣服，她自知与别的选手一比都显得寒酸，但这已经是她能尽到的最大努力了。她这番清水的打扮落在别人眼里或许就变成了刻意的与众不同博出位吧。

但她没办法控制所有人的想法，像这种无关人等说的话她就只当一阵风，随便一刮也就完了。

大约一刻钟后，本届校园歌手大赛决赛正式拉开帷幕。前台徐徐响起了大气磅礴的暖场音乐，跟着一男一女两位主持人的声音透过麦克风清晰地传出，向在场的一千名学生观众介绍了大赛的悠久历史和本次到场的评委。

十位评委中，八位是来自声乐学院的教授，一位是上届歌手大赛的冠军，剩下的一位，主持人是这样介绍的："本届比赛还特意邀请了一位极有分量的嘉宾评委，相信前排有同学已经看见评委席正中这位年轻美丽、气质卓然的大美女。然而她的真实身份究竟是什么呢——请允许我们先卖个关子，等比赛结束后再向大家公布，届时将由她来为今夜的冠军颁奖！"

观众席立时涌出阵阵交头接耳声，大家都在猜测这位神秘嘉宾的身份。有人猜是中央音乐学院导师，有人猜是词曲作家，还有人猜是某位出道歌手。

后台亦是不平静，女孩儿们兴奋地凑在一块议论着：

"你们谁知道那个嘉宾究竟是谁啊？"

"不知道啊，赛前根本没听说过会有校外的来宾啊！会不会是有名的歌手？"

"应该不会吧，我刚才绕到前面去偷看了一眼，那个人面生得很。"

"不管是谁，她今晚坐的是评委主席位置，对结果的评定肯定起着关键作用。"

……

方昕瑶没有加入讨论，不管评委是谁，她也会尽力唱好准备的歌。只是她的余光瞟到妆镜时，发现1号选手微微勾了勾嘴角，若有似无地朝她的方向看了一眼，便前去候场了。

心里闪过一瞬间的狐疑。

舞台上很快传来1号的歌声，方昕瑶认真听着，平心而论，她唱得确实不错，不愧为科班出身。方昕瑶在选手介绍上见过她的名字，好像叫舒叶林。

二三四五六七八。在八位同学演唱完毕之后便轮到9号方昕瑶。她深吸一口气，接过主持人递上的麦克风。

她从容地走至舞台正中，来自四面八方的聚光灯打在身上，手心顿时浮上一点汗意。以往她并不是没有登台演出过，但那毕竟只是合唱，而以独唱之姿登上大舞台的，今天还是第一次，说不紧张是假的。

记忆中，有人曾对她说："有朝一日，真想看看你在舞台上独唱的样子。"

此刻，我就在这，你却不会知道。

方昕瑶定了定神，便欠身自我介绍道："我是外语学院英语系一班的方昕瑶。"然后等待着熟悉的旋律出现。

五秒。十秒。音乐却迟迟没有响起，她意识到有情况发生了，握麦克风的手不自觉收紧。

二十秒。看台上的观众起了骚动，纷纷发出疑惑的声音。但她始终保持微笑站立着，因为妈妈为她上的第一堂礼仪课便是，不管遇到什么样的突发情况都一定不能惊慌，抬头挺胸微笑才是一个淑女应有的姿态。

三十秒。她深吸一口气，想好了对策。

而学生会会长梁浩本在台下一侧注视着方昕瑶，却不料突发这样的状况，他连忙冲到后台询问："怎么回事？"

负责播放音乐的人是梁浩在学生会的部下，他也正急得跳脚："方昕瑶早先交到后台的音乐CD不见了！"

"怎么会不见，你不是说保管在后台没问题吗？"

部下也是无辜："后台工作人员都是我们的人，外人根本进不来，哪里料得到会——"他没再说下去，因为他想到一种可能。

梁浩眼中也闪过一丝明了，能出入后台偷走昕瑶CD的人，除了几名工作人员，就只有参赛选手。

但现在才去追究已经晚了。梁浩懊悔不已，他原本看好昕瑶，觉得她有一举夺魁的希望，谁知竟因为自己的大意而……

这时，从前台麦克风里传来一个灵动清逸的声音："或许是后台音乐出现了一点状况，不过没关系，我可以清唱一首高中时写的歌《一念》，作为今天的参赛曲目。"

方昕瑶深吸了一口气。当忐忑的心情逐渐平静下来后，她开始吐出音符："一人寂静，灯影阑珊。一念无声，空有悲欢……"

歌声在看馆上空飘荡开来，只一句歌词的时间，看台上骚动的人们已经彻底安静下来。

评委们也是眼睛一亮，这个9号选手的声音清澈纯净，虽然从赛前的资料中知道她非科班出身，但她一开口就能听出声音对感情的诠释相当细腻，用当下时髦的话说，就是走心。

到了高音部分，她又气息沉稳地一跃而上，声音中爆发出动人心魄的能量，真假音的过度和转换也十分自然，没有一丝瑕疵。没想到舞台上这个看似娇柔的身躯里竟然蕴含着那么大的潜力，她的声音未来还会有无限可能。

"走过的路，数过的数，只失神片刻，你我竟已陌路。笑过的眼，痛过的心，若失神片刻，你我是否如故？"

足足一首歌的时间，整个活动中心寂静无声，就好像所有人都被她的歌声摄住了魂魄，忘记了呼吸。

一直到方昕瑶退场很久，观众席上才爆发出雷鸣般的掌声。掌声经久不息，使得10号选手上场的时间颇往后延了一阵。

方昕瑶换下演出服。现在比赛完了，她的注意力转到了明天的高数考试上。她天生不是学数学的料，如果明天考试挂科，下学期的助学贷款就困难了。

今天出了这种"没有音乐"的乌龙，三甲多半没戏了，奖金泡汤的她便更不能失去申请助学贷款的资格。

先走的话，应该没问题吧？她跟后台老师打过招呼后，决定回宿舍再做一套模拟卷。

走在活动中心外的小路上，夜晚青草的芬芳扑鼻而来，方昕瑶心情大好，不禁再次哼唱起了那首《一念》。

自从那个人当年不告而别后，她的心还从没有这么舒畅过。这首歌也是为他而写，以往她独自一人时曾唱过无数次，却从没想过有朝一日能在那么多人面前唱出来。

哪怕今天的比赛只得了最后一名，她也会觉得无比开心。

回到宿舍，方昕瑶卸了妆，在台灯下铺开一套高数模拟卷。同宿舍的另三个女孩儿还没回来，她们都是学霸，通常不到自习室熄灯是不会出现的。

没过多久，宿舍电话响起来。

她接起："你好，请问找哪位？"

熟悉的声音从电话那头传来："方大小姐啊，你怎么提前跑了？手机也关机。"

是梁浩。方昕瑶这才记起比赛前关掉的手机忘开了："不好意思……怎么了？有什么急事吗？"

"快下来，我在宿舍门口等你。"说完还不等方昕瑶回话他就匆匆挂了。

她只好迅速换衣服下楼，可四处张望也没见梁浩身影，于是又往前多走了几步。

人呢？

无意识地回身时，她撞上了一簇软软香香的东西。

一大束纯白的香水百合出现在她眼前，抬头一看，抱花的人正是梁浩。此刻那张眉目清朗的脸上挂着暖阳般的笑容："恭喜恭喜！今天的比赛你得了第一。"

方昕瑶一愣："真的吗？"又觉得梁浩不可能骗她，心里油然而生一股喜悦，"我只是清唱而已，怎么会……"

"评委合议时都觉得你唱得好，没有伴奏虽然有点不合规则，可是那位神秘嘉宾一意力挺你，说你除了声音底子好，唱功也了得，最难得的是那份临危不变，压得住场的气势。"梁浩越说越眉飞色舞。

"哪有他们说得那么好，只是当时实在没办法了。"方昕瑶不好意思，"那个，我提前走了，颁奖典礼怎么办？"

梁浩笑叹："还能怎么办，我向大伙道歉说你身体不舒服，代你领了。"

"那就谢谢啦。"她伸手接过花束。

"差点忘了。"梁浩从衣服口袋里掏出一张名片，"今晚比赛的那个神秘嘉宾，你还不知道是谁吧？"

她接过名片，看见上面写着：杜乐凝，通宇唱片公司总裁。

"这是？"

"就是她。颁奖时她给了我名片，让我带话给你，请你有空时给她去个电话。"

方昕瑶惊讶了，要知道通宇可是北京一家极有声势的唱片公司，旗下有着好几位一线大牌歌手和一大批二三线小歌手。没想到一个大学的歌唱比赛能请到如此有分量的嘉宾做评委。

"她有什么事吗？"

"不知道，她什么也没说。"

方昕瑶猜不出所以然，只能带着疑惑小心地把名片收进衣兜。

回到宿舍时已经临近熄灯，她洗完澡爬上床，不一会儿学霸之一谢雪妍抱着书本进来了。

方昕瑶跟往常一样打了个招呼，却发现谢雪妍一见她就眉眼弯弯地上下打量一番，语带笑意："刚才在路上碰到梁浩了。他可真有毅力啊，愣是追了你这么长时间。"

她下意识辩解："我们只是朋友。"

雪妍眨眨眼笑了："我知道你们是朋友，可换了从前，你连朋友都不肯跟人做呢。说明他的坚持也不算完全白费啊！"

很快熄了灯，方昕瑶躺在床上却久久无法入眠。

脑中不自觉浮现出雪妍说的那句话："换了从前，你连朋友都不肯跟人做呢。"

是啊，还真是那样。

从大一进学校开始，梁浩便一直守在她身边保护她，照顾她。起初她是反感的，抗拒的，可梁浩似乎丝毫不在乎她冰冷的态度，总是一如既往地用心。人非草木，她并非对他不感激，只是她的过往发生过太多事，以至于如今的她总是不愿跟别人扯上什么太近的关系。

到现在，她真诚地把梁浩当作朋友，她知道他或许并不满足于做朋友，可是她能给他的仅止于此，绝没有其他。

2. 她既不敢迈近，也不愿走开 /// //

Boss 出了趟差回来，一进办公室便叫来秘书小姐询问他不在期间各项工作的进展情况。

秘书战战兢兢地汇报一番，生怕有什么环节出了纰漏被他点出。对于这位冷面无私的工作狂 Boss，即便从没见他真的凶过自己，她也会本能地觉得害怕。

别的女同事都很羡慕她能在厉总身边做事，可她们根本不懂她过的是怎样提心吊胆的日子。他就不是个正常人啊！除了他，还有谁会从欧洲坐十几个小时飞机回来，连时差都不倒就直接上班的。

所幸，看完所有文件报告后，这位 Boss 只是沉沉"嗯"了一声。

"还有别的事吗？"

"哦，对了。"秘书小姐一拍脑门，"C 大之前邀请骆老师担任他们校园歌手大赛的评委，但您带着骆老师去欧洲出差了；刚好杜总从维也纳回国，于是自告奋勇去代替了骆老师。"

Boss 声音冷冽："这种事，用得着告诉我？"

秘书小姐吓得一颤，说话也结巴起来："我……我……那个……其实……是因为杜总之前说……说……"

"说什么？"他不耐烦到了极点。

"说让我调查一下 C 大比赛里一个女孩儿的背景，她可能想签回公司，可是这几天杜总一直没来上班，所以我……"

秘书小姐在怀里的一堆资料里拼命翻着，Boss 的耐心终于耗光："出去。"

"啊，找到了，叫方昕——呃。"秘书小姐傻了，赶紧闭嘴，转身就想溜。

"等等！"Boss突然反应过来，"你刚才说，叫什么？"

"叫……叫……方昕瑶。"她弱弱地说。

好半天安静。

虽然办公室光线不太明亮，但她观察到Boss的身躯居然在听见这个名字的瞬间定住了。

"给我。"他伸手。他脸上明明没什么表情，却似乎又带有一丝小心翼翼的期待。

颤巍巍递上女孩儿的资料后，秘书小姐终于得蒙Boss大赦，慌慌张张夺门而逃。

时下就快放寒假，各门课程已经全部停掉。方昕瑶在熬夜恶补之后总算艰难地通过了高数大考，而剩下的专业课考试对她来说so easy。因此她顽强顶住了谢雪妍要拉她一起去自习室看书的压力。

北京的冬天实在寒冷，好在宿舍里暖气充足。此时方昕瑶正惬意地趴在被窝里看书，享受着一个人安静的午后。

下层书桌上的手机突然震动起来，她懒得下床，使出一记"折腰功"，把身子探出床去往下弯成90度，再伸手一捞就把手机抓起来放在耳边接通。

并没有在意屏幕上显示的该号码来自哪个城市。

"喂，你好，请问你是哪位？"她漫不经心地将手机夹在耳边，手上还翻着铺在枕头上的书本。

"你……是昕瑶吗？"电话那头传来一个怯怯懦懦的中年女人的声音。

方昕瑶身子一僵。这个声音她已有许久许久不曾听过，就在她还没能反应过来电话那头是谁时，身体已经先于头脑做出反应，乍然升腾起一股愤怒的冷意。

"我是小姨啊。"中年女人的声音满是欣喜，似乎正为终于打通这个电话而雀跃不已。

握住手机的手开始不争气地发抖，方昕瑶突然一句话也说不出口。

"昕瑶，就快放寒假了，你好久没回家了，寒假回家看看，好吗？"

她忍不住讥讽地笑了："家？你搞错了吧，我没有家。"

电话那头的人着急地想解释什么，方昕瑶抢先一步冷冷撂下一句话："我不认识你，不管你是从哪弄来我的号码，请你立即删掉，不要再来骚扰我，否则我只能换号。"

然后她利落地掐断了电话。

世界瞬间清静了。

身体的力气如同被抽空了一般，她把脸埋在枕头上，不禁握紧了拳头。

对这个女人，她曾经感激感恩感动过，可是到了如今，她只想躲得远远的，至死不与她往来。人往往是这样，仇人的伤害可以还击，路人的伤害可以漠视，唯独亲人，一旦伤害，就是直捅心窝，让你不死也残。

清净了没几分钟，电话竟然再一次响起来。方昕瑶按捺不住攻心的怒意，接通电话狠狠吼道："我都说别给我打电话了，你烦不烦！？"

电话那头顿了顿，然后传来一个十分有气质涵养的女声："看样子方小姐心情不太好。"

这次轮到方昕瑶发愣了。她急忙拉回情绪，抱歉地说："对不起，我以为……"

对方轻轻一笑，声音柔软得就像四月里的春风："无妨，容我自我介绍，我是通宇唱片的杜乐凝。"

方昕瑶弹起来，一下子清醒了。通宇唱片、杜乐凝，这两个词立马让她想起了梁浩给过她的名片。糟糕，为了应付高数考试，她竟然把梁浩的嘱托忘了。

好在，她立即控制住了先前的那缕慌乱，恢复从容："杜总，您好，我是方昕瑶。很抱歉，这几天顾着考试，没能打给您。"

"方小姐贵人事忙，我只好冒昧主动出击了。"

她惭愧地笑笑："请问您找我有什么事吗？"

对方清了清嗓子，明显正式了起来："方小姐，上次在你们学校歌手大赛上听了你的声音，我十分欣赏，所以想邀请你来参加我们公司《天使》这张新专辑的甄选。"

方昕瑶完全听不懂对方的意思："甄选？是什么？"

"方小姐，是这样的……"

杜乐凝向她解释，《天使》这张专辑是由通宇唱片金牌制作人骆添全力打造的，十二首歌曲均是骆添根据自己的专辑意境向业界知名词曲创作人邀约而来，并且都已经筹备完成，就等一个合适的歌手来诠释表达了。

原本《天使》是为通宇旗下的一位一线歌手制作的，谁知在试音时骆添认为那位歌手的声音太过商业化，缺乏他所需要的天籁般的空灵的 feel，他不愿自己付诸心血的专辑流于世俗，于是提出要另选歌手。公司几位高层在商讨研究过后，决定在通宇唱片旗下歌手范围内进行一次公开选拔。恰巧杜乐凝在校园歌手大赛中听见了方昕瑶的声音，她认为方昕瑶十分符合骆添所描述的 feel，于是做主将方昕瑶也纳入了甄选歌手的行列。

"因此请方小姐本周六下午三点到我们公司 1 号录音棚试音，OK？试音要唱的 DEMO 我已经拷到了 U 盘里，今天之内我的助理就会快递给你。地址写的是你的学校，请注意接收。"

方昕瑶握着电话，久久回不过神来。对方说的是什么意思？什么试音？专辑？唱片？让她去试音，让她出唱片，让她做歌手？是这个意思吗？怎么觉得……这不太可能呢……会不会是她看书时不小心睡着了，这会正做梦呢。对对，一定是做梦。

她用另一只手使劲掐了下腰，哎哟，居然会觉得疼！

"喂，方小姐，请问你在听吗？"

对方的询问把她神游的心思拉了回来，她连忙答道："嗯嗯，我明白了，周六下午三点，好的，没问题，到时见。"

对方挂断电话前，她隐约听见杜乐凝低喃了一句："这下你满意了吧。"然后，她便断了线。

她心里闪过刹那的疑惑：难道旁边还有其他人？

不过这种疑惑很快就被"歌手甄选"的兴奋所代替。离周六还有几天，她必须尽快开始练习，尽可能做好一切准备。

出于对甄选的尊重，又在梁浩的软磨硬泡下，方昕瑶在周六早晨来到了一家顶级私人造型会所"托尼盖"的旗舰店。

刚一进门就有一个声音迎向她："请问是方昕瑶方小姐吗？"

眼前是一个约莫三十岁的男子，气质时尚，穿着店里统一的制服。

"我是。"

"方小姐你好，鄙人姓林，是这家店的总监。今天的服务已经有人为您预订好了，请跟我到楼上的 VIP 房间。"

方昕瑶心里微微纠结。用脚指头想她也知道是梁浩安排的，难怪他非要指定她来这一家。

"还是不用了。"她试探着拒绝，可她有预感她会无法拒绝。

林总监脸上保持着职业性的笑容："钱已经付过了，方小姐就算不用也退不了的。"

从某种意义上说，梁浩也算了解现在的她。学费靠贷款，生活费靠打工的她哪里舍得让白花花的银子打水漂呢？

她无奈地一叹："好吧。"好在还有校园歌手大赛的奖金，回头就还给他。

在林总监的指引下，方昕瑶顺着精致的红木楼梯上到二楼。

往 VIP 房间所在的走廊拐弯之前要经过一个平台展示区域。这一片摆放着几个玻璃展柜，里边有大大小小的各式奖杯；展柜前方摆着一张陈列桌，上边横着竖着立着许多合影照片。

林总监眉飞色舞地向她介绍："这里展示的都是历年来我们店的同事在国内外的造型比赛中获得的荣誉。照片拍的就是捧回这些奖杯的人。"然后，他指着其中一张炫耀，"看，那个人就是我。"

方昕瑶本只是礼貌性地顺着看去——

猛然间，她却在相邻的照片里看见一个熟悉的身影！

她几乎不敢相信自己的眼睛！

心脏咚咚地撞击着胸腔，她想揉眼以看得更清楚，却又生怕一眨眼的瞬间照片上的身影会突然变了个样子。脚步犹如灌了铅，她既不敢迈近，也不愿走开。一边反问自己是不是看错了？一边乞求上天千万不要让她看错。

照片上挺拔却略显瘦削的身形，脸上冷峻的五官，即使手捧奖杯也一笑不笑的样子，可不像极了他？

恍惚中，她听见旁边有人叫她："方小姐，方小姐？"

林总监调侃地呵呵一声："我的照片很酷吗，都让你看呆了。"

方昕瑶这才回过神来，急忙问："你左边那张照片，是谁？"

"呃？"林总监一愣，随即自嘲地一笑，"嗨，我当你看我呢，原来是在看小厉啊。怎么，你认识他吗？"

小厉？姓厉？

她的心颤抖得更厉害，因为"厉"并不算一个常见的姓。

"他的全名呢？"

"这我不太清楚，店里造型师那么多，平时我们都是以工名称呼。何况他只是上大学时在这里兼职过两年，后来毕业了就没再来过，听说是去了大公司，算起来离现在也好几年了。"

……

之后的整个上午，化妆、做头发、换衣服，方昕瑶都是在浑浑噩噩中度过的。她已经认定了照片里的就是那个人。当年他不告而别后一定是到了北京上大学，他会来这家店打工也并不奇怪，在家乡时他就在一间发型店勤工俭学，因此她才会与他相识。

本以为这一生都不会再得到与他有关的半点消息，今天却乍然得知他身在北京。可是知道了又怎样？北京如此之大，找一个人与大海捞针有何区别？

心里不知是何滋味，似乎酸甜苦涩一齐涌来，在她身体里纠结缠绕。

直到林总监把她从座位里拉起来，推到一面落地妆镜前。

"好了！"他得意扬扬地审视着镜中的她，"你的气质不适合浓妆艳抹，我给你化了个清新范儿裸妆，头发只挽了面上一层，做了个韩式花髻，前额沿用你的偏分，右侧额发编成辫子斜入耳后，很有大自然精灵的感觉。衣服也为你挑的简洁高雅风长裙，高腰包胸，裙摆折叠简单，这款裙子可是Balenciaga今秋在巴黎时装周发布的新款呢！你快看看，满不满意？"

方昕瑶把目光聚集到妆镜上，镜中的人亭亭玉立，姿容卓然，她忽然想，如果就这样出现在那个人眼前，他会不会目光一亮地感叹"邻家小女初长成"？

真的心乱如麻。

从托尼盖离开已经是午后两点。方昕瑶打了个车匆匆赶往东四环通宇唱片所在的金安大厦。

在前台略作询问，然后，她急忙乘电梯上到十楼录音棚。

电梯门刚打开，一名工作人员焦急地在电梯口来回踱步，见到方昕瑶便一把抓起她的手腕把她往里带，一边走一边责备地说："前几位歌手都已经试音完毕，就等你！"

跟着一把推开录音棚的门，又将方昕瑶往前推了几步。

"啊！"她毫无心理准备，发出一声惊呼。

她这一喊立时吸引了录音棚里的四个人往门口方向看来。

她感觉到数道带着探寻的目光，脸微微发热，连忙微微躬身自我介绍道："大家好，我是方昕瑶。"

四个人中坐着的两人是音响师录音师；另外一男一女站在他们身后，应该是本次试音的评判人。她大致推断着。

"原来就是你。"左边那位身着旗袍、从容温婉的女子笑道，"通宇大力推荐的非科班新人，不错，看起来气质很符合你想要的feel。你说呢，大制作人？"

站在旁边的男人已届中年，头发黑白灰夹杂，下眼睑横卧着淡青的眼袋，穿着普普通通的宽大 T 恤，此时正沉着脸用不太友好的目光打量着她。

　　"通宇怎么会推荐这种小丫头片子，唱得怎么样不知道，只知道架子挺大！"

　　方昕瑶心里忽地一跳，这个人，大概就是杜乐凝所说的歌坛鼎鼎有名的制作人骆添吧。

　　她正想为迟到的事道歉，那位温婉女子已经替她出声："行了，看她的样子也是尽力了。"她一边说一边向方昕瑶走来，"自我介绍，我是程橘。走，我带你过去。"

　　为了不让录音的歌手被打扰，录音棚被一排真空玻璃隔开成两边，一边是歌手独自发挥的空间，另一边摆放各类录音设备，制作人和其他工作人员便隔着玻璃监听歌手的声音。

　　穿过玻璃上开的一扇门，方昕瑶走到内室中央立着的麦克风旁，戴上耳机。这是录音专用的电容麦克风和耳麦。前方正对着玻璃那边的四人，只见他们都将耳机戴在了头上。

　　录音师朝她比出一个 OK 的手势，然后音乐从耳机里徐徐传来。

　　正是 DEMO 里的那首曲子。她自从拿到 U 盘就没日没夜地听和练，要说对这首歌烂熟于心也不为过。

　　然而此刻，她的心里却一阵紧张。先前托尼盖那张照片给她的冲击还未散去，现在又在如此急迫的情况下匆匆上阵。她第一次对唱歌失去了把握。

　　前奏结束时，她强迫自己发了声，总算顺利将一首歌唱完。但她也知道唱得并不好，整首歌干巴巴的，她完全无法投入任何感情。

　　玻璃那边的骆添皱了皱眉，耳麦里传来他的声音："算了，你不适合。你走吧。"而后他率先出了录音棚，程橘紧跟其后。

　　录音师也不管她，开始自顾自收拾设备。

　　方昕瑶略尴尬，遗憾地伸手轻抚面前的麦克风。她就这样让机会白白溜走了啊。

　　她走到右侧墙边蹲下，打开刚才放在墙角的背包，取出一张照片。这是她死乞白赖问托尼盖的总监要来的，说来好笑，曾经的她几乎天天跟在那个人屁股后面，可是这张还是多年来她拥有的关于他的唯一照片。

　　"都怪我没发挥好，如果还能再来一次，我一定会好好唱的。"
　　可惜，事无如果。
　　她只能惋惜地离开。

3. 是不是他？怎么可能是他？ /// //

　　正要打开录音棚的门，门却从外面被一把推开了，撞在墙上"哐当"一声。

　　骆添气呼呼地出现在她视线中："见鬼了，通宇高层一意力保你这个丫头片子，非要我再给你一次机会！"

　　这——轮到方昕瑶惊讶了，通宇高层是指杜乐凝吗？

　　见她愣着，骆添眼一瞪："还不快去！这一次给我用点心！"

　　程橘在一旁仍是微笑："好好发挥。"

　　竟然真的还有第二次机会！方昕瑶心底的失落一扫而空，她激动地窜到内室麦克风旁。

　　调了调气息，清了清嗓子。这个机会，这次她一定会抓住。

　　前奏响起时，她凝神闭眼，抛开一切杂念。第一句歌词一开口，她便知道自己抓住了感觉，于是愈加有信心，一个个音符从她口里行云流水地溢出，化作一曲动人的歌谣。

　　许久，灯光才重新亮起来。她看不清骆添与程橘的脸色，但此时他们的想法其实于她不再重要，因为她已经投入了全部的灵魂去演唱，即使不能中选，她也没有遗憾。

　　身后突然响起骆添沉厚的声音："好好好！"她一回头，才见骆添和程橘已经走进来，"你的声音就是我想要的，《天使》这张专辑非你莫属！"

方昕瑶呆立当场，脑子一片混沌，一时间还无法理解那句话中的含义。

骆添一贯铁青的脸上此时露出难掩的兴奋之色，他显然没有耐心再说第二次，抛下一句"有什么疑问就问阿橘吧，我现在必须马上去跟通宇敲定细节"，说完便匆匆离开。

"昕瑶。"程橘柔柔一笑，"可能你还觉得不敢相信，但骆添选了你是千真万确的，想必通宇很快就会找你签约，你早做准备吧。"

"程橘姐。"方昕瑶心里略略不安，"骆制作人说过，会给我第二次机会是由于通宇高层跟他打了招呼，那他选我会不会也是——"

"不会。"程橘断然拦下她的话，"其实在听你第一遍唱时，他就已经发现你声音的气质正是他想要的，只是当时你心不在焉的状态，让他觉得你不尊重音乐。"

她看了方昕瑶一眼，继续笑道："骆添这个牛脾气，如果不是他看中的，哪怕通宇集团的董事会主席亲自找他说情他也是宁死不屈的。"看上去，程橘十分了解他。

方昕瑶跟在程橘身后走出录音室，正准备搭乘电梯下楼时，听见走廊拐弯那头传来两个人争执的声音。

"歌手已经定了，你走吧。"其中一个声音正是骆添。

"您明明答应过表姐，要给我试音机会的！"另外一个是女孩儿的声音。

骆添显然压着火："我跟徐曼卿说的是，如果今天没有找到合适的歌手，就给你一个机会。"

"可是刚刚你还让我准备，为什么抽支烟回来就变卦了？为什么还要再给录音棚里的那个人一次机会？为什么现在告诉我你已经选了别人？"

程橘眉头紧蹙："我去看看。"

一转角，她便见一个身材高挑的女孩儿拦在骆添跟前。而骆添看见程橘过来，抛下一句"不可理喻"便推开女孩儿走了。

方昕瑶惊讶地发现，这个女孩儿竟然是校园歌手大赛的1号选手舒叶林。而她口中的"徐曼卿"，正是通宇旗下一位小牌歌手，出道多年始终不温不火，最近一两年更有一种销声匿迹之感。

程橘少有地敛回笑容："徐曼卿是你表姐？告诉她，《天使》这张专辑已经选定歌手，不劳她殚精竭虑。"

说完，她又回头歉意一笑："昕瑶，我还有点事，就不送你了。"

然后，她匆匆往骆添的方向而去。

方昕瑶收回目光，见舒叶林正用凌厉的眼神看着自己。

"原来他们真的选了你。"她冷冽一嗤，"比赛没伴奏也能得第一，歌手甄选竟然也破天荒拿到两次机会，你好手段。"

方昕瑶刹那间把前因后果串联了起来，舒叶林大概是从她表姐那得知通宇要甄选歌手，又得知杜乐凝要亲临学校做评委，所以才想拿第一拔个头筹。当时偷走自己的伴奏CD的人也一定是她。

但她懒得与她多做纠缠。

转身离开时，方昕瑶听见身后那句"我们走着瞧"，她不在意地扬了扬手："谢谢你告诉我今后应该提防着你。"

乘电梯回到大厅，方昕瑶脚步轻快，心情大好，还哼起了小曲。她就快成为一名真正的歌手了，此时此刻的感觉就像在云端漫步一样。有朝一日她若有幸成为新闻或荧屏焦点，说不定那个人也会看见她；说不定，他们真的能在茫茫人海中重逢。

她并无任何奢求，只想得知他的境况，得知他过得好不好。

往大厅门口走了一段，后背越来越涌起一种奇异的灼热感。她不禁放慢脚步。

奇怪，为什么总觉得有人跟着她？可是回头四下张望又并未发现任何异常，继续往前走，却又出现如芒在背的奇异感。

接近大厅门口时，她听见身后似乎有脚步声是朝她走来的，越来越近，越来越近。

她停在原地，正要回头——

"昕瑶！"大厅门口，梁浩出现在视线中，快速向她走来。

身后的脚步声一顿，便似急迫地改往另一个方向而去了。当她回头时，一个人影也没有，只有孤零零的几根大厅柱子。

奇怪，刚才的脚步声难道只是她的错觉而已？

梁浩已经走到跟前，用灼灼的目光看着她。

"你怎么来了啊？"

"下午考完试就马上赶过来了。对了，甄选结果如何？"

说到这件事，她神采飞扬地一笑，比了个OK的手势。

"真的？！"梁浩激动地大喊，像是出乎意料，又像是他意料之中，"这是大事，我们必须好好庆祝。晚上请你吃大餐。"

"行。"她痛快地答应了，"不过，我得先去把这身租的衣服还了。还有，吃饭得让我做东。"

在去饭店的路上，出租车播放着某个音乐电台，当主持人介绍一首超人气新歌时，方昕瑶终于想起来程橘这个名字曾在哪里听过。

她是一位很有名的词曲创作人，写过许多脍炙人口的作品。这个发现让她雀跃不已，真希望将来能有机会演唱她写的新歌。

吃完饭回到宿舍已经九点钟，同宿舍学霸们依然未归。

方昕瑶趴在桌上，拿出背包里的照片一遍遍地看，似乎怎么也看不够。照片中的那个人较她记忆中的褪去了青涩，更多了几分成熟。据托尼盖的林总监说，拍这张照片时他是在念大四吧，而如今的他应该已经工作好几年，不知比起照片又会有怎样的变化呢？

一阵冷风灌进来，吹得她一哆嗦，才发现阳台的窗户没关严实。她起身走到窗边，捞开窗帘，不经意把目光投射到窗外的马路边——

一辆黑色轿车恰好徐徐停在了楼下，一道人影从驾驶座钻出来，然后合上车门。他穿着笔挺的深色呢子大衣，衣领为了挡风而竖起，双手插在裤兜里，面对宿舍微微抬头向上，站得笔直，就像在以目光搜寻着什么。

这不可能！

方昕瑶脑子里轰的一声，巨大的震惊毫不留情地袭击了她，就像有谁在她完全没有任何心理准备的情况下在她耳边放了一枪。头脑一片空白，耳朵嗡嗡轰鸣，心里只有一个声音飘来荡去：是不是他？怎么会是他？怎么可能是他？可是真的好像他。

好不容易缓过神来，她攀着窗台，看见他还站在那，一动不动，静默得像一尊雕像。

她一咬牙，披上外套穿上鞋就往外跑。在楼梯上碰见了自习归来的谢雪妍，方昕瑶差一点撞上她。

"这么晚了你怎么还出去？"

"追一个人。"丢下这几个字，她又噔噔噔地往下跑。

一直跑出宿舍大门，遥遥看见原本站在车门边的男子已经重新打开了门，正躬身准备上车。

"等一下！"方昕瑶着急地大喊，声音在安静的马路上传得老远。

身影一顿，却并不回头，而是以更快的速度上车关门发动，一溜烟往前开，看起来就像在躲着她。

人怎么可能追得上车呢？这本是再简单不过的常识。可是方昕瑶控制不住自己，她迈开双腿追着车跑起来。她使劲跑，用力跑，眼见车灯离她越来越远，她根本不可能追上，可是她偏偏就是不愿意停下来。

就这样跑到河边，左转与右转皆没有车的影子，她彻底跟丢了。

她无助地蹲下，把身体蜷缩起来，不停喘着气。呼出的气息在寒冷的冬夜里迅速变白，吸入的空气如冰刀一般割在她的喉咙中，心脏也咚咚地急速跳动，每一下都重重砸在胸腔里。好累，真的好累，可是在这样的情况下，她还是不愿放弃追上那个人的丁点可能。

这条河距离宿舍已经有一段距离，河边路灯稀疏，光线昏暗，四周一个人影也没有，十分僻静幽暗。但她曾听说此处时不时会有恶劣的讨钱流浪汉出现，倘若不乖乖掏出令对方满意的钱数，他们是不会轻易放人离开的。

方昕瑶略一沉思，决定豁出去赌一把。

她站起来，开始沿着河边小路来回地走。像自己这样落单的女孩，是最容易被当成目标的吧？

果不其然，没几分钟，她便见一个衣衫破旧的流浪汉朝她走来，到她跟前作了揖，然后伸出双手说："姑娘行行好吧。"

她转身就走。流浪汉自然不肯放过如此良机，紧跟在她身边，口里不停地念念有词。她并不理会，只是埋头往前。流浪汉大约是急了，突然一把抓住她的手腕："不给钱你别想走！"

"放手！"方昕瑶用力挣扎，但根本甩不开。

"我要的不多，给五十块就行。"

"没有！我一分钱都没带。"

"我不信，要不，你让我搜搜身？"说这句话时，流浪汉怪笑了两声。

她心里一惊："放开，我要喊人了！"

流浪汉倒十分镇定："呵呵，这里连个鬼影都没——"

话音还未落，便听见远处传来一声厉喝："你放开她！"

她呆住了，她知道自己成功了，他果然没有走远。

顺着声音传来的方向望去——只见一个男子身影往这边大步跑来，越来越近，越来越近，直到她可以将他看得无限清晰，之后却又逐渐陷入模糊。

因为她的眼睛已被泪水包围。

男子到了跟前，一把掐住流浪汉抓她的那只手，用力一推，便将流浪汉狠狠推倒在地上。他闪身挡在她身前，她昂起头，只能看见他挺拔的肩脊和黑黑的后脑勺。

见他还想上前去教训流浪汉，她连忙攥住了他的大衣下摆："算了，厉凌哥哥！"

背影明显地僵了一下，然后慢慢放下了欲挥拳的手。"滚。"仅有的这一个字，却有着莫大的威慑。

流浪汉连滚带爬地溜了。空寂的河边小道上只余他们两个人，厉凌保持着背对她的姿势，久久没有转过身来。她也就那样站着，一语不发。

他似乎比那时更高了些。她记得那时自己拼命想长高，可最高纪录也才只能够到他的下巴。在他离开后的几年她又长过几厘米，然而现在，她反而只能靠踮一点脚才能平齐他的肩膀了。可是他离开时也有十八岁了呀，唔，看来男孩子十八岁以后还能长个子这说法并不是假的。

奇怪，她干吗要想这些。她晃晃脑袋，想把乱七八糟的思绪赶出脑海。

曾经她不止一次地幻想过，如果有一天她能再与他重逢，她应该说些什么，应该如何微笑，如何装作不经意地问一问他当初不告而别的理由，或者摆出高贵冷艳的姿态告诉他"我很生气，我不原谅你"。

然而真到了这一刻，她所有的感官都迟钝甚至停滞下来，曾经的种种设想明明还深深刻在脑海里，她却一个也实施不出来。

此刻他就站在她面前，她不仅完全不生气，反而无比地感激上天。

"阿嚏！"不知过了多久，她被冻得打了个喷嚏。厉凌这才有了反应，眉头一皱，脱下大衣披在她身上。

她轻轻一颤，见他里边只穿着单薄的衬衫，连忙想脱下，却被他挥手一拦，将大衣死死按在她肩上。

"你穿着，我不冷。"

"谢谢……"她的脸微微发热。事实上大衣里的气息无比温暖，她真有点贪恋这种感觉。

他轻叹一声："车在路口，跟我过去吧，然后送你回宿舍。"说完，他也不等她回答便自顾自地慢慢往前走着。

她看着他的背影，不知为何突然有一种恐慌，急忙噔噔几步追上去，执意跟他并排走。

一路沉默。

黑色的车就停在路口的大马路边。为了缓解尴尬，她率先跑过去打开副驾的门，正要猫腰钻进去——

"以后不要一个人到这么偏僻的地方来。"语气十足的严厉，略带责备之意。

她愣了愣："哦。"跟着乖乖上车坐好。

从河边开到宿舍也不过十来分钟路程。她一边默默祈祷每个路口都赶上红灯，一边默默地观察车内状况。米色真皮座椅未包上椅套，车内也没有任何内饰，整洁、简单、干练，还真像他的风格。

很快便到宿舍门口，她突然意识到，他怎么都不问她留个电话？莫非今天才刚刚见面，他就打算再次从她的世界里消失？不，她不能让这种事发生，今天就让她厚脸皮一次好了。

下车后，她鼓起勇气："那个，你开车小心点，到家了给我来个短信。"暗示得够明显了吧？

厉凌却只轻轻地"嗯"了一声："再见。"

这……他到底听懂了没？方昕瑶汗颜，正准备把暗示转为明示，身后突然有人叫她："昕瑶，你总算回来了！"

是谢雪妍。大概是担心她一个人出门，所以一直在宿舍门口等着她。

"快回去吧。"厉凌扔下这句话，一脚油门绝尘而去。

方昕瑶想要电话号码的作战方案完全失败。她沮丧地叹了口气，只能再想办法了，幸好她记下了车牌号，也不算全无线索。

谢雪妍笑眯眯地挽着她的手："哟，深夜里豪车相送，方大小姐有情况啊。"

她脸上热乎乎的，不知该如何解释。

"唉，只是可怜了我们家梁浩啊。"谢雪妍夸张地一叹。

"嗯？梁浩什么时候成你家的了？"

"哈哈，为了探听你的情况，他可没少贿赂我，明明年龄比我大，还整天叫我姐姐。"

"昕瑶。"她突然站住了，神色是少有的认真，"我知道你对梁浩没有那种感情，但是，如果有一天你喜欢上其他人，能不能答应我，千万不要伤害他？"

"你……"方昕瑶第一次发觉谢雪妍似乎对梁浩不同一般，可又觉得这个问题由她来问貌似不太合适。

　　谢雪妍像是看穿了她的想法，羞得一跺脚："哎呀，你千万别误会，我只不过是觉得梁浩的执着很让人感动罢了。"

　　方昕瑶莞尔，也不再继续打趣她："好，我答应你。"

　　回到宿舍洗完澡，她刚爬上床便到了熄灯时间。四周一片漆黑，同寝室女孩儿们陆续沉入梦乡，她却翻来覆去睡不着。

　　今天发生的事实在太让她震撼，她通过了歌手甄选，还重遇了厉凌。无论哪一件都足够让她欣喜若狂好长时间，何况两件事还发生在同一天。

　　然而厉凌对她的态度冷冰冰的。虽然从前就知道他是个外表冷漠的人，可是好歹他们都八年未见了，故友重逢，他居然连一丝一毫喜悦的反应都没有，甚至连电话都没留下一个。这是不是代表他并不想再联系自己呢？

　　心口处不禁酸涩。

　　"嘀嘀。"

　　脚边充电的手机突然响起短信提示音。声音虽小，却被她立即敏感地捕捉到了。她一把抓过手机，在亮起来的屏幕上赫然看见跳出的几个字："已到家。"

　　显示的电话号码是陌生的，但她知道，这一定是厉凌的号码。

　　原来他知道自己的电话号码。

　　她想到了通宇录音棚里的不明目光，大厅里身后的脚步，还有饭店外的停留，他一定是从通宇开始就跟着她的。

　　她打出一条信息："你是在通宇上班吗？"

　　转念一想，又觉得不太合适。他们多年未见，彼此之间难免生疏，不应该太急切地探听对方的私事。

　　"早点休息，晚安。"发出这条消息，她心满意足地睡下了。

　　来日方长。

/// // 第二章 ///
心墙

1. 全身的细胞似乎都在看见他的一刻慌乱起来 /// //

　　一个星期过去。就在方昕瑶结束最后一门期末考试的那一天，她收到了通宇寄来的正式合同。签约费虽然不算高，但对于一个新人来说算是颇为丰厚的。有了这笔钱，她至少可以偿还掉大学期间所有的学费贷款。

　　总觉得一切都在往光明的一面发展，曾经经历的种种痛苦好似在逐渐淡去，属于她的未来开始散发出充满希望的光芒。这道光芒里，依稀还能看见属于厉凌的身影。

　　寒假正式开始，方昕瑶照例申请了留校。应通宇的要求，她在寒假第一天去通宇参加一个专门为她举行的会议。

　　到达会议室时已经有两位工作人员在等她，其中一个看起来比她大上几岁的女子，一见她进门就笑容灿烂地迎上来，自我介绍道："我叫都岚，从今天开始就是你的经纪人，希望你对我满意。"说完，她还朝方昕瑶挤了挤眼睛，看起来热情又好相处的样子。

　　"你好，都岚姐。"方昕瑶露出恰到好处的笑容，心里忍不住泛起涟漪。经纪人啊，这个高大上的名词似乎让她那份"就要成为歌手"

的不真实感变得真切了几分。

另外一个男孩看上去和她年龄相仿，都岚介绍道："他是 Joe，负责你新专辑的市场推广。"

Joe 站起来，不好意思地挠了挠头："那个，你别担心我年纪小没经验，其实我只是——哎哟！"话没说完，他便被都岚一胳膊肘顶在肚子上。

"Joe 年纪虽小，但思路很棒，你不用担心。"都岚抛过去一个暗藏警告又意味深长的笑容。

这——总觉得有什么玄机呢。

然而还来不及疑惑，会议室外传来一阵交错的脚步声，跟着数名参会人鱼贯而入。都岚上前站在方昕瑶身侧，一一为她介绍着。

除了与新专辑录制有关的工作人员，还有通宇为她安排的三位专业声乐老师。根据时间表，在寒假期间，前两周方昕瑶需要进行紧锣密鼓的唱歌方面的特训，而第三周将正式启动新专辑的录制工作，务必要在寒假结束前完成所有录音。

这样的安排，不得不说为她考虑得十分周到。

会议结束后，都岚单独留下方昕瑶，告诉她从明天起，每天早上八点会在她宿舍楼下接她，带她来通宇上课。

"好的。"方昕瑶想了想，问道，"都岚姐，你能带我去见见杜乐凝杜总吗？"

"你找杜总有事？"

"我能有机会走上歌手这条路，多亏杜总的知遇之恩，所以一直想找机会当面谢谢她。"

"这样啊，但杜总并不常待在公司的，她除了经营通宇唱片，还有另外一个身份。"都岚领着她一边往会议室外走，一边说，"她是个业内蛮有名气的大提琴家哦，经常跟着乐团全球巡演，这会儿指不定在哪个国家呢。"

原来如此，只好再找机会了。

"我去去洗手间，你在这稍等我一下。"

方昕瑶点头，便站在走廊里一边等一边回短信。短信是梁浩刚才发来的：在通宇开会顺利吗？你几点回来，我去接你。

她回：谢谢啊，不过不用了，我还有别的事。

很快他又发来：那好，需要我的话随时 call 我。：）

方昕瑶不由得暗叹，打从一开始就无论什么样的拒绝都无法让他退缩，到现在，他更是练就了一身游刃有余的无视她拒绝的神功。

"哟哟哟，看这是谁呢？"一道夸张的高低起伏的音调传来，方昕瑶扭头，看见两名女子从走廊那头走过来，说话的这个化着妖媚的妆容，行走间扭腰摆臀，风情十足。

"你就是新来的方昕瑶吧？"她嘲讽似的一哼，声音尖细高昂，"就是你啊，不知道用了什么手段，抢走了霓霓的新专辑。听说在歌手甄选时还有一位高层力保你，啧啧啧，小小年纪就懂得傍金主，果然年轻有为啊。"

方昕瑶不禁皱眉，在脑中搜索一番，大概猜出了这人的身份。

"请你不要随意污蔑。"她淡淡地回道。

"污蔑？呵呵，你去问问通宇上上下下所有员工，有哪个新歌手是一进公司就配上专门的经纪人的？就连通宇几位一线大牌都未必人人配有专人。何况还是都岚这样资深的，多少歌手想要求都求不来，偏偏安排给你？"

方昕瑶一愣，经纪人的事难道不是通宇的惯例吗？

一旁另一位纤瘦的女子倒十分温和，她劝道："曼卿，别闹了，这些都是公司的安排，与方小姐无关的。"她的话证实了方昕瑶的猜测，那位语气尖酸的妖媚女子果然就是舒叶林的表姐徐曼卿。

"霓霓，我自己倒无所谓，但就是为你感到不公平。论资历，论名气，你哪一点不是稳坐通宇头把交椅，凭什么被一个新人骑在头上？专辑被抢也就罢了，上个星期你刚提出想换都岚做你经纪人，结果一转眼又被她抢走，你怎么能咽得下这口气？"

霓霓这个名字——莫非，她就是有动感天后之称，如今在歌坛如日中天的歌手甄霓？方昕瑶暗暗惊讶，难怪乍一看觉得像在哪见过，只是没想到她在生活中的形象跟娱乐新闻里全然不同，没有五颜六色的头发，也没有浓厚的烟熏妆，更没有稀奇古怪的服饰，只穿着普通的长裙，扎着普通的马尾，就像普普通通清清爽爽的邻家姐姐。

"《天使》那张专辑原本就不适合我的声线，都岚也只是我随意一提罢了，没那么严重。"甄霓投来一个抱歉的眼神，"方小姐你别放在心上。曼卿，我们还赶时间，快走吧。"

"不行，我非得替你教训教训这个不知天高地厚的小丫头！"徐曼卿冷冷一笑，欺身上前两步。

"你想干什么！？"都岚大喊一声截住了徐曼卿的动作，她急匆匆从洗手间出来，挡在方昕瑶身前。

徐曼卿不情愿地哼了一声："都岚，给一个无名之辈当经纪人，你就不觉得憋屈？"

都岚毫不留情地回击："我觉得昕瑶很有潜力，前途无量，做她的经纪人我很荣幸。当然，你在通宇混了八年还是个不入流的歌手，自然不懂什么叫'一炮而红'的。哦，还是说，你以为最近傍上了骆大制作人，就有出头之日了？呵，缺心眼儿吧你。"

"你！"徐曼卿被气得脸一阵红一阵白。

都岚完全没有见好就收的意思，悠悠一笑："你这个张牙舞爪的样子，信不信我拍下来送给你的小可看看？"

徐曼卿大惊失色："你怎么会知道小可？"

"你忘了我们家是靠什么混饭吃的？"

甄霓拽住徐曼卿的胳膊："不好意思，我们先告辞了。"这一次徐曼卿没有反抗，顺从地悻悻离开了。

刚才对战的一幕信息量实在太大，以至于方昕瑶一时回不过神来。小可是谁？为什么能让徐曼卿一下子偃旗息鼓？

都岚挽起她的胳膊："怎么，吓着啦？唉，圈子里什么乌烟瘴气的人都有，以后你慢慢就会见识。不过千万别担心，一切有姐姐我呢！你只需要专心地唱歌就可以了。"

她感激地一笑："我会努力争取不让你憋屈的。"

"嗯？"都岚反应过来她的意思，"哈哈，你这个妹子不错，临危不惧，很对我的胃口。"

"走，我带你去见一个朋友。"都岚拽着她乘电梯下到二楼，到了一个只对通字内部营业的咖啡厅，然后又拉着她径直走向角落里被屏风隔起来的卡座。

她看见卡座里一道男子身影望着窗外，一只手斜撑着下巴，另一只手正用小勺一圈一圈搅拌着桌上的咖啡，一副沉思的模样。

怎么会是他？她心里咯噔一下，这个人不是厉凌还能是谁。

方昕瑶显然没有任何心理准备，全身的细胞似乎都在看见他的一刻慌乱起来。

"厉……厉凌！我们来了。"都岚开口叫他。

厉凌回过头来，放下勺子，比了个"请坐"的手势。

方昕瑶傻愣愣地站着，直到都岚推着她在对面的座位坐下："我还有别的事，就不陪你们了，一会儿麻烦你替我送昕瑶回家，千万记住啊！"

他面无表情地点了点头，算是应允。

都岚风风火火地走了，卡座里只余他们二人。方昕瑶低着头，双手交叠放在膝盖上，紧张得不知如何是好。偏偏厉凌也不说话，只是端起咖啡，轻轻地小口啜饮。

幸好咖啡厅老板娘走过来打破了难熬的沉默："这位顾客，您喝点什么？"

他闻言抬头，用探寻的目光看着她："你要柠檬茶吗？"

"啊……好的。"方昕瑶脸上火辣辣地热起来，柠檬茶是她小时候最喜欢的饮料，但印象中她从来没有直接告诉过他。是他那时观察出来的吗？还一直记到现在？

她开始漫无边际地揣测，好像，心里有一点高兴，先前紧张的情绪也被驱走了大半。

喝了一口老板娘端来的柠檬茶后，她舒了一口气，开始尝试着找话题："你是在通宇上班吗？"

"……嗯。"

"做哪方面工作呢？"

他顿了顿："……打工而已。"

方昕瑶露出关切的表情："会不会很辛苦？"

"不会。"

"哦……"这个话题似乎进行不下去了，她赶紧埋头喝饮料，努力想找出下一个话题。

停了一会儿，没想到他会主动开口："你好像不太一样了。"

她心里一惊，握杯子的手不由得收紧。

她努力让自己看上去镇定："呵呵，哪里不一样？"

"以前，你总能叽叽喳喳说个不停。"

她不由得呆住。记忆中，小时候她能跟在他身边一直不停地说话，说自己的事，说学校里老师同学的事，说唱歌的事，说妈妈的事。他那时候总是很不耐烦地抗议："你能不能别那么吵？"而她就睁着无辜的大眼睛："谁让你都不爱说话呢？如果我不说，就没人说话了呀。"

心口处不免苦涩，是啊，她早已经不是那个天真无邪、喜欢说话喜欢大笑的小女孩儿了。现在的她，变成了一个不愿提及自身的人，尤其是，不愿提及过去。

"这些年还好吗？"厉凌看似随意的一问，却神情认真地等待着她的回答。

可是，那一场噩梦，她根本不想让任何人知道啊，尤其是他。

她黯然垂眸："挺好的。"

又是一阵沉默。

厉凌也不再追问，两人就那么静静坐了一会儿。过了一阵，他抬起手腕看了看时间："已经六点了，不如——"

话未说完，方昕瑶的手机突然冷不丁地响起来。

"不好意思。"她抱歉地接起来，电话那头的大嗓门很兴奋："喂喂，昕瑶，我是梁浩，我借了我爸的车，现在在通宇楼下，你快下来，我带你去吃晚餐。"

"啊？我——"

"我手机快没电了，你先下来再说！"说完，他便断了线。

这个梁浩，怎么又突然跑来了。她见厉凌微微蹙着眉，一定是听见了梁浩的声音。他会不会误会呢？方昕瑶很想解释，可他什么都没问，她也不知该从何说起。

"那个，你刚才想说什么？"

厉凌站起来："没事，我本想送你回宿舍，既然你朋友来接，我就送你到大厅吧。"

这一次他倒没有转身就走，而是等方昕瑶站起来，才和她并肩一道。她这时才注意到他今天穿着一身暗灰西装，一举一动都显得那么器宇不凡，从容自信。

他也和以前不太一样了呢。然而不同的是，他变得越来越好，而自己，却越来越糟糕。与他站在一起，她根本毫无信心。

从电梯出来，方昕瑶远远便瞧见梁浩朝她挥手。

她还想说些什么，厉凌却停住脚步："你去吧，我还有别的事。"

"哦……那再见。"方昕瑶只好道别，走了一段忍不住回头时，他已经消失不见。

不觉怅然若失。

梁浩迎上来，他或许是看见了厉凌，但最终他什么也没问，只是领着她去了停车位。

那里赫然停着一辆保时捷SUV。一直都知道梁浩的家庭条件不错，但从这辆车看来，似乎比她想象中的还要更好一些。

梁浩绅士地为她拉开车门，笑着说："我好不容易才说动我爸借车给我，整个寒假我都可以做你的司机了。"

"公司安排了经纪人接送我，不用麻烦你了。"

梁浩关上车门，又绕过车头蹿上驾驶座，全然不在意地说："昕瑶，你不愿意，我不勉强。但是，你总会遇到需要帮助的时候，我只希望那时你能想到我。"

车平稳地发动，她安静地坐在副驾驶座上，无法接话。

她知道，梁浩是一个很好很好的男孩，阳光，开朗，对她一心一意，从不放弃。照理说被他喜欢上的女孩应该十分幸福，可是对她来说，梁浩却犹如一团烈火，距离适当可以温暖人心，可一旦他靠得太近，会令她有一种被炙烤得喘不过气来的感觉。

那感觉让她本能地想要远离。

2. 她或许还会一直做一只藏头的鸵鸟 /// //

厉凌回到办公室，在黑暗里独坐良久。

确实不太对劲，按他早先得来的消息，她明明应该去了法国念书，怎么会出现在北京？而且，一旦他稍微问及她这几年的情况，她便明显眼神躲闪，言辞闪烁。

他离开后的那几年，究竟发生了什么？

一番思索后，他拨通了内线："你来一下。"看来，他有必要梳理一下身边的助手。

不多时，有人敲门进来，毕恭毕敬地弯腰："您找我？"

厉凌一言不发，只是看着眼前这个精瘦的戴黑框眼镜的下属。习惯于幽暗环境的他，即使在不开灯的情况下也能精确地捕捉到下属脸上慌张的表情。

"严特助。"他嘲讽地一哂，"我从来都不知道，你原来并不是效忠于我。"

严特助冷汗涔涔，腰弯得更低："方小姐的事我很抱歉，我只是——"

"行了。"他冷声拦下他的话，"我很清楚你为何隐瞒我。因此，我可以再给你最后一次机会。"

严特助诚惶诚恐，屏息听着。

"我要知道全部真相。"

"是，我一定给您一个满意的交代。"

第二天早晨，方昕瑶准时下楼时，看见一辆眼熟的黑色轿车停在路边。

那不是厉凌哥哥的车吗？心脏又不争气地怦怦加速，她慢吞吞地挪了两步——

"昕瑶，我在这儿！"从摇下的驾驶座车窗里，她看见都岚在向她招手。

呃——方昕瑶顿时石化。她好像越来越不正常了，怎么会自作多情地以为是他来接她呢？

她尴尬地上了车，都岚瞅了她一眼："你怎么了？脸红扑扑的。"

"没事，可能因为跑得有点急，呵呵。"她心虚地别开脸，目光在车里转了一圈，这肯定是上次她坐过的那辆车。

"吃早餐了吗？"

"嗯……"事实上学校放寒假，食堂也跟着不供应早餐了。

"喏，给你。"都岚递上来一个纸袋，里边装着一杯热热的豆浆和一袋小笼烧卖，"凑合吃点吧，我家楼下只有这个。"

方昕瑶受宠若惊，她没想到经纪人会连这种细枝末节的事情也处处照顾。

"谢谢。"她接过来，一边喝着豆浆一边没忍住地问，"都岚姐，这辆车是通宇的公车吗？"只有这样才能解释为什么厉凌一个打工的能开着 A8 这么好的车。

"啊？"都岚扣安全带的手微微一停，"嗯，没错啦，是公车。"

方昕瑶不再多想，一心一意地开始期待一会儿要见到的声乐老师。今天的课程是恶补声乐专业知识，这位老师她后来在网上查过，是北京最好的音乐大学的荣誉教授。能接受她一对一的培训，一定比在学校旁听声乐课要有收获得多。

车开到通宇，方昕瑶独自去六楼的教室见老师，而都岚则回到五楼办公室处理别的事宜。

到了教室门口，门虚掩着，她抬手轻轻敲了敲。

"请进。"里边传来一个和蔼的声音，看来老师已经到了。

方昕瑶推门进去，看见一个慈眉善目的老太太正注视着她。老太太穿着一身得体的套装，头发银白，脸上皱纹遍布，却能让人感受到一种端庄大气的美。就好似一坛美酒经过岁月的沉淀，变得愈加醇厚香浓。

"你就是方昕瑶吧？"

"对不起徐老师，我来晚了。"她微微躬身致歉。

"不晚，不晚，是我大清早睡不着，干脆就来这儿待着。"徐老师和蔼地笑着，"方小姐曾经学习过专业的乐理知识吗？"

她有点惭愧："小时候曾经听妈妈讲过一些，初高中时断断续续学过钢琴和古筝，在大学里有时会旁听声乐学院的专业课，除此就没有了。"

"哦？你妈妈也是从事音乐事业的？"

提到妈妈，方昕瑶心里泛起一丝悲伤，但语气里更多的是自豪："是的，妈妈年轻时是一位歌唱家，后来当了声乐老师。"

"方便告诉我她的名字吗？说不定我会认识。"

"我妈妈叫姚子夏。"

"你是姚子夏的女儿？"徐老师眼睛一亮，"我听过这个名字，当年她在歌坛有过不俗的成绩。难怪你这么年轻就被通宇选中，想来有家族遗传。"

又聊了几句后，徐老师递过来一本厚厚的书："这是咱们这两周课程的教材，除了上课，你得在课外花更多的精力来恶补。"

方昕瑶将书接过来一翻，居然有足足五百页。她记得通宇安排的课程是三门，假如每门课都发一本……她不禁汗颜，看来，这注定是一个比以往都忙碌的寒假。

徐老师说："现今歌坛里有大批歌手都缺乏乐理基本功，只会凭感觉唱歌，不屑于学习这些最基础的东西。短时间内可能看不出什么弊端，许多歌手凭公司的炒作该走红的走红，该赚钱的赚钱，该拿奖的拿奖。可是我敢说这些成绩一定长久不了，就像漂在水面上的花，虽然好看，可到底缺乏根基，迟早要被市场淘汰。如果你是真正喜欢唱歌，想要在这份事业上终身拼搏，我希望你在唱歌的同时不要忘记学习理论，并且，通过学习这些知识，也能使你对音乐、对唱歌有更加深刻的感悟。"

整个上午，徐老师将教材内容过了四分之一。方昕瑶一边听一边记，像海绵一样拼命吸收。到了下午，徐老师抛开教材，教了她一些实际的发声时控制声带、控制气息的方法。

临近下课，徐老师考了她今天课程中的要点，她都能一一对答，举一反三。

"不错，你很有天赋，理论和实际技巧都掌握得很快。"徐老师赞赏地点头，"乐凝的眼光果然不错。"

能得到这位德高望重的教授的肯定，方昕瑶自然开心："谢谢您。我也一直很感激杜总的厚爱，只是直到现在还无缘当面感谢她。"

提到杜乐凝，徐老师脸上露出宠爱的笑容："这孩子常年四处演出，就连我们都难得见她一回。不过现下快过年了，她应该就快回北京了。"

"徐老师，您和杜总是？"

"我是杜老爷子的亲妹妹，乐凝的姑奶奶。"

原来如此，方昕瑶恍然大悟，难怪这位大名鼎鼎的教授会愿意来给她这个名不见经传的新人上课。看来，又是杜乐凝对她的关照。

"我听说杜总是一位大提琴家，常年跟着交响乐团在全球巡演。"

"是啊，我也一年没见到她了，上次见面还是在去年除夕夜，她带了男朋友来参加家宴。本以为她交了男朋友就能乖乖待在北京，谁知道还是总往外跑。唉，再这么下去男朋友不得有意见啊。"

长辈对小辈的关切便是如此吧。她不禁有一丝羡慕。

"徐老师您放心，杜总这样优秀，谁当她男朋友一定会死心塌地的。"她俏皮地眨眨眼。

"可我总觉得那小伙子冷淡了点。对了，他就是你们通宇的同事，叫厉凌。"

她愕然怔住。

厉凌……

厉凌？

方昕瑶瞬间觉得自己的耳膜被这两个字冲击得胀痛，身体重得不住下沉，再下沉，本是站着的她不得不扶着椅子坐了下来。

"您说，是谁？"她还抱着一丝希望，希望刚才听见的名字只是自己的幻觉。

"他叫厉凌。"徐老师又说了一遍，"怎么了？你认识吗？"

"哦……不认识。"她勉强牵了牵僵硬的嘴角，"通宇这么大，我只是个新人，并不是全都认识的。"

脑袋轰轰乱响，她实在快撑不住了。

"徐老师，我还约了朋友吃晚餐，先走了，很抱歉。"她只好胡乱编了个理由，在徐老师狐疑的眼光里迅速逃离。

一直跑到楼下大厅，她给都岚发了个短信，便一个人先离开了通宇。她需要静一静。

其实几年来她不是没有想过厉凌哥哥或许已经恋爱甚至结婚，可是她的大脑自重遇他起就自动屏蔽了所有会让她不愉快的猜想。今天若不是亲耳听徐老师提起，她或许还会一直做一只藏头的鸵鸟。

就在她快走出大厦门口时，突然身后有人叫住了她。

"昕瑶。"是厉凌的声音。

她背脊一阵发麻，真是不想来什么偏来什么！此时此刻，她真的没有想好该用什么样的表情来面对他。

在她发愣的空当，他已经大步走到了她身边。

"下课了？都岚怎么没送你？"

"哦……是啊，我想先回学校，跟都岚姐报备过了。"方昕瑶低着头，努力让自己的语气显得正常。

他沉默了片刻："我送你。"

"不用不用。"她如同被惊到了一般，一边拒绝一边后退，"有人接我的，不用麻烦你。我先走了。"说着，她一溜小跑逃离了他。

厉凌伫立原地，一直目视着她的背影逐渐消失。接她的人一定就是上次在大厅里见过的那个男孩儿，叫梁浩吧？

他已经让严特助调查过梁浩，C大学生会主席，能力强，学业佳，还有不错的家世，父母皆为某五百强企业高管。更重要的是，他知道梁浩对她很好，所以他不应该有什么不放心的才对。

他也不应该总是留恋她的背影。无论出于什么样的理由，既然当年他做出了那样的选择，就代表他早已失去了拥有她的资格。

理智这样告诉他。

3. 一动不动地站在那，全心全意地等着她 /// //

之后的一周，方昕瑶每天在通宇上课下课，在她有意识的躲避下，她再也没有遇到过厉凌。

她强迫自己不再去想关于他和杜乐凝的事，把所有精力都花在声乐课程上。三位老师都对她赞不绝口，直夸她有天分，第一张专辑必定能红红火火。

很快，录制工作开始如火如荼地进行，方昕瑶对新歌的把握和诠释十分到位，就连制作人骆添也数次在录音棚里对她交口称赞。

与此同时，通宇决定为她的主打歌拍一支 MV。MV 将采取微电影形式，根据歌词来设置故事情节，男女主角都启用了当前走红的偶像剧演员。而方昕瑶也被设计为以旁观者的身份出现在 MV 中，因此需要专门拍摄一些她的镜头进行剪辑融合。

　　她作为一个新人，完全没有这方面的经验，心里自然紧张。都岚安慰她："公司配的拍摄团队是最顶级的，你只需要按照导演的要求做就行，放心，MV 又不是电影，不会要求你怎么表演，只要导演抓对角度就完全没问题。"

　　很快到了拍摄 MV 这天。

　　一大早方昕瑶便被都岚火急火燎地从宿舍抓起来，奔向位于郊区的租借的摄影棚。拍摄 MV 的时间大概是两天，一天内景，一天外景，任务量不轻。到达摄影棚时各工作人员早已就位，造型师助理站在门口迎接方昕瑶，将她带到属于她的私人化妆间。

　　然而造型师却不在房间里。

　　都岚皱眉，询问道："人呢？"

　　助理弱弱答道："Vivian 姐有点急事稍微耽搁一下，很快就到。"

　　"你们怎么搞的？拍摄日程这么紧张，有什么事非要大清早去做？"声音明显不悦。

　　方昕瑶倒不太搞得清状况，只是听都岚说过本次 MV 拍摄中公司为她安排的是通宇最顶尖的资深造型师 Vivian，如果合作愉快的话，Vivian 很有可能会成为她的专用造型师。

　　"对不起都岚姐，我马上 call 她。"助理诚惶诚恐，离开房间打电话去了。

　　奇怪的是，助理这一走竟然很久都没回来。时间一分一秒过去，眼看离正式开拍的点越来越近，再拖延下去连化妆时间都快不够了。

　　都岚耐不住性子出去找人，走了一圈再回来时气得七窍生烟："太过分了！他们太过分了！"

　　"怎么了？"方昕瑶连忙递上一瓶水，都岚一口气喝到底才算顺了气。

"甄霓今天也在这个摄影棚拍 MV，她的造型师大清早突发急病入院了，临时找不到别人，居然把咱们的人抢了过去！我刚才去要人，他们居然还死扣不放！"

"这……"没想到会出这种状况，方昕瑶完全没有经验，"能不能就让造型师助理做一下？"

"当然不行。"话还没说完就被都岚斩钉截铁地拒绝了，"昕瑶，你这支 MV 有多重要你不明白吗？我怎么能把你的形象打造交给一个没什么经验的新人？"

都岚猛地站起来："不行，人我必须抢回来！你等着，我招呼几个咱们的人过去，大不了干一架！我还真不信通宇是她甄霓一个人说了算！"

"都岚姐！"方昕瑶一把拉住她，怎么也不能让她以这种状态去跟对方交涉，"你冷静点，咱们再想想别的办法。"

"你别拦着我。"都岚甩开拉住她的胳膊，伸手就去够门上的把手。

门却突然被人从外面推开，差点撞到她的鼻子。

"你的性子还能更急一点吗？"男子低沉的声音传来，让方昕瑶冷不丁一个哆嗦。

他怎么会出现在这里？

厉凌抱着手站在门边，神情冷峻。她低着头，局促难安，偶然瞥了一眼，发现他正冷眼看着她。

都岚如同见到救星一般："你来了就太好了，你知不知道——"

"我知道。"厉凌打断她走进来，跟着脱下西装外套，挽起衬衫的袖子，"去把造型师助理叫回来帮我。"

都岚愣了愣，然后像领悟到了什么，先前的怒气一扫而空，脸上都要笑出花来了："怎么，你亲自上？"

他斜了一眼："你有意见？"

"没意见，没意见，我马上去叫助理进来！"都岚喜滋滋地迅速甩门而去。

小小的化妆间里，空气突然灼热起来。方昕瑶觉得连呼吸都困难，可又毫无逃离的办法，只能别别扭扭地站在那儿。

"你似乎不太想看见我。"厉凌这一句瞬间轰得她眼冒金星，手足无措。

"呵呵，没有没有。"她心虚地笑了笑，显然没什么底气。

这些天她确实是有意在躲着他，但完全不是因为"不想"，而是"不敢"。

"坐下吧。"他拍了拍妆镜前的椅子，没有再追问刚才的话题，"抓紧时间，导演已经催过一遍了。"

她脑袋发蒙，只能顺从地坐下。厉凌站在她身后，倾身看着镜子里的她，神情专注。

他应该是在思索如何给她化妆做发型吧。方昕瑶虽然这么想，但他实在靠得太近，属于他的气息一阵阵传来，她禁不住地开始脸上发烫，甚至不敢看向面前的镜子。

难熬的窘迫……

幸好造型师助理片刻后推门进来了，她怯怯懦懦地蹲在墙角整理着造型工作箱，虽然她不说话，但有第三个人存在还是让方昕瑶感到自在了一些。

厉凌很快进入状态，指挥助理准备东西，然后用发夹把她的头发拢住，开始用安瓶在她脸上打底。

"你竟然还会化妆？"她十分意外。

"嗯，大学时在打工的店里学的。"他略一扬眉，"怎么，质疑我的水平？"

"没有没有，只是没想到而已。小时候只知道你做头发厉害——"

提到"小时候"，正在为她擦粉底的手停了下来。厉凌眸光暗沉，似乎陷入了什么回忆中。但很快，他又重新动作起来，用冷厉的声音道："你别再说话了，影响我工作。"

她只好乖乖闭嘴，轻阖上眼睛。

休息室里，林导演匆匆跑来，见到正在看台本的都岚，连忙问："都大小姐，那里什么情况，听说你们通宇的厉总亲自……"他指了指化妆间的方向。

"快扶扶你下巴，小心别掉地上了。"都岚抬头咧嘴一笑，"岂止是造型啊，其实这个新人的企划宣传推广造势发行各方面通通都是厉总亲自抓在手上的。"

林导更是惊得合不拢嘴。

"咱们是合作多年的交情了，别怪我不提醒你啊，一会儿你千万好好拍，好好找角度，这个新人是通宇今年的重头戏，拍好了对你有好处！"

林导连连点头："没问题，没问题，我这就去再让他们查查布景和灯光！"说着，他便出去了。

都岚眼眸里露出狡黠的光，自言自语道："下次如果昕瑶的MV里需要一个男主角，大概你也不会拒绝亲自上的吧……"

当方昕瑶做完造型出现在摄影棚时，所有人都震惊了。

美，实在太美，太符合《天使》的意境。

都岚抱手观赏着眼前焕然一新的美人。之前她只觉得这个女孩子五官秀美，有几分璞玉之姿，但也不过是小家碧玉罢了。然而现在经过厉凌的打造，她的美丽突然变得锋芒毕露。清纯、高贵、出尘脱俗，那感觉就如同璞玉经过能工巧匠的打磨之后，呈现出一种巧夺天工的美妙。尤其是那双眼睛，精致却又自然的眼妆使得她的眼睛成了整张脸上最夺目的存在，就连身为女子的都岚都忍不住被方昕瑶的明眸善睐吸引。

再看一眼站在她身边的厉凌，一向冷漠的他这会儿脸上竟然浮现出一抹若有若无的温柔，眼里也流露出几分得意之色。都岚不由得揉揉眼，该不会是她看错了吧？这还是她认识多年的冰块脸吗？

整个拍摄过程中，厉凌一直拎着化妆箱站在一旁，每当拍完一个小节便上前去帮方昕瑶补妆梳头。

除了林导已经被都岚打过预防针有点心理准备，其他的工作人员简直看得目瞪口呆。虽然大家都知道厉总在刚进入通宇时的第一份工作就是为出镜的歌手做造型，但那已经是好几年前的事了。如今的他是通宇人人敬畏的执行副总裁，由于总裁长期不在国内，他其实就是通宇的实际掌权人。

可是他们的Boss今天居然跑来给一个新人做跟班造型师？天哪！是不是哪里接入的方式不对啊？！

由于工作人员格外卖力，一整天的拍摄很顺利就结束了，厉凌还从这些镜头中选中一组特别满意的画面作为新专辑的宣传海报。

方昕瑶卸完妆换完衣服出来，摄影棚已经熄了灯，工作人员也走得差不多了。她一边往外走一边拿出手机预备打给都岚，屏幕上却跳出她的短信：昕瑶，我有点急事先走，安排别人送你。

啊——方昕瑶预感不妙，这个"别人"……

她停住脚步，一抬头，果然看见了倚靠在大厅门口等待的厉凌。他等的时间应该不短，可现下的他什么也没干，没有抽烟，没有玩手机，没有来回踱步，只是一动不动地站在那，全心全意地等着她。

方昕瑶鼻子发酸，自嘲地笑了笑——什么全心全意等着她，只不过是自己的幻觉罢了。他已经有女朋友了，她唯一能为他做的就是控制住自己，与他保持安全的距离。

但眼下避无可避，她唯有硬着头皮走过去，埋头从他身前走过。厉凌静静地跟上，又超过她走到车前，帮她拉开了副驾驶的车门。

同样的细节梁浩也曾做过，可给予她的感受完全不同。

车子在夜色中平稳行进，为了缓解尴尬，方昕瑶打开了收音机。车内猛地响起一阵欢快的贺新春的音乐，主持人愉悦地聊道："还有几天就要到中国最隆重的传统节日除夕了……"

好不容易刚刚才平静的心又钝钝地难受起来。徐老师说去年除夕厉凌就跟杜乐凝回家吃了年夜饭，那今年呢？

"杜总是不是快回来了？"话一出口她才惊觉自己真没出息，忍来忍去还是问出了口。

厉凌迟疑了片刻："应该吧。怎么突然问起她？"

"没什么，随便问问。"

他侧过头看了看她："你呢？什么时候回家过年？我帮你订机票。"

一句话又戳中了她的痛处。

"我不回去。"她淡淡地答道。却无法告诉他，她早已无家可归。

"是要去男朋友家？"

轮到方昕瑶愣了："谁是我男朋友？"旋即她又领悟道，"你说梁浩啊？他不是我男朋友。"

"哧——"

话音刚落，一阵刺耳的急刹声传来，车身猛地停下，还好有安全带紧紧把身体固定在座位上。

她吓了一大跳："怎么了？"还以为前方有什么障碍物，可她探身看了看，只看见一条宽阔空旷的马路。

"没什么。"厉凌右手把着方向盘，食指轻轻敲击着，左手肘撑在车窗上，眼里投射的光明明灭灭，不知在想些什么。片刻后他重新踩动油门，同时伸手关掉了还在叽叽喳喳播放节目的收音机。

再也无话，一路安静地回到了宿舍门外。

"谢谢。"方昕瑶解下安全带，推开车门想下车——

左手手腕却被一只有热度的手掌按住了。

"我们一起过吧。"不是询问，也无犹豫，而是一种肯定而坚持的语气，不容他人拒绝。

她一时愣了，不知他在说什么。

手腕上的力度又收紧了些许，如同生怕她会抽手跑了一般。

"我是说除夕夜，我们一起跨年。"

他的神情专注又认真，一点都不像开玩笑的样子。

你不是应该陪女朋友过年的吗？她很想这么问，可是不知为何，几次张嘴都说不出口。或许是害怕这样一问会破坏他好不容易提出的约会。

"好。"挣扎了许久，方昕瑶放弃抵抗，决定顺从心里的期望。

关于他与杜乐凝的关系，她会在除夕夜亲口问问他。

说起来他们重逢也有段日子了，却从来没能好好地聊过一次天。除夕的约会是个好机会，她迫切地想多了解他一些。

第二天拍外景的行程更加紧凑。

上午先要在格林小镇取一些欧式田园风画面，下午再奔赴位于郊区的云阳仙境拍花海与树林，因此上、下午分别要采用两套不同的造型和妆容。

方昕瑶不到五点就被都岚叫了起来，到达格林小镇化妆室也不过六点半。冬天的清晨天还黑着，空气冷得像刀子，割得脸颊生疼。她一下车就急忙往化妆室跑，推门进去发现厉凌正坐在一旁的沙发上看着一份数据报表。

虽然已经猜到今天的造型还是会由他来做，但猛一看见他，她还是觉得有点脸红心跳。

"抓紧时间。"厉凌放下手上的报表，助理也在这时进来，化妆间顿时忙碌起来。

方昕瑶打了个哈欠，连忙用力拍拍脸保持清醒。真是的，自己满面倦容，他为什么还是精神抖擞呢？

"以后都是你帮我做造型吗？"虽然他依然是那副没表情的样子，但她能从他轻快的动作里感觉到他心情不错，于是开始有一搭没一搭地闲聊。

正好化完妆，厉凌透过镜子看了她一会儿才答道："如果你希望的话，我尽量。"

什么叫我希望啊。方昕瑶默默地吐了个槽，眼看镜子里的自己眉眼不自禁地弯了起来。

他继续把她的头发放下来，然后用烧热的卷发棒将发尾稍微烫一烫。

房间里的暖气不太给力，方昕瑶在昏昏欲睡中感觉越来越冷。

厉凌给助理递了个眼色，助理立马把柜子里备好的毛毯取出来盖在她身上。

"眯一会儿吧。"她听见他这么说，身体也暖了起来，于是便肆无忌惮地打起了瞌睡。可由于做头发时的拉扯，她并不能完全睡着。在半睡半醒间她突然感觉一双温暖而灵巧的手在自己的发间穿梭，舒服极了。

咔嚓一声，化妆室的门被人推开一条缝："你出来一下。"是都岚姐的声音。

厉凌让助理帮忙把住剩下没烫的一半头发出去了，门也被他轻轻带上。

"什么事？"声音虽小，但还是传进了方昕瑶耳朵里。

"Vivian 说是你叫她来的？"

"是。"

"为什么？你不是打算亲自主持昕瑶的造型吗？"

"我未必每次都有时间。我让 Vivian 来观摩，以后需要时可以作为替补，她能力不差。"

"……让通宇造型一姐来当替补？"

"那又怎样。"

"呵呵呵呵，你这心偏得太明显了。"

"多事。我自有分寸，你去让 Vivian 过来。"说完这句，他便推门进来，接替助手继续工作。

方昕瑶的睡意已经被刚才的对话轰走了，她之前本来猜测他的工作是通宇的造型师之类的，可从刚才的对话里能听出来，他明显比Vivian 的级别高，而 Vivian 又是造型一姐，那他是什么，也许是更高级的一哥？

想不到厉凌哥哥蛮厉害的嘛。她暗暗得意。

镜子里的厉凌斜了她一眼："你在乐什么？"

"啊？"她这才发现自己正在傻笑，忙掩饰了一番，"我在乐你把我弄得太好看，都不像我自己了。"

厉凌闻言脸上浮现出一丝若有若无的笑意，手上动作加快，把她的头发挽成了英伦风的发髻垂在脑后，又给她戴上发饰和耳环。

刚一完成就有人敲门，跟着都岚便带 Vivian 进了屋。

Vivian 看上去和都岚差不多年纪，剪着齐耳短发，穿得也干净利落。她一进门率先为昨天的事道歉："实在很抱歉，当时真的很难脱身。"她明显是朝着昕瑶的方向说的。

方昕瑶友好地笑了笑："没关系，我能理解。"毕竟，有的事也未必是 Vivian 能左右的，何况她并没有损失什么，私心地想，有厉凌哥哥在，她还赚了呢，"霓霓姐那边如果需要，你可以过去的。"

都岚在心里暗暗咋舌，这妹子还真把厉总当御用了啊，哈哈。再看厉总的脸色，似乎还挺受用，得，自己也就不用再替她为这件事鸣不平了。

嘀的一声响，厉凌掏出了兜里的手机，或许是收到一条什么短信，他面上露出略微为难的神色，回了几个字。没一会儿又是嘀的一声，这一次看后他皱了皱眉，穿上了沙发上的外套，吩咐道："我有点事离开一阵，Vivian 给她跟妆。"

他又转向方昕瑶："你好好拍，中午前我争取赶回来。"

"好的，路上小心。"她自然地接道。

厉凌点了点头，便推门而去。

房间里突然鸦雀无声。

"你们怎么了？"方昕瑶奇怪地看着三个呆若木鸡的人。

"咳咳，没事没事，我们是不是该干活了。"还是都岚心里有底，知道他们关系不一般，率先反应过来，忙拉着昕瑶去找导演。

九点钟的时候气温虽比清早升高了一些，但穿着露肩礼服的方昕瑶还是被冻得瑟瑟发抖。所幸导演只是需要抓拍几个近景，又有了昨天内景的经验，因此上午的拍摄很顺利便完成了。

吃过午饭便要改妆，然而她收到厉凌发来的短信，由于有事实在脱不开身，下午的造型唯有委托给Vivian。Vivian经验丰富技术也一流，又有之前厉凌做的造型为参考，下午的造型倒也丝毫不差，很让林导满意。

就这样结束了第一支MV的拍摄。方昕瑶在松了一口气的同时也不免失落——厉凌直到拍摄结束也没有回来，最后是由都岚将她送回宿舍的。

路上她也有问："厉凌哥哥在通宇究竟是做什么的呀？"

可是她没有得到都岚的正面回答，都岚只是说："你还是亲自问他吧。"

她只好耐心等待着后天除夕的到来。

4.心里某个地方在寸寸崩裂 /// //

对于厉凌所提出的"一起跨年"的邀约，方昕瑶本以为他至少要到晚餐时才会接她出去，再加上前段时间紧锣密鼓的行程也确实让她累了，因此她一觉睡到日上三竿，醒时已近正午。她拿过手机想看时间，谁知主屏上赫然浮动着一条简洁的短信："我在楼下。"

她霎时惊醒，连忙下床去窗户边一看，那辆眼熟的黑色轿车可不正静静趴在楼下吗。

啊啊啊，我刚醒，梳洗一下就下来。她飞快地回了一条，又飞快地刷牙洗脸梳头，结果在换衣服的环节上卡壳了，挑来挑去也不知道穿哪件好。

这还是她二十二年来第一次带着"约会"的心情在挑选衣服，就连自己也很难形容这种感觉：一分忐忑，一分激动，一分欣喜，一分期待。

最后，她选了歌手大赛上穿过的那条裙子。她柜子里像样的衣服本来就不多，这条裙子还是她去年生日时咬牙用打工的钱买下的，算是她最好的头面了。

套上大衣，蹬上高跟靴子，这样一打扮下楼时已经过去半小时。远远看见厉凌正透过摇下的车窗无声望着她，目光深邃，看得她的面颊都无端燥热起来。她不好意思跟他对视，垂着头一溜小跑地钻进了车子。

"不好意思啊，让你久等了。"

"不算很久。"他的声音听起来十分轻快，或许是因为放假的关系，整个人的气息都显得格外放松。

他发动了车。

方昕瑶连忙扣上安全带："我们今天去哪儿？"

"先吃午饭，然后带你去个地方。"看来他都已经安排好了，她也乐意听从。

午餐地点是一家私房中餐厅，位于一条老胡同里，厉凌开着车七弯八绕才到地方。说是餐厅，其实就是一家私人的四合院，老板家据说祖上是清宫里的御厨，现在手艺传到这一代已有二百年历史。

老板看起来认识厉凌，一见他们进来就热情洋溢地迎上来："厉先生可算来了，菜都已备好，等你们入座就立马下锅。"

厉凌礼貌地点头回应。方昕瑶跟着他往里走，在包间外面竟然碰到了出来上洗手间的骆添。

"哟，小昕瑶！"骆添自从正式录唱片开始就喜欢这么叫她，"阿橘，你快来，碰到熟人了！"

厉凌眉峰略扬瞥了他一眼，骆添又笑道："别瞪我，我跟你不是很熟。"

程橘很快走出来，微笑着跟他们打了招呼。

四人寒暄了几句后，便各自回到包间吃饭。

方昕瑶进包间前看到的最后一幕是，骆添为程橘推开门，一只手在她腰后虚扶，护着她走进去。

她不禁感慨："骆老师似乎对程橘姐不一般呐。"

"嗯，他们曾经是夫妻。"

夫妻？方昕瑶甚感惊讶，本以为两人只是互有好感或是恋爱关系，没想到还有更深的一层。

不过……

"曾经是什么意思？"

"他们已经离婚好几年了。"厉凌斟上茶水递给她。

"为什么离婚啊？"她忽然想到徐曼卿和骆添似乎有某种关系，"是不是骆老师他，做了什么对不起程橘姐的事？"

他斜她一眼："怎么，你很关心他吗？小昕瑶。"

"啊？"她愣了愣，旋即反应过来他是在打趣她，脸上一热，"嗨，骆老师非要那么叫我。"

他忽然敛起目光，正色道："骆添那人，这几年一直游戏花丛，你最好离他远一点。"

见他一本正经的样子，她不由得揶揄道："我也算花吗？顶多是个不起眼的花骨朵，哪比得上怒放的鲜花啊。"

厉凌饮一口茶，不疾不徐地说："我倒认为含苞待放的花骨朵是最美的。"

方昕瑶腾地红了脸，还想揶揄他呢，自己根本不是对手嘛！她连忙把手中的茶水一饮而尽，岔开话头："这么说确实是骆老师的责任咯？"

厉凌从善如流："恰恰相反，当初提出离婚的人是程橘，有情况的也是她，她说自己爱上了别的男人，还把那个男人带到骆添跟前，请他成全。骆添是个多骄傲的人，打落牙齿和血吞，一声不吭就签了离婚协议书。"

想不到竟然会是这样。她唏嘘不已，看来，他们真是演绎出了现实版的"再见亦是朋友"，两人的胸襟和气度实在让人感叹。艺术家的世界她果然不懂。

吃过午饭，厉凌又开车带她去了一间隐藏在高档社区里的私人服饰店。方昕瑶暗暗想，他怎么净喜欢这些神神秘秘的地方。

停好车后来到一栋公寓楼下，他在门禁上按了个数，那边很快接通："您哪位？"

"是我，厉凌。"

"啊，我正等您呢。"咔嚓一声，门禁解除了。

他们坐电梯上到二十二楼，一个穿着时髦的店员在电梯口迎接，将他们带进一间公寓。

原来这是公寓改造成的服装店，店员热情地招待他们坐下，然后拿出一本画册递给方昕瑶。画册上是许多衣服的图片："你们再挑挑还有没有喜欢的款式，我去里屋把厉先生之前定做的衣服拿出来。

"这些衣服都好漂亮。"方昕瑶一边翻一边欣赏。

"这里的老板是意大利一位有名的华裔设计师，画册里的都是样板，你若有喜欢的，可以量身定做。

她咋舌，她平时穿的衣服都靠某宝，连商场都难得一进，更别提定做的衣服了。

"我不用，衣服够穿。"

他也不勉强，点头道："之前定做的那些也够用一阵子的。"

嗯？她扭头看他，没明白什么意思。

这时店员姐姐一手拎着五六件衣服艰难地挪动出来："厉先生，需要现在试试看吗？"

方昕瑶还以为是厉凌定做了西装什么的，但店员姐姐手上拿的分明全是年轻女孩儿穿的裙子。

"试试去。"厉凌发话了。

该不会都是给她的吧？！

方昕瑶看着他，无声抗议。厉凌伸手揉了揉她的头发："听话，之后新专辑上市免不了要面对大众和媒体，置办几身衣服也是公司的要求。"他顿了顿又道，"我是你的造型师不是吗？"

这样啊……似乎也有道理，为了工作嘛。她其实从心底还是蛮喜欢这些漂亮衣服的，于是开始乐不可支地试起来。

进试衣间前她想起来："你哪来的我的尺寸？"

店员姐姐接话道："厉先生之前给了我们你的身高、体重，以及照片，应该差不了太多，如果有不合适的地方还可以改。"

试衣服的过程持续了一小时，每当她换一身新衣服走出来，都会面对沙发上这个男子炙热的目光。

"很好看。"他永远这么说。

方昕瑶甜甜地笑了，她忽然觉得这样的午后是她这些年来最幸福的时光。

将衣服都搬上车时已近四点。离晚餐尚有一段时间，厉凌问她还有没有想去的地方。

她想了想："我们找个地方坐一会儿，聊聊天好吗？"她还有一些话想问问他，关于他在通宇的真实身份，以及他与杜乐凝的关系。

"那，去我家吧？"他提议，"我家里有个你的老朋友，你一定会喜欢的。"

"是谁？"

"去了就知道。"

"好。"她柔柔一笑，允许他先卖个关子。

厉凌的家离通宇唱片很近，地段繁华，但小区难得的是闹中取静，坐落在一片绿植的簇拥之中。

"进来吧。"他用指纹刷开门，打开了客厅里的灯。方昕瑶走进去，屋里灯光不太明亮，家具很简洁，偌大的客厅显得空空旷旷的，外头的阳光也被厚重的窗帘密实地遮住了。

"你平时都不开窗帘吗？屋里好暗啊。"

"习惯了。"淡淡的三个字，她总觉得背后像藏着他沉重的心事。

厉凌绕过她走到窗边，唰地一下将窗帘全部拉开，房间立时明亮了许多。

"啊，你不喜欢太亮的话不用打开啊。"

"没关系的。"

"真的？"她歪头看着他，想从他的脸上看穿他的心事。

却见他眼里蓄着淡淡的笑意，目光柔和地回望着她，让她又不自觉红了脸。

"对了，你要给我看什么东西？"

厉凌带她来到书房，靠墙的地上搭建着一个小木屋，看起来像是为宠物筑的巢。仔细一看，她发现一只兔子的脑袋刚好伸了出来。

方昕瑶讶然地盯着他："难道是——"

得到的是他肯定的眼神。

巨大的狂喜涌上心头，她几步上前蹲下，把木屋里的胖兔子揽进怀里："兔兔！想不到还能再看见你。"

厉凌失笑："你当初给它取名字真够偷懒。"

她不服气："兔兔这个名字哪里不好了，多可爱呀。"

他挑眉："这么说，小狗的名字就可以叫狗狗？"

"那当然。"

"你的名字可以叫人人？"

……她好像很难反驳。

"那你平时怎么叫它？"她就不信他能取出什么好名字。

"……兔兔。"他无奈地认输，笑了起来，这一笑，竟让她看得呆了。

"厉凌哥哥。"她认真地凝视着他，"我真希望你能多笑笑。从小就希望。"

他神情柔和："你也要开心。"

听他这么一说，她又不禁黯然，曾经发生过那样的事，她真的不知道还能不能做回小时候的那个笑容灿烂的方昕瑶。

而这只小兔子——不，从时间上算现在已经变成"老兔子"了——是她上初中时他们救下的，当时一直交给他在养，自他不告而别后就再也没有见过，不曾想他竟然会带着它一起远走他乡。

这时，厉凌放在桌子边缘的手机震动起来，不小心掉在了地上。方昕瑶不经意看去，便赫然瞧见来电人是杜乐凝。

心情刹那间一沉。她尽量保持着镇定，不愿被他看出什么来。

他皱了皱眉，捡起手机去了客厅接电话，说话声音隐隐约约传进她耳朵里："对不起，今天恐怕不行。"

"抱歉，我真的有事。"然后仿佛听见了手机关机的声音。

再进来时他已经换上如常的神情："晚饭不如在家做给你吃？"

"好啊，不过我不会做……"她努力不去想刚才发生的插曲。

"你负责评判打分就行。你先玩会儿，我去楼下超市买点菜。"

不知为何，她很不愿意就此放他离开。然而她毫无办法，只能轻轻地嗯了一声，继续心不在焉地顺着兔兔脑袋上的茸毛。

应该，很快就会回来吧。

然而，半小时过去，他没有回来。一小时过去，他仍旧没有回来。

天已经完全黑透，她窝在沙发上静静等待，直到晚上八点，她收到他发来的短信："抱歉，有一件急事需要处理，已替你叫了外卖，你乖乖留在家里，办完事我立刻回来。"

这个时候公司都在放假，他能有什么事？联想到之前的电话，他是去找杜乐凝才对吧？

拨他的电话，已是关机。方昕瑶感到心里某个地方在寸寸崩裂，白天美好的时光仿佛变成了一场笑话。眼泪控制不住地夺眶而出，这种憋屈的感觉实在太让人难受了，为什么之前杜总打电话来时不能向他问清楚？

又不知过了多久，茶几上的手机突然震动起来。是他吗？方昕瑶手忙脚乱地接起，听见那头传来女孩儿欢快的声音："喂喂，昕瑶！除夕快乐！担心一会儿凌晨线路会忙，所以先打给你，嘿嘿。"

是雪妍。

方昕瑶如同抓住一根救命稻草一般，所有的难过和不安此刻都一股脑地往外涌："雪妍……"一开口，她才发觉自己声已哽咽。

电话那头的谢雪妍吓了一跳："昕瑶，你怎么了，怎么哭了？谁欺负你了吗？"

"我没事。"

"还说没事，我从来没见你哭过！你在哪儿？在宿舍吗？"她也知道她过年不回家，但她从没问过她理由。知道她不愿说，她也就从不相问。

方昕瑶吸吸鼻子："没有，我在朋友家。"

"哪个朋友？"电话那头停了停，"是不是有一晚开车送你回来的那个男的？"

"是。"她不想对她隐瞒什么。

"是他欺负你了？昕瑶，你们到底什么关系，你了解他吗？"

了解他吗？方昕瑶不知该如何回答，虽然他们早已相识，可他小时候便隐藏极深，她从来看不破他的喜怒哀乐。何况一别几年，到如今，她对他更是知之甚少。

"他不会是个感情骗子吧？"谢雪妍听起来很担心。

"不是不是。"方昕瑶急忙解释，"其实，我很早就认识他了，在我上小学的时候。"

电话那头安静地等待她继续。也好，那样多的心事放在心里让她倍感沉重，不如就全都告诉雪妍吧。

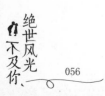

1. 懵懂的旧时光 /// //

　　方昕瑶认识厉凌时不过十二岁，刚上小学六年级。

　　那一年的儿童节，她第一次担任学校合唱团的领唱，妈妈为了令她更有站上舞台的自信，便带着她去了市里最好的一间发型店做头发。

　　给她洗头的是店里新招的一个学徒，方昕瑶躺在洗头床上时心里还略略发怵，总觉得这个哥哥好严肃，总板着脸，连一个字也不说。会不会扯痛她的头发啊？

　　可是这个顾虑在他抚上她的头发时便全消除了。他的手极温柔，将她的发丝一丝丝全捋顺，细致又有耐心。她放心地躺了一会儿便露出了安静不下来的本性，开始尝试着跟他说话。

　　"我叫方昕瑶，你呢？"

　　他仿佛没有听见般，只是轻轻搓揉着洗发水的泡沫。

　　一般孩子若见别人不搭理自己，多半也就不会自讨没趣。可她是个天生热情的厚脸皮，丝毫没有觉得难堪，反而提高了音量："为什么不理我啊？"

　　"……"他看了她一眼，还是没有答话。

"你可以叫我昕瑶，嘿嘿。"她绽放了一个大大的笑脸。

"……厉凌。"他似乎被她打败了。

见他终于说话，她的眼神更加亮晶晶的："我十二岁了，上六年级，你呢？应该比我大吧？"

"……嗯，大几岁。"

"那以后我就叫你厉凌哥哥好吗？"

"……随便。"颇为无奈的语气。

她又叽叽喳喳兴高采烈地讲了许多自己在合唱团的趣事，厉凌哥哥虽然面色冰冷，但她总觉得，他一直在认真地聆听。

洗完头后发型店老板娘为她盘了一个丸子头，还沿着发髻边缘插上了一串绢花，看起来美丽又俏皮。

离开时妈妈牵着她的手，她回头张望，见厉凌正被老板娘安排给下一个顾客洗头。

"厉凌哥哥再见！"她笑着大声道别，他明明应该听见了，可是根本没有看她一眼……

之后的几个月里，每当妈妈带她去发型店，她都会缠着他跟他说话。一开始他当然不爱搭理她，可渐渐地，在她孜孜不倦乐此不疲的攻势下，他虽然依旧是一副不太爱说话的样子，但会适时地用"嗯"来回应她。这也算进步吧？她高兴地想。

很快便到国庆。在国庆节的合唱比赛中，方昕瑶所在的合唱团拿了第一。由于头发上喷了发胶，妈妈又带她来发型店洗头，她一进门便点名："我要让厉凌哥哥帮我洗。"

洗头的过程中自然免不了要神采飞扬地为他描述比赛的激烈，直到厉凌给她洗完头，正用毛巾将她的头发包起来时，她突然想到一个问题："为什么你在这里当学徒啊？不用上学吗？"

他显然被问得一愣，面色不霁，可她由于是背对着，并没有发现，反而继续问："你爸爸妈妈能同意吗？"

"关你什么事！"厉凌不耐烦地低吼道，还扔掉了手上的毛巾。

她吓得呆住了，眼泪一下子浮在眼眶里打转。

"对不起……我说错话了吗……我只是……"

"你以为你是谁？全天下都得哄着你？你懂什么！"他进一步发作，声音或许是传到了外间，她听见老板娘遥喊："发生什么事了吗？"

"阿姨，没事，我们在说笑话呢。"她年纪虽小，却也明白倘若被老板娘知道他凶她，或许会对他造成不好的影响。

沉默了一会儿，她取过另一条干净毛巾，笨拙地想将自己的头发包好，却怎么也别不紧，刚一放手便散开了。

一只手忽然伸过来，接住了掉落的毛巾，然后麻利地将她的头发包好。她心虚地瞥了一眼，瞧见他还是面色森然，隐有怒意。将她送到外间妆镜前坐好后，他转身便走。

方昕瑶想来想去也不知说错了什么话，只好回家问了妈妈。妈妈告诉她，老板娘曾在聊天时说起过，厉凌是个很可怜的孩子。父母从他出生起便将他扔在外公外婆家，夫妻双双进京务工，从来没有回来看过他一眼。初时还给他寄些生活费，到他上中学后便连钱也不再给了。外公外婆家条件也不好，这两年他的学费都是由好心的邻居捐赠的，可以说，他是个吃百家饭长大的孩子。

寄人篱下的感觉自然辛酸。他好不容易初中毕业，可九年义务教育结束，再也没人愿意资助他念高中了。照理说他的出路唯有外出打工这一条，可他偏偏十分喜爱念书，成绩也是格外优异，实在不愿放弃。幸而他的遭遇被回镇上省亲的老板娘知晓，她动了恻隐之心，便将他带回店里做学徒，供他继续上学。

方昕瑶听后心里难受极了，他一定很介意被爸爸妈妈扔下这件事，可她偏偏问了天底下最不能问的问题，难怪惹他那么生气。

她决定要好好跟他道歉。小学放学时间比高中要早，方昕瑶背着书包小跑着走了三条街，顺利在高中下课前赶到校门口。

校门口有一列宣传栏，其中有一块公布了高中每个年级上一次月考的前十名。她一眼就瞧见高一年级第一名正是厉凌。

想不到他的成绩这么好……她暗暗惭愧，明年就要考初中了，原本这所一中对她来说略感高远，她只想轻轻松松考个二中便可——但从今天开始，她的目标改变了，她一定要考上一中的初中部，这样就能和厉凌哥哥念同一所中学了。

等了半小时，下课铃声终于响彻校园。不多时，一波波的学生开始自教学楼往校门外涌。她在人流中踮着脚，眼光迅速扫荡着，生怕错过那个熟悉的身影。他还要赶去发型店打工，应该不会在教室里拖拉太久才对。

果然，她很快在人潮中捕捉到拎着书包的厉凌。

"厉凌哥哥！"她高兴地喊道，但他仿佛并没有听见，仍然埋着头快步往前走。

方昕瑶心里一急，连忙横穿人流去追他。

"哎哟！"自然容易跟人相撞。

被她撞到的高年级男生十分生气："哪来的小丫头，乱冲什么！？"

"对不起……"她一边心不在焉地道歉，一边望向刚才看见厉凌的方向，可是人影已经消失不见了。

男生从头到脚将她打量了一番，不依不饶："你把我的点心都打翻了，你得赔钱。"

方昕瑶愣了，其实撞到他她也很痛，手臂还被他的书包蹭红了。她也不是故意的，为什么这人这么不讲道理呢？更要紧的是，她也没带钱啊……

男生还想说什么，突然侧面闪进来一道人影，隔开了他。

她几乎不敢相信自己的眼睛——居然是厉凌哥哥！他怎么会出现，他不是走了吗？

"别欺负小女孩儿。"他冷冷道。真奇怪，明明只是个高中生，为什么声音听起来会让人觉得冷意溲溲。

男生大概是见厉凌比他要高出大半个头，深感自己战斗力不足，只好捡起地上的点心盒灰溜溜地跑了。

"那个……谢……"她还没来得及言谢，厉凌已经又头也不回地迈步走了。她只好又小跑着跟上去，如一个做错事的孩子般，耷拉着脑袋跟在他身后。

地上便投射下两道一前一后的影子。影子顺着街道移动了好久，再转过一道弯就要到发型店时，前面的影子突然停下了。于是后面垂着头的影子冷不丁撞了上去。

"你干吗跟着我？"厉凌看着她，一双眼睛平静无澜。

她被他看得局促难安，小手一个劲搓着："我是来向你道歉的。"

他冷冷一哼，不屑道："不必。"说完，他转身就走。

她急了，跑上去拦住他："我很小的时候爸爸就去世了，我连他的面都没有见过，所以，我觉得我能有一丁点明白你的心情。"

厉凌没有说话，却站住不动了。

"妈妈对我很好，但我时常觉得当妈妈看着我时，眼光却像在透过我看别人。我还曾听见妈妈抱着爸爸的照片伤心地哭，说想念爸爸。我真的很害怕有一天，妈妈会丢下我去找爸爸。"

方昕瑶说着说着哽咽起来，她一直想要做一个笑容灿烂的孩子，因为她希望她的存在能让妈妈开心一些。

静静地站了许久，她感觉到一只手轻轻摸了摸她的头："别哭了，你妈妈不会舍得丢下你的。"

她昂起头，可怜巴巴地看着眼前这个高出她一大截的少年："我渴了，想喝柠檬茶。"

话题转得太快。

"……我去给你买。"厉凌无奈地叹息。

方昕瑶接过他买的柠檬茶喝了一口，嘴里顿时甜滋滋的。这些心里话她也是第一次告诉别人，也不知为什么，明明厉凌哥哥长着一张冰封似的脸，她却偏偏觉得他无比亲切。

从那以后，她更加肆无忌惮地跟在他身边，一放学就往发型店跑，他要工作，她就在沙发上做作业，遇到不懂的题目就等厉凌空闲时教她。妈妈大概是见她成绩一直进步，也就随她去了；而老板娘看在眼里，笑而不语……

一年过去，厉凌升上高二，方昕瑶也在他的指导下顺利考上一中。开学会演时妈妈又带着她来发型店做头发，老板娘一如既往地为她梳了个丸子头。恰好厉凌正带另一个顾客在旁边入座，他看了看说："我觉得稍微把发髻梳歪一点会更好。"

"哦？"老板娘大约是没料到他居然会对梳发髻有自己的想法，于是把梳子递给他，让他试试看。

厉凌站在方昕瑶身后，透过妆镜认真地看着她，手掌在她的头上比画着一些定位点。她知道他看的明明是她的头发，可还是被那道灼热的目光看得脸红心跳。

他构想好之后，一双手灵巧地为她编了个仙女髻，又拿几颗珍珠发饰缀在发髻尾端，比起老板娘编的丸子来，更多了一丝灵逸和脱俗。

"不错不错。"老板娘拍手笑道，"没想到你才在我这打工一年，就已经有这样的领悟了。看来你这方面很有天赋啊！"

方昕瑶看着镜中的自己，又透过镜子反射看了看身后的厉凌，发现他此时也正看着她。不知是因为灯光还是因为看他的角度，总觉得……她从来没有见过他这样温柔的眼神。她的脸蛋都像要烧起来了，心里也像揣着一只怦怦乱跳的小兔子。

老板娘坏笑着说："呀，昕瑶，你的脸怎么那么红？"

她大窘："呵呵呵呵，有点热。"然后，她慌忙拉着妈妈的手夺门而逃……

那场开学会演是初中部与高中部联合举行的，因此当方昕瑶因为这一唱而名动校园之时，厉凌也是坐在台下的一名观众。之后她便成为学校各类文艺活动的主力，她的歌声与她每一次表演时的造型都让同学们津津乐道。她站在舞台上像一颗闪亮的星星，却没有人知道，她的每一个造型都是出自他手。

升上初二后，方昕瑶身边突然多了许多麻烦的人。等在校门口的，堵在教室里的，她觉得不胜其烦，她完全不知道他们究竟想干吗。同桌女孩儿大概是对她的迟钝实在无语，一次忍不住开口提点她："他们是想追你做女朋友！"

方昕瑶大大吃惊："为什么？我又不喜欢他们。"

同桌女孩儿不信："那么多男孩子，你一个也不喜欢？比如昨天给你递情书的那位，他可是咱们篮球校队的队长，人气颇高的校草之一呢！"

"昨天那个？"方昕瑶默默回想了片刻，忍不住嘟囔道，"根本不如厉凌哥哥。"

"啥？"耳尖的同桌居然瞬间捕捉到了重点，"我听见了哦！你说的厉凌，就是高三那个次次月考第一，为人却孤僻冷傲、从来不参加学校集体活动的冰山学长吧？"

这……信息似乎了解得比她还全面啊……

同桌女孩儿继续两眼放光地打听："你居然认识他？这么说你喜欢的人是他喽？"

"才没有呢！"方昕瑶忽然觉得耳朵根子热乎乎的，连否认的话都显得如此没有底气。

同桌女孩儿抛过来一个意味深长的笑容，好像在说"我懂我懂"。

那天放学后她一如既往地拎着书包往发型店走。厉凌一向不愿意跟她一起放学，有时在校内碰见也仅仅是点头表示问候，根本不愿与她说话，更加不允许她去他的班级找他。在学校里，他们就和陌生人没什么两样。

他到底是什么意思呢……方昕瑶一边走一边深思着这个困扰她已久的问题，完全没有注意到她已经被不明人士跟踪了。

刚走进发型店将书包放下，还来不及问老板娘那句"厉凌哥哥呢"，突然发型店的门被人大力撞开了。

方昕瑶疑惑地看去，见是一个高年级的男生，长得倒文静秀气，但脸上的表情显得有些诡异。再一看，才发现他一只手提着一只小兔子，另外一只手捏着一根针筒，而针尖正对准小兔子的脑袋！

店里的人都被男生这个怪异的行为唬住了，完全不知他想干什么。

"方昕瑶同学，我是高一三班的××，我喜欢你很久了！"男生大声表白道。

她愣了愣："不好意思……"

"你如果拒绝我，我就用针筒扎它！"男生大喊道，扬了扬手中的小兔子。

方昕瑶不禁倒吸一口凉气，想不到有人竟会以一条可怜的小生命为筹码来威胁她！

她不知所措，唯有试图劝他："学长，您……您能不能先把它放下啊？"

"那你是答应了？"

"不是，那个，我——"

男生的脸彻底扭曲起来："拒绝我？那就别怪我！"说着，他举高右手就要往下扎。

"啊——"方昕瑶不料他会真的如此冲动，吓得捂住了眼睛。

然而，想象中的属于小兔子的挣扎声却没有响起。她透过指缝往外看，居然看见了厉凌。也不知他是何时进来的，只见他一只手紧紧抓住那个男生的手腕，眉目间皆是震怒之色。

"吧嗒。"厉凌手指重掐，男生手上的针筒便掉在了地上。

"滚出去。"音调并不高的三个字，却吓得男生身体一抖。

这个男生只敢欺负欺负小女生，见到比他厉害的却立马认怂，丢下小兔子跑得飞快。

危机解除，方昕瑶大松一口气，却发现厉凌似乎生她的气了，只顾着打工，完全无视她的存在。要在以往，她说三句他至少能回答一句，可是现在……她说了已经快一个小时了，他一个字也不应。

她只好等啊等，从华灯初上一直等到发型店打烊。老板娘和其他员工都回家了，留下厉凌独自打扫卫生。

他拿扫把，她就拿拖把；他收拾座位，她就收拾吧台。这样明显的讨好，他却还是不买账。于是她也不高兴了，丢掉拖把气鼓鼓地坐在沙发上瞪着他。

"以后少招惹这种人。"他大概实在是绷不住了，终于吐出这么一句。

方昕瑶极其无辜："我哪有招惹，我根本都不认识这人。"说完，她一偏头，"哼！"

厉凌深深叹气："以后放学，在门口等我。"

"啊？哪个门口？"她乍一听，没明白他的意思。

"还能有哪个门口？当然是学校门口，笨蛋。"

他说的话像是在责怪她，但在她听来，"笨蛋"二字分明蕴含十足的宠溺。她心里突然像鲜花怒放一样开怀，忙不迭地点头。

收拾完卫生，厉凌从里间抱出来一个小箱子，箱子里正趴着一只探头探脑的小兔子。

这是刚才那个男生留下的。她逗弄着兔子的耳朵："好可爱！"

"你喜欢？要不要带回去养？"

她眸光微沉，暗暗失落，妈妈从来都严令禁止她养小动物。

他看出了她的低落，收回手里的箱子："放在店里也不太合适，我带回家养吧。"

"真的吗？"她瞬间恢复元气，眼里带着希望的光，"那我可以去你家看它吗？"

他犹豫了片刻，终究还是说："好。"

她欢快地一拍掌："我要给它取个名字。"她歪头一想，"就叫兔兔好了！"

"……"

"你有意见啊？"

"……没有。"

她开心地摸它的头："兔兔，我会去看你的。"于是，取名事件就这么愉快地完成了。

方昕瑶开始与厉凌相伴放学，不知是不是这个原因，她的追求者忽然全都消失无踪了。

又过了一段时间，学校门口的宣传栏换上了"高考倒计时"，她这时才突然反应过来——

还有半年，厉凌哥哥就要上大学了。他成绩那么好，一定能考上国内最顶尖的大学，那时他便会离开这座城市，前往遥远的首都。

这么想的时候，方昕瑶心里总会沮丧无比。但她也默默告诫自己，考上好大学对厉凌哥哥来说是一件能够改变命运的事，她决不能自私地想要他留在身边。而且他去首都上学也没关系啊，每年寒暑假可以回来，四年之后她再考到北京，从此他们不就能过上幸福快乐的生活了吗？

四年，并不算太久。她唯有这样麻痹自己。

那时的她并不能预料，她与他之间的分离，会比她曾经设想的四年更加久远。

2. 指缝太宽，那些美好却太瘦太瘦 /// //

距离高考的时间越来越近，老板娘为了给厉凌充分的备考时间，便不再让他到发型店打工，因此方昕瑶有好一段日子没能在发型店见到他。

这天，年级主任叫她在课间休息时去一趟教务处。路过高三教学楼时，她踟蹰了半晌，忍不住拐个弯绕到了厉凌的班级。

高三的学习氛围格外紧张，即使是休息时间，依然有一大部分同学埋头看着资料。她眼光轻轻一扫，一眼便找出了坐在最后一排的正在看书的厉凌。他的神情格外专注，左手捧书，右手握笔，不时在书上写下些什么。

好像有点羡慕这本书啊……呵呵呵呵，她惊觉自己脑子里居然浮现出这种荒唐的念头，连忙在心里狠狠鄙视了自己一把。

正想出声喊他时，恰好见一个前排的女生拿着试卷跑过去问："这道题该选什么啊？"

他眼皮微抬，随手在女生指的地方画了个圈。

"哦哦，原来是这样，你好厉害哦。"女生无限崇拜的样子。

或许不是什么特别的情景，但在方昕瑶看来异常扎眼，只觉得心头涌上一股莫名的又酸又恼又嗔又怨的滋味。

也没有心情再找他，她"哼"了一声扭头走了。

其实仔细想想，自己和这个女生又有什么区别呢？她何尝不是总缠着他问这问那，得到他的解答后不也同样闪着星星眼说一句"厉凌哥哥什么都懂"。

好像从来都忘了问他，总被她纠缠的他到底会不会厌烦。

从教务处回来时下一节课已经开始，路上本不该有什么人，但方昕瑶远远便瞧见一道人影伫立在高三教学楼下。

人影背靠柱子，双手插在裤兜里，身姿挺拔。

她当然一眼就认出那是厉凌哥哥。

他明明只穿着简单的白衬衫和藏青色校服裤子，但她看在眼里就是说不出的俊朗妥帖，比别的高中学长都更有大人的样子。

厉凌显然也看见了她，身体朝着她的方向站立，等着她走近。

先前心里的别扭顷刻间烟消云散，她乐滋滋地跑过去："你怎么会在这儿？都上课了呀。"

他望着她："刚才课间我好像听见有人哼了一声。"

"哼。"她白他一眼，面颊微热。

他不禁失笑："没错，就是这个声音。"

她大窘，急忙岔开话题："有件事想征求你的意见。"

"你去教务处了吧，跟这有关？"他据她回来的方向猜测。

"是啊。"她说，"三个月以后市里会举办一个中学生歌唱联赛，老师希望我能代表学校去参加初中组的比赛。你觉得呢？"

"这是好事。"他不假思索，"你有犹豫？"

"我有点担心……"老实说，迄今为止她只是在合唱中担任领唱而已；独唱的经验还从未有过。

他直视着她的眼睛："笨蛋，你应该对自己的声音有信心，我觉得你很出色。"

"真的？你觉得我唱得不错？"她开心地扬起嘴角，"那比赛那天你能来看吗？"

算了算日子，比赛时间是在高考后第二天。

"好。"他愉悦地答应下来。

她立即得寸进尺："还要你帮我梳头发。"

"好。"

"比赛前陪我吃晚餐。"

"好。"

"比赛完带我吃夜宵。"

"好。"

"还要去看兔兔。"

"行。"

"然后得送我到家门口。"

"没问题。"

方昕瑶甜甜地笑了，恍惚中出现一种幻觉，似乎只要她无穷无尽地提出要求，他就会无休无止地满足她。

有了这个约定，方昕瑶在未来三个月的日子里没有再去打扰他。除了上学，她便全心全意地跟着妈妈学习更多的唱歌技巧。

临近比赛，她去教务处提交个人资料时无意间听见两位高三老师在讨论某个学生。

"这孩子怎么那么固执，以他的成绩考上北大清华不是什么难事，为什么偏偏……唉！"

"是啊，他明明是咱们年级第一，却铁了心要报 D 大，虽然 D 大是咱们省最好的重点大学，但比起北大清华来说还是差了一截啊。这事你得再好好劝劝他。"

"你又不是不知道他的性格，年纪不大主意却大得很，我看谁也劝不了他。"

然后又是一番哀叹惋惜。

方昕瑶听得心跳加快，胸口处灼灼发烫。"报大学志愿""年级第一"，这两个信号暗指的不就是厉凌哥哥吗？他居然打算报考 D 大？

D 大位于本省省会，离他们所在的城市距离相当近，坐车不过个把小时。

她隐隐觉得他若真的选择 D 大，说不定是与她有关……

啊呸，脸皮也太厚了吧？方昕瑶捏捏自己的脸，少自作多情了，说不定人家只是不放心外公外婆！呵呵。

不过不管怎么说，这都是一个让她兴奋又激动的消息。交完资料表后她蹦蹦跳跳地往教室走，思绪却不禁飞到了天外。幻想着厉凌哥哥上大学后一到周末就回来看她；或者如若他没空的话，她也可以去学校找他，届时他带她逛校园，吃小吃，看电影，喝饮料……天哪，这不就是同桌女生曾向她描绘过的名为"约会"的画面吗？

嘿嘿！

不知不觉地就又拐到了厉凌班级门口，这一次她还没站定他就已经远远看见了她，走了出来，上下打量了几眼："什么好事让你高兴成这样？"

方昕瑶话到嘴边又咽下，反复磨叽了一会儿后决定豁出去了："放学后校门口见，我有话想和你说。"

不待他反应，她便脸一红又急吼吼地跑了，生怕现下就露出破绽："一定要来，不见不散啊！"

留下厉凌莫名其妙望着她渐渐跑远的背影，沉默良久后，似乎是有所顿悟，嘴角不禁勾起了一个淡淡的弧度。

当天剩下的课程方昕瑶哪里听得进去，她一直沉浸在美好的憧憬中无法自拔，连老师点名批评她上课注意力不集中她也只是回了老师一个大大的笑脸。

好不容易熬到放学，方昕瑶打开手机准备告诉妈妈稍微晚些回家，却意外地跳出来一条短信。

正是这条短信，让她的生活从此翻天覆地。

"昕瑶，我是小姨，你妈妈出了车祸，现在在第二人民医院，她恐怕……你快来吧。"

轰的一声，她只觉脑子里像有什么东西爆炸了，眼前阵阵发黑，世界天旋地转，她只得扶着课桌才能勉强站住。

"啊！"她大叫一声，丢下书包冲了出去。

医院离学校有一段不短的距离，放学时间不好打车，她便一路狂奔，跑到医院时双腿抖得几乎瘫软，胸口犹如被水泥凝住般喘不上气来。

妈妈不会有事的……不会……

眼泪止不住地掉下来，她用袖子不断地擦，告诉自己不能哭。妈妈又不会有事，为什么要哭？

她艰难地控制着自己缓慢移动到小姨告诉她的急救病房，恰好看见医生正用白布罩住了妈妈的脸。

"不要！！！"方昕瑶几乎崩溃，冲进病房想扯开医生的手。她决不能让他们带走妈妈！

小姨从身后抱住了她，声音哽咽："昕瑶，你妈妈已经……"

"不！这不可能！"她不断挣扎撕扯，小姨拉不住她，唯有让小姨父帮忙合力拦住她。

哭喊了好一阵，方昕瑶浑身脱力，渐渐瘫软了下去。迷蒙中，她仿佛又看见了妈妈的身影，妈妈温柔地轻拍着她的后背，哄她好好睡一觉。

"妈妈！"她忽然惊醒，扑进了眼前这个酷似妈妈的女人的怀里，

"你不要走，不要离开我，我已经没有爸爸了，我不能没有你……"

"唉……"抱住她的手温柔地抚摸着她的头，"昕瑶，好孩子，我和你小姨父一定会好好照顾你的。"

意识到她只是小姨而不是妈妈，意识到妈妈已经彻底离开了自己，她止不住号啕大哭，声嘶力竭。

那段日子她已不记得是怎样度过的。她被小姨带回隔壁城市的家里，每天浑浑噩噩地躺在床上。无数个昼夜里她哭着睡去，又哭着醒来，消瘦得不成样子，小姨只好暂时为她办理了休学。

直到后来小姨告诉她，妈妈出车祸后原本是被送到第一中心医院，她却拼着一口气哀求医生将她转到二院。

方昕瑶自然很清楚其中的原因——在她两岁那年，市里某个靠山区的镇上发生了一起重大泥石流灾害，无数重伤濒死的病人被送到医院，爸爸作为二院院长和外科第一主刀医生，一直在手术台上奋战了七天七夜，抢回了许多重伤者。而他最终却因疲劳过度引发心梗，永远地倒在了手术台边。

妈妈当时一定是知道自己命不久矣，因此选择跟爸爸从同一个地方离开，去往另一个世界团圆。从某个意义上来说，妈妈也算得到了自己的圆满。

她这才渐渐接受了妈妈再也不会回来的事实。而此时，已过去四月有余。

小姨正式向她提出抚养问题。爸爸没有兄弟姐妹，妈妈也唯有小姨这一个妹妹，因此小姨是这个世界上仅剩的与她有血缘关系的亲人。

方昕瑶本担心小姨父会心有不愿，没想到反而是他反过来异常和蔼地安慰她："我和你小姨没有孩子，以后一定会把你当成亲生女儿看待。"

因此，她顺从了小姨和小姨父的安排，办理了转学手续。

搬家前，方昕瑶去了一趟发型店。此时厉凌哥哥应该大学开学一个月了，不知在自己消失的这段时间里，他有没有托老板娘给她留下只字片语？

可她万万没有料到，她竟然再也找不到他了。

发型店里没有人知道他去了哪里，报了哪个大学，他唯一留下的是给老板娘的一封信，只说他将来一定会报答老板娘的恩情。

她又立即去了学校，可是教务处已查找不到他填报志愿的档案。

抱着最后一丝希望她去了厉凌的外公外婆家，可得到的回答依旧是——

不知道。

不知道他去了哪儿，只知道他离开了省内，去了很远的地方念大学。

可他不是应该会报省内D大吗？她在网上查了D大的教务处电话，打过去求对方帮忙查找，却被告知今年肯定没有招收这个新生。

其实仔细想来，之前她听见的那两个老师的谈话，提到的人也未必就一定是厉凌。

说不定，从一开始就是她会错意了。

方昕瑶就算再乐观坚强，毕竟也只是一个十五岁的少女，好不容易从妈妈离世的重创中站起来，却又失去了他的踪迹。她感觉曾经的快乐在一点一点流逝，原本舒展的眉头在慢慢收紧，纠成一团，再也组不成清朗的笑容。

指缝太宽，那些美好却太瘦太瘦，她即使拼命想握住，它们还是会悄无声息地遗失在苍白的时光中。

之后，她大病一场，休学手续从一个学期延长到了整整一年。

3. 更深露重 /// //

讲完这些，方昕瑶顿时觉得痛快了许多。

电话那头传来谢雪妍的感慨："没想到发生过这么多事。后来呢？他没联系过你吗？"

"嗯，一直到前段时间偶然遇到他。"其实一开始她也曾幻想过等到他放寒暑假说不定会回来找她，然而，她等来的不过是一次次失望，渐至绝望。他竟然就那样彻底决绝地离开了她的生活，就像从不曾出现过一样。

"你有没有问过他原因？"

"没有。"

"为什么不问，你不想知道吗？"

"我……"她当然想知道，可她实在害怕从他嘴里听到类似于"我去什么地方为什么要告诉你"这样轻描淡写的回答，仿佛她问的是一个可笑的、让他纳闷的问题。

对于他的心思，她从来都难有自信。

"本来打算今天找个好时机问他的，可是他有事出去了。"方昕瑶又将今天一整天发生的事告诉了谢雪妍，只是略掉了跟出唱片相关的信息，她暂时还不打算让雪妍知道，等唱片上市以后再好好告诉她。

谢雪妍的声音听上去略吃惊："你在他家？他去哪儿了？"

"他没告诉我，手机也一直关机。"她失落地想，说不定真的和去年一样，他去杜乐凝家吃年夜饭了吧。

电话那头沉默了一会儿："昕瑶，你先别难过了，今天是除夕，应该开开心心的！"

是啊，她原本真的觉得这是开开心心的一天。

谢雪妍又安慰了她一会儿后便挂了电话。她稍微提了些精神，去洗手间洗了把脸，打算在厉凌的书房看看书。

他的书房有两面书架墙，上面的书摆得满满的，全是一些商务、财务、管理学之类跟工作相关的书，并且看得出绝大部分书都是被人翻阅过的。书桌上也躺着一本，显然是他近期正在看的。

她拿起来，是彼得德鲁克的《卓有成效的管理者》。她随手一翻，书页之中掉出一张似乎是书签的卡片。

她弯腰捡起来，原来是一张名片。

通宇唱片执行副总裁，厉凌。

方昕瑶不由得凌乱了。真没想到他的真实身份居然就是工作人员说起过的那位，代表总裁杜乐凝执掌公司的冷酷 Boss。

突然响起的手机铃声打破她的沉思，她放下书便跑到客厅接电话，结果来电人依然不是厉凌。

"喂喂，昕瑶。"是梁浩啊，估计也是打过来拜年的吧。

"除夕快乐。"她刻意笑着提高了语调，不愿被他听出什么情绪异常来。

梁浩的电话里背景音嘈杂，听起来不像是在家。

"昕瑶，我在楼下，你下来，我带你去个好地方跨年。"

"啊？"她有点蒙，梁浩应该以为她早就放寒假回家了啊，"那个，我不在宿舍呢。"

"我知道，我在金城阳光楼下。"

方昕瑶彻底晕菜，愣了好一会儿才反应过来，一定是雪妍这丫头告诉他的。

"我……"她还在犹豫着该如何拒绝，就听梁浩又道："喂喂，唉，我手机没电了，我就在路边等你，你快来啊！啊，没电关机了。"

电话断线。

她颇感无奈，梁浩这一招似乎不只用过一次了，真让人哭笑不得。

也罢，反正待在这也是胡思乱想，不如出去散散心吧。她留了张纸条贴在冰箱上，裹上大衣下了楼。

已近夜里十一点，街上却张灯结彩霓虹闪烁，来往的人们似乎也洋溢着幸福的气息。天气不算太冷，没有雾霾，天上还能看见零星的点点星光。看来，上天也赐予了人们一个值得细细品味的除夕夜。

梁浩朝她挥挥手："在这边。"

她走过去，梁浩皱眉看了看她，然后摘下脖子上的围巾套在了她颈上。

"大冬天的，围巾也不戴。"

她这才发现将围巾落在厉凌家了。

他依然不给她拒绝的机会，三两步就走开了："我车里还有一条，你就安心戴着吧。"

再多说什么反而显得矫情，方昕瑶只好叹息一声，跟着他上了车。这辆车正是之前他开到通宇接过她的那辆，她于是问："你爸爸又把车借给你开啊？"

梁浩笑道："他和我妈妈去国外玩了，不在家，车当然归我了。"

"哎？那你怎么不去？过年应该一家团聚啊。"

他侧头看了看她，她才猛然意识到，自己不也正是一个人吗。

所幸他什么也没问，只是继续说："每年除夕我都要做一个公益活动，所以没法和他们一起。"

方昕瑶稍感意外，她还从来没听他说过这件事。

他像看穿了她的想法一样，爽朗一笑："现在知道你对我了解太少了吧？"

她有点惭愧："什么样的活动？"

"待会儿你就知道了。"言下之意似乎现在就是要带她也去参加那个活动。

"你该不会就是从那个活动上溜出来接我的吧？"

"哈哈，没错，接到雪妍的电话我就赶紧来找你了。"

"不会耽误你的事吗？"她看了看表，已经十一点一刻了。

"放心吧，布置现场的事我都已经安排好了，这就是一个跨年活动。"梁浩一直将车开到了南五环外一片稍显清冷的区域，又七弯八拐地到了一个宽阔的院落前。

她透过车窗望去，院子里人影穿梭，不时还传来阵阵欢快的笑声。院子中央立着一棵巨大的雪花树，上面缀满了彩色灯光和各式礼物盒，一看就是为小孩子们准备的。

梁浩停好车，为她拉开副驾驶的门，比了个"请"的姿势："昕瑶，我保证你会度过一个意义非凡的除夕夜的。"

从他口里得知，原来这里是一所福利院，收容了许多无家可归的孩子。由于政府的援助款有限，福利院的运行资金有很大一部分都得靠公益活动自筹。今晚的跨年晚宴就是梁浩及其他志愿者筹办的，可以说就是一场募集资金的慈善活动。

方昕瑶不禁对他刮目相看："有什么我可以帮忙的吗？"

梁浩领着她穿过院子，来到一间看起来十分开阔的建筑前，灯光从窗户投射出来，音响里响动着热情的音乐。

"你对我最大的帮忙，就是放松心情，enjoy this moment。"他绅士地为她拉开门。

里面是类似于礼堂的地方，底部搭建着舞台，此时正有一群小朋友在上边跳着欢快的舞蹈。舞台前方是人头攒动的观众席，观众席两侧罗列着长长的自助餐台，上边摆放着精致的点心和颜色各异的酒水。

方昕瑶被这样充满暖意的氛围闪到了，正想说话，却见一旁一个笑容和蔼的中年女子快步迎上来："梁浩，你终于回来了，拍卖会就快开始了，你先去坐一会儿。"

梁浩介绍道："院长，这是我朋友方昕瑶。"

"你好。"院长热情地伸出手来，"第一次见他带女孩子来这里。"

"咳咳，说什么呢？"他赶紧打断，"你忙你的去吧，我会带昕瑶入座。"

院长朝方昕瑶抛来一个笑意浓厚的眼神，笑着走了。

她略觉尴尬，吐了吐舌头。

梁浩又领着她坐到了前排两个空座位上："我去给你拿点吃的。"

这么一说，她才想起来午饭后还没吃过东西，真有点饿了。

不一会儿，他便拿回了一盘小点心和两杯颜色十分明丽的鸡尾酒，他递了其中一杯给她："这杯不含酒精，味道不错，你尝尝。"

她小饮一口，舌尖品到甘甜芬芳，确实好喝。

孩子们表演的舞蹈结束，主持人上台报幕之后，下一个节目是孩子们的大合唱。

一边吃吃喝喝一边欣赏节目，时不时为小朋友们鼓鼓掌，倒是蛮惬意的。

"他们都是福利院收养的孩子？"她从上台的人数上算了算，应该还挺多的。

"是的，这里一共住着八十多个孩子。"

"都是孤儿吗？"

"大部分是，也有一部分是由于各种原因父母或亲人都不愿意养，才寄养在这里的。"

方昕瑶眼眸一黯，她想到了厉凌，也想到了自己。他们也都没有一个幸福和美的家庭啊。

"拍卖会又是什么？"

"为了筹集善款，我们找了些有名气或有社会地位的人捐出了一些小有价值的物品，待会儿会在拍卖会上出售，换来的钱全都会捐给福利院。今天受邀来这里的人也都是有意愿帮助孩子们的好心人。"

原来如此。方昕瑶在心里赞叹，梁浩所做的真是一件有意义的好事。只是拍卖……出售的物品应该价值不菲，她之前跟通宇签约的钱已经基本上都偿还了学费贷款，剩余不多，恐怕是有心无力了。

"时间快到了。"梁浩抬起手腕看了看表。

这时合唱的节目结束，主持人上台宣布新年的钟声即将敲响，请在场观众全体起立。

白色幕布上出现一个投影的时钟，秒针离 12 这个数字不过十步之遥。

"10，9，8，7，6，5……"全场观众齐声倒数，声音洪亮得似要掀翻屋顶。

"……4，3，2，1……"方昕瑶也被现场热烈的气氛感染，开始与大家一同倒数。

"0！"叮咚。秒针跨过十二点，新的一年终于到来。

"耶！！！新年好！！！"身边的人们都热情地彼此问候着，不管认识的还是不认识的，此时他们都心意相通，只想送上心中的祝福。

梁浩脸上也洋溢着快乐的笑容："昕瑶，新年快乐！这是第一次和你一起跨年，我真的很高兴。"

方昕瑶轻轻一笑，举起酒杯："谢谢你。"

碰杯的瞬间，她出现一瞬恍惚，倘若厉凌没有离开，她现在又会在做什么呢？

掏出手机，她发送了一条"新年快乐"，不管他能不能看到。

跨年结束之后，拍卖会便正式开始。主持人宣布规则，今夜一共有七件藏品将进行拍卖，每件起拍价十万元，每次加价一万，价高者得。并且买得藏品的人还需为观众送上祝福的话语或是表演一个节目。

第一件物品是一幅抽象画，方昕瑶完全看不懂，却很快被人以十八万的价格拍走。梁浩介绍说这画是北京近年来一个炙手可热的青年画家捐出的，而拿下画的人是泰华唱片的少东。

她暗暗吃惊，不由得多看了两眼。听都岚姐说过，泰华可谓是音乐界的老牌北斗，而通宇则是近几年才迅猛发展起来的，这两年更是隐有要将泰华的头把交椅挑落的势头。

随后几件藏品也很快被高价拍走，看来今天的宾客中不乏身家丰厚之士。

直到第六件藏品，吸引了方昕瑶的目光。台上透明的玻璃展示箱里架着一个整体翠绿的发箍，仔细一看便知那翠绿的颜色是来自于其上镶嵌的一个个翡翠。它们大小不一，形状不一，颜色深浅也不一，但在发箍骨架上排列出了很美妙的轨迹。

主持人宣布叫价开始，立即有人举起了手。

"这位先生出价十一万，还有吗？"

这时，梁浩竟也毅然举起了手。

"好，十二万，这位出价十二万！"主持人提高了音量。

方昕瑶吓了一跳，急忙去拉他的手臂："喂，你干什么？"

他轻声笑道："我喜欢这个发箍啊。"

"……好吧，你就当我穷酸惯了吧，这么贵的东西买来干吗？"

其他人竞争两轮后，价格一路飙升到十九万。这时梁浩再次举起了手："它绝对值这个价。"

主持人激动得再次提高音量："二十万，这位先生出价二十万！"

她已经不知该怎么劝他："我知道你家条件好，但那是你父母的钱，你还没毕业，怎么能这样任意挥霍？"

"昕瑶，你果然是……太不了解我了。"他的语气似乎很是无奈，但举手的速度丝毫没有放缓。

"三十万，这位先生出价三十万。"没有人再抢拍，"三十万第一次，三十万第二次，成交！"随着主持人手中的木槌敲下，梁浩拍下了今晚最贵的藏品。

在主持人的召唤下，他大步跃上舞台，一手接过麦克风，一手接过工作人员递过的翡翠发箍，轻快地说："这个发箍，我想送给我最重要的朋友。"

唉，就知道会是这样……方昕瑶不免扶额，这个梁浩……实在让她不知说什么好。

梁浩的目光直直落在她身上，聚光灯也随之捕捉到了她。没有办法，她只好在观众的起哄声中踏上舞台。

"我知道你喜欢。"他把发箍戴在她头上，"很好看，你的长直发和它很相配。"

主持人笑意盈盈地继续履行自己的职责："那么，二位要表演什么节目呢？"

"情侣对唱！"台下传来一声喊，随之而来的是观众善意的笑声。

方昕瑶无奈地笑笑："不如我为大家唱一首歌吧？"

梁浩自然同意。

于是，一首悠扬动听的老歌《北国之春》在礼堂内飘然而起，一曲完毕后她躬身谢幕道："希望所有在场的朋友都能在即将到来的春天收获自己的幸福。"

观众们连连赞叹她的歌声是专业级,她放下麦克风回身,见梁浩还站在舞台一旁的角落里望着她。

他对她的心意总是这样直接又热烈,她却不得不一次次地辜负。

"那个,我想去一下洗手间。"

"我陪你去吧。"

"不用不用,我知道在哪儿,去去就回!"

冲出大礼堂,外头空气冷冽,身上那道被聚光灯照出的热度才稍微消散。方昕瑶去完洗手间回来,在礼堂外的走廊里看见一个孤零零蹲着的小女孩儿。

"小妹妹,怎么一个人在这儿?"她走过去,不知她是不是福利院的孩子。

小女孩儿抬起头来:"我在这里等人。"

她这才看见原来小女孩儿正握着粉笔在地上画画。线条虽然很简单,但是一眼就能看出画的是一个大人牵着一个孩子的手。

"外头很冷啊,你在等谁呢?"

小女孩儿望她一眼,欲言又止:"我不能说。"

"哎?"她微微一愣,"那能告诉我你叫什么名字吗?"

"我叫小可。"小女孩儿扬起嘴角笑了。

小可?方昕瑶觉得这个名字似乎在哪里听过,可又一时想不起来。

"那你画里的人是谁呢?"

"……也不能说。"小女孩儿又低下头,不久又抬头道,"你是不是刚才在台上唱歌的姐姐?我从窗户里看见了。"

"是啊。"她轻轻摸了摸小女孩儿的头。

"姐姐你唱得很好听哦。不过,画里的这个人,她唱得也很好听,我最喜欢听她唱歌了。"小女孩儿脸上流露出一抹失落又向往的神情。

方昕瑶怔住,说到唱歌,她总算想起来了,她第一次在通宇碰见徐曼卿时,都岚姐就是说了"小可"这个名字。

绝世风光
不及你

080

难道——

"小可！"远处传来一道尖细高昂的呼喊，小女孩儿听见后眼睛一亮，就朝大门口跑去。

方昕瑶目视着她，直到她扑进了门口那个女子的怀里。

女子似是看见了她，身体一颤，放开小女孩儿便朝她快步走来。

"方昕瑶，你怎么会在这里？你调查我？"女子正是徐曼卿，虽然已猜到，但突然见到她本人还是让方昕瑶感到意外。

"我只是碰巧来这，没调查过你。"

"我会信你？"徐曼卿抱手睨着她，"抓到我的软肋你满意了？是打算开个新闻发布会还是向娱记爆料说我把私生女丢在福利院？"

方昕瑶大感吃惊，她完全没想到徐曼卿居然没脑子自爆猛料，她刚刚只是认为或许小可是徐曼卿暗中资助的孩子而已。

"有本事你就去爆，我正愁没话题上不了娱乐版。"徐曼卿冷哼一声，把小可挡在身后。

"你真的想多了，这是你的私事，我不感兴趣。"方昕瑶无意与她纠缠，转身想回到礼堂，却被一把拉住。

"我听说了，你傍的金主是咱们通宇的厉总，难怪从唱片到制作人再到经纪人都给你最好的资源，可是——哈哈！"徐曼卿拿出手机拨弄了两下，"希望你搞清楚，厉总可是杜总的男朋友，他对你只不过是玩玩而已。"

每个人都有软肋，如果说徐曼卿的软肋是小可，那她的软肋就是厉凌。

徐曼卿把手机举到她面前，上面的朋友圈里显示着一张新近发出的照片，看起来像一家人在吃年夜饭的样子，而照片的焦点处，赫然就是厉凌！

再看照片的发送者——杜乐凝。一切再明显不过了。

方昕瑶心里犹如被无数根利针扎刺，痛得无法言语。原来他将她丢下，果真是去了杜乐凝家吃团圆饭。

心上的痛楚逐渐蔓延至四肢百骸，她感觉到自己的手指尖都在颤抖。

徐曼卿继续嘲讽道："我真高兴能看见你这种表情。"

"你闭嘴。"方昕瑶深深呼吸，竭力控制着情绪，"我总算知道为什么有人会说你蠢，这个时候居然还来激怒我，如果我真的把你的消息发布出去，最终受伤害的一定是小可。"

徐曼卿回头看了看牵着她衣角可怜巴巴的小可，脸上神色几变："你真的不会说出去？"

"我不会去伤害一个无辜的孩子。"

最终，徐曼卿牵着小可的手离开了。方昕瑶心里乱糟糟的，她无力去深想徐曼卿将私生女放在福利院寄养的举动意味着什么，因为她满脑子浮现的都是那张年夜饭照片。

她忽然觉得身心疲惫。

礼堂的门这时被人推开，梁浩走出来："见你一直没回来就出来找你。"察觉到她情绪低落，他问，"发生什么事了吗？"

"我累了，想回家。"

"好，活动也差不多结束了，我送你回去吧。"

更深露重，方昕瑶蜷缩在车子的副驾驶座上，只觉得一股冷意钻入骨子里，任凭车上暖气如何充足也无法温暖她。

梁浩试探着问她："你……回宿舍吗？"

虽然厉凌给了她他家的门禁卡，但她显然不可能再回去，于是点头："嗯，回宿舍。"

她需要尽快蒙头大睡一场。

4. 她沉陷其中，醉不可言 /// //

车开到宿舍楼下已近凌晨三点。

方昕瑶心不在焉地推门下车，梁浩不太放心，于是也下车送她。

拐过一个路灯昏暗的拐角，宿舍门庭里的灯光亮得她眼睛一花。

定睛一看，宿管阿姨竟然还在看电视，宿舍门也虚掩着没上锁。

奇怪，往常阿姨总是十一点准时锁门睡觉，她本以为今天要费老劲才能在她一脸嫌弃抱怨的状态中进门。

或许因为今天是除夕？

又往前走了几步，高跟鞋"嗝嗝"叩在地面的声音分外清晰。就在阿姨注意到声响往她的方向看来时，门庭对面的花坛边突然有什么影子动了动。

方昕瑶看清了人影的轮廓，心口猛然揪紧。

人影从阴影里走到灯光下，不知是不是因为寒冬天气，方昕瑶只觉得他的脸冷得像结了冰，僵硬得全无表情。

一时间空气静止，沉默无言。

宿管阿姨的声音传来："小伙子你等的人就是她啊？哎哟，在这儿站了好一阵，冻得都不行了吧？小姑娘你也是，就算是过年，也不应该玩到这么晚啊……"

她总算回过神来："你怎么会在这儿？"

"给你送围巾来。"厉凌的声音也是冰冷的，他从大衣内侧口袋取出叠得整整齐齐的羊毛围巾。

方昕瑶接过来，围巾上还带着他温暖的体温。

不禁觉得鼻子一酸。他这是什么意思？去杜乐凝家吃完年夜饭又唠了会儿家常后，再掉头回来找她？

"昕瑶，他是谁？"梁浩的声音里带着一丝戒备，她这才意识到他还跟着她。

厉凌的目光越过方昕瑶看向她身后，语气森然："这句话应该由我来问。"

宿管阿姨适时发出一声看好戏似的惊呼："哎哟，一场对决……"

方昕瑶被阿姨的乐在其中唬得直冒冷汗，连忙回身朝梁浩道："你先回去吧。"

梁浩看了看厉凌，又看了看她，伫立半晌后终于说："有事打我电话。"梁浩渐渐离开了她的视线范围。然而她始终没有听到车子发动的声音，她知道他还在停车的地方，并未真正离开。

她叹息一声，听见厉凌问："这发箍是他送你的？"

她一惊，慌忙伸手取下："不是，这是有原因的，我会找机会还给他。"明明是他抛下她去见女朋友，为什么此时此刻她反而有一种干了坏事被捉现行的慌乱感呢？

"不用还，它很配你。"

"啊？不，这个发箍太名贵了，我本来就没打算收下。"一开始是因为观众起哄，她没法当面拒绝；后来则是因为心思都飞到了那张照片上，完全忘了发箍这回事。

"你喜欢的东西，我送给你。"他夺过她手上的发箍，重新为她戴上，还用手指理顺了发丝，"我会跟他买下来。"

"厉凌哥哥！"方昕瑶后撤一步，躲开他的手。他根本没有搞清楚状况，他们之间的问题根本就不是梁浩，更不是这个发箍，而是杜乐凝。

杜乐凝才是他的女朋友，况且她对自己还算得上有知遇之恩，她又怎么能够心安理得地靠近他，接受他给予的温暖？

这样岂非同时看低了他们三人？

厉凌像是被她后撤的举动刺激到，不仅没有退缩，反而欺身靠近她："为什么不在家等我回来？"绕了这么大弯子，听起来这句话才是他来找她的主题。

方昕瑶呆住了，不明白他为什么还能这样理直气壮地质问她。她心里也涌起一股火气："那你呢？究竟去哪儿了？为什么手机不开？怕我打扰你吗？"

厉凌神情一滞："……我说了我有事。"

"什么事？"她睨着他，不相信他还能编出什么谎话。

他果然沉默了。

她自嘲地一笑："哈，还以为你能找出什么完美的说辞。不过也

绝世风光不及价

不用，我已经知道了。"

他闻言一愣，眼里闪过一抹慌乱，虽然只是一闪即逝，但立即被她敏感地捕捉到了。因为她还从来没有在他脸上见到过这样的神情。

"你怎么会知道？"

她不免觉得好笑："若要人不知，除非己莫为。怎么样，年夜饭吃得开心吗？"

他又是一怔："……什么年夜饭？"

"还装！"她真的生气了，鼓着眼睛瞪他，"总之以后好好陪你的女朋友，别再来找我了！也别说什么只是把我当朋友、当妹妹、当老乡一样照顾，我不需要！"

厉凌揉了揉蹙起的眉心，似乎十分头疼："昕瑶，你是不是误会什么了？"

误会？她只觉得一股委屈直冲脑门："是，我是误会了，我误会了你对我的温柔，以为我在你心里是特别的。小时候就是这么误会的，结果你说也不说一声就一走了之；现在又是这么误会的，结果你明明已经有女朋友了，约了我跨年又扔下我去她家吃年夜饭。吃也就罢了，为什么吃完又回过头来找我，你究竟把我当成什么人了！？"

"呜呜呜……"方昕瑶越说越伤心，压抑许久的情绪一起爆发，她忍不住捂着脸哭了。

忽然间，她感到有一道热源靠她越来越近。下一秒，她被圈进了一个温热的怀抱里。

哭声立止。

她被这一瞬间发生的境况整蒙了。

什么情况！？

然而环绕在她身体四周的气息告诉她，她是被他抱住了！她听见怦怦怦的心跳声，却分不清究竟是他的还是自己的。

厉凌的下巴正好抵在她的额头上，叹息一声："我说的误会是指年夜饭……"

"啊？"她吸吸鼻子，闻到来自他身上清新的气息，忍不住又使劲嗅了嗅。天哪！她在干什么？意识到自己像小狗一样的行为，方昕瑶羞得赶紧把头往下埋。可是这个动作难道不像是在往他怀里钻吗？

她真的手足无措。

"我没有跟什么人去吃年夜饭。"

"可是我看见照片了……"

"什么照片？"

"在徐曼卿的手机上，微信朋友圈里，杜乐凝发了一张年夜饭照片，上面有你。"

"我不知道照片是怎么回事，但我保证，我真的没去。"

方昕瑶猛地抬起头来，就这样近距离看着他的眼睛："杜乐凝不是你女朋友吗？"

"不是。"厉凌回望着她，坚决地说。

她忽觉先前纠缠的一团乱麻像解开了死结，连四肢百骸都舒畅起来。

蓦地，她又想起来："可是教声乐的徐老师说去年除夕你就去了她们家吃饭。"

他耐心解释："那是因为老爷子——就是通宇集团的董事会主席，杜乐凝的爷爷，他给我下了请帖，出于对他的尊重我无法拒绝。"

最后一个困扰她的问题也得到了圆满的解答。她相信他说的都是事实。

"哦，这样啊，呵呵。"

他轻笑一声："还有什么要审问的吗？"

"没有了。"脸上热辣辣的一片，不用看她也知道自己整张脸红得像番茄。

虽然他还是没有告诉她今晚究竟去做了什么，但她决定不再追问。她已经知道他并没有女朋友，那么其他的事都变得不再重要。

宿管阿姨乐呵呵地嗑起瓜子来："和好了就行，不枉我熬着夜陪小伙子等啊……"

方昕瑶这才想起来还有别人在场，连忙想挣脱他的怀抱，却被他的手臂圈得更紧。

"我再说最后一句话。"他附在她耳边，"我没有把你当朋友，当妹妹，当老乡。"

那是什么呢？她既羞怯又期待地等着他继续，可是他竟然没有下文了，就那么放开了她："很晚了，快回去睡吧。"

……

他一定是故意的！方昕瑶瞪他一眼，明明是恋恋不舍却又装出镇定沉着的样子进了宿舍大门。

"锁门喽！"她听见宿管阿姨将锁链上鞘的声音，回头看去，厉凌还伫立在原地目送着她，面上只是淡淡微笑，眼底却像藏着柔情蜜意。

她沉陷其中，醉不可言。

过完一个愉快的新年，正月初八正式回归专辑录制工作。不得不说方昕瑶对于一首新歌的学习力、感受力和表达力确属出类拔萃，十二首新歌居然真的得以在她开学前的最后一天录制完毕。

剩下的和声、编曲等后期制作交给骆添带领的团队就行，至于专辑宣传与市场推广，都凤曾介绍说是由 Joe 来负责，但事到如今她也不再瞒她——Joe 只不过是负责传话而已，真正的幕后策划则是厉凌。

新学期伊始，方昕瑶坐在教室里，眼睛直勾勾地盯着黑板，手也在笔记本上写写画画，看上去就像在认真听课一样，但其实思绪早就神游天外了。

"……昕瑶……昕瑶……"朦朦胧胧中有人戳她的胳膊。

一扭头，发现谢雪妍正笑眯眯地打量着她："我看见了一副少女怀春的画面哦。"

"哪有？"方昕瑶自以为恶狠狠地瞪了她一眼，谁知谢雪妍竟然笑得更夸张了，还掏出包里的小镜子递给她。

"快看看你这张含娇带嗔的脸。"

她疑惑地接过来一照——镜子里的人虽然极力克制，但还是能看出嘴角上翘的弧度，一看便知道心情甚佳；更醒目的是，脸颊浮着两抹粉红色的光晕，眼睛里波纹流转，眉目含情大概也不过如此……

天哪，自己居然是这副表情？！太丢人了！她无颜面对谢雪妍，镜子一丢就羞得把头埋在桌上。

谢雪妍可不放过她，进一步凑近打趣："说说呗，你跟那个厉凌，后来怎么样了？他跟你表白了？"

"没有。"方昕瑶侧头，确认老师没有看她这边后说，"虽然我们消除了误会，但他还是跟以前一样，没什么变化……"

在寒假剩余的时间里，他忙工作，她忙录歌，在一起的机会其实并不太多。好不容易有时间一起吃饭，他谈的大多也是关于新专辑的宣传，绝口不提除夕夜发生的一切。除了那晚在宿舍楼下抱过她，他也再没有任何亲密的举动。

她猜不透他在想什么。

"这人怎么磨磨叽叽的，要实在不开窍的话，干脆你主动跟他表白算了。"

听雪妍这么一说，方昕瑶又不好意思地笑了，其实她刚才神游天外就是在琢磨该怎么表明自己的心意。这几天他去了韩国出差，在他回来之前她一定得拟好一套方案。

"昕瑶。"谢雪妍看了她半晌道，"你觉不觉得你变得不太一样了呢？"

"哪里不一样？"

"怎么说呢？之前的你虽算不上孤僻吧，但至少是不太亲近人。但是开学后见你，总觉得你好像整个人都鲜活了许多。我更喜欢这样的你。"

方昕瑶吐吐舌头，其实除了雪妍，其他同学大概根本就是给她打上了"孤僻"的标签。

谢雪妍拉起她的一只手："我知道，这一切都是那个叫厉凌的人带来的，所以我愿意你们在一块。虽然挺同情梁浩的……"

提到梁浩，方昕瑶心里微感内疚，真希望他能重新找到一个值得他珍惜的人。这个人，会是雪妍吗？

"嗡嗡——"

抽屉里的手机震动一声，拿起来一看，是都岚发来的："几点下课？我去接你。"

她看了看手机日历，今天并没有通宇的安排。

"都岚姐，有什么事吗？"

"唉，你看看各大网站娱乐版，昨天有记者接到爆料，说徐曼卿把私生女丢弃在福利院。徐曼卿疯了一样在公司大闹，声称这个料是你爆出去的。我本来可以帮你顶过去，但不巧今天杜乐凝杜总来了公司，她让我接你过来跟她当面解释一下。"

方昕瑶愣住了，杜乐凝要见她？仅仅是因为徐曼卿的事吗？

她用手机搜了一下新闻，"三流歌手情史混乱，抛弃私生女疑因不知生父是谁"这个标题在各大娱乐媒体上铺天盖地，换了谁都得抓狂吧……

下课后，方昕瑶跟着都岚回到通宇，刚一进大厅就看见徐曼卿迎面冲过来，她双眼充血，脸色蜡黄，看上去毫无生机。

都岚眼疾手快挡在了方昕瑶身前："你干什么！？"

徐曼卿舞着手去拽方昕瑶："贱人，我杀了你！"

方昕瑶并不躲闪，她站在徐曼卿正前方，平视着她的眼睛一字一顿道："我没有。"

"放屁！"徐曼卿显然不信，"我们刚在福利院碰见没几天，媒体就知道了，不是你说的还能是谁？"

都岚接话："我可以作证，这件事昕瑶连我都没告诉。"

徐曼卿扭头盯着都岚恶狠狠道："小可的事你几个月前就知道了，虽然当时没爆，但说不定你只是在等待一个更好的爆料时机，你们两个贱人根本就是一伙——"

"闭上你的嘴。"方昕瑶隐有怒意，"我说过，孩子是无辜的，我不会这么做，我也没有理由这么做，爆你的事对我有什么好处？在通宇你并不妨碍我。"

徐曼卿愣了愣，气焰略有消退，但很快她甩开都岚的手，恨恨地盯着方昕瑶说："你去向杜总解释吧！总之，我不会相信你。"

乘电梯上楼时，都岚详细询问了关于福利院的前因后果后，她叹息一声："她以为她的保密工作做得很好吗？在通宇，知道这件事的人并不止我和你。"

方昕瑶脑中浮现出小可在地上画的那幅画，实在不明白既然徐曼卿并不是不要小可，为什么又要把她放在福利院？

"而且，这件事很奇怪。"都岚压低了声音，"徐曼卿并不是什么大牌，就算料再猛，也不可能得到这么多媒体关注。"

"你是说，背后有人操纵媒体来一起炒作这件事？可问题是，谁会这么做？这件事的最大受益者是谁？"这么一想，她也觉得有点不寻常。

首先，看徐曼卿的反应，受益者肯定不是她；其次，徐曼卿对通宇来说几乎是弃卒，根本影响不了通宇的形象，因此通宇的竞争对手也不大可能花这么大工夫对付她。

"真是聪明姑娘。"都岚笑道，"不过现在多想无益，你先去见杜总，我去给厉总打电话汇报一下。"

电梯到达，方昕瑶按着门，试探地问："那个……你也不用事事都跟他汇报吧？"

都岚大乐："要不你以为他干吗派我跟着你？不就因为我是个事事汇报的好下属嘛！快去快去。"说着她轻轻推方昕瑶一把，电梯又合上下行了。

杜乐凝的办公室就在厉凌的隔壁，走廊的尽头。

她走过去，看见办公室门一扇开一扇闭，隐约还能听见里边一道悦耳的女子声音在讲电话。

待通话结束，方昕瑶才礼貌地敲了敲门。

"请进。"

就要面对杜乐凝，不知为什么，她心里浮起一丝忐忑，又整理了一下头发，才缓步走入。

"杜总你好，我是方昕瑶。"她走到办公桌前，埋首看文件的女子听见后立即站了起来。

"你好，方小姐。"

眼前的女子要比自己高上寸许，留着大波浪长卷发，颜色染成了经典的深棕。脸上五官线条深刻，美丽亮眼，像是有一点外国血统。妆容也是恰到好处，浓淡合宜，身上穿着都市丽人的半职业套装，整个人散发出一种知性又高贵的气质。

总的来说，杜乐凝就是一个让人一眼看去找不出缺点，只想尽情赞叹的美人，连方昕瑶都不禁看得有点发呆。

"想不到时隔这么久才能正式跟你见面。"杜乐凝微微笑着，伸出了手。

她回过神握上去，感觉那只手非常细腻光滑，手指修长，指甲干净利落，不愧是大提琴家的手。

"应该是我这么说才对，杜总对我有知遇之恩，可我直到现在才有机会当面谢谢您。"她礼貌周到地回应。

几句寒暄过后，方昕瑶切入主题："杜总今天找我，是因为徐曼卿的事吗？"

"一部分是。"她直直盯着她，像是想从她脸上捕捉到什么，"我想听听你怎么说。"

方昕瑶对杜乐凝的目光毫不躲闪，语气坚决地说："我确实知道这件事，但绝不是我爆给媒体的，我也从没告诉任何人。"

对视了片刻后，杜乐凝笑了起来，绕到办公桌前拍了拍方昕瑶的肩膀："行了，不用这么严肃，我相信你。"

她总算暂且放下心来："谢谢杜总，那我不打扰您了。"

"等一下。"杜乐凝叫住她，"其实找你来还有另外一个目的。

今晚我约了通宇的一位意向赞助商谈一谈合作的事，你陪我去吧。"

这……方昕瑶微感意外，没有立即表态。

杜乐凝又解释道："公司能陪我出席的人恰好都有重要行程，原来打算实在没人就带徐曼卿一起，但你看她现在这个状态，恐怕不太合适。"她无奈地一摊手。

"……好的。"方昕瑶难以拒绝，唯有答应。

5. 如果能就此一睡不起 /// //

车上路时，天色已经完全黑下来。司机开着商务林肯，杜乐凝则拉她一起坐在后座上。

北京"首堵"的封号名不虚传，三环堵得水泄不通，车的速度只能用"蠕动"来形容。方昕瑶于是看着窗外缓慢变换的景象发呆。

"方小姐，你似乎对我有点戒心。"

"嗯？"听见杜乐凝忽然这么说，她扭过头来，"不是的，我只是……"只是冷淡惯了戒备惯了。本想这么说，可这个解释似乎更不礼貌。

"是因为厉凌？"杜乐凝又道。

乍听见厉凌的名字，她愣住了。虽然厉凌说过杜乐凝跟他并无关系，然而身为女孩的第六感告诉她，至少杜乐凝对他绝非单纯的朋友之谊。

她本以为杜乐凝不会知道自己和厉凌的关系，她也打算在她面前尽量避免提及他，可是现在看来她显然什么都知道。她直直地看着杜乐凝，一时不知该如何回答。

反而是杜乐凝落落大方地笑道："我姑奶奶，也就是公司请来教你基本功的徐老师，她告诉我当她提到厉凌时，你的反应有点奇怪。但其实是姑奶奶误会了，厉凌确实来我家吃过年夜饭，但那是我爷爷邀请的。"

她所说的爷爷，自然是指通宇集团的董事会主席。都岚曾经说过，通宇集团旗下公司众多，然而产业群多是集中在高科技制造与生物医药方面，通宇唱片只是因为杜乐凝一时兴起，央老爷子开给她玩票的，没想到在厉凌的经营下会做到如今得以向泰华唱片挑战的程度，因此老爷子对厉凌也是十分欣赏。

然而，如果不是了解孙女的心意，老爷子又怎么会邀请一个外人参加自家的团圆饭？真的仅仅是因为欣赏一个能力出众的下属？方昕瑶大脑急速转动，思考着杜乐凝的话里有几分真，几分假。

"但是——"杜乐凝忽然话锋一转，脸上笑意凝固，"对于喜欢厉凌这件事，我从来没有否认过。"

方昕瑶再次怔住，车内良久无言。

"为什么告诉我这个？"她不明白。

"你放心，我并不是要和你争夺，感情也绝非勉强得了的。向你明言只是因为未来我们合作的时间还很长，我不希望你因为我而对通宇心生芥蒂。"

"……那他知道吗？"

"当然不知道。以他的脾气，如果知道了，大概立刻就会离开通宇。"杜乐凝大方一笑，"请你也千万不要告诉他，公司如果没有他，会分分钟被我经营倒闭掉啊。"

杜乐凝的雍容大度完全超乎她的想象，几乎让她目瞪口呆。对比她的坦然反而映衬出自己之前的小人之心。

"方小姐务必要答应我。"杜乐凝合掌拜托她，神情认真，一点都不似有假。

方昕瑶轻轻嗯了一声，心情复杂。关于厉凌的谈话告一段落，她不自在地又把头转向车窗外。

车再次挪了一段后，刚好停在一个公交站牌旁。站牌的广告栏里贴着大幅海报，在灯光的照射下，海报上手握麦克风的女人熠熠生辉。

是甄霓。这幅海报正是她三月演唱会的宣传海报，除了公交站，方昕瑶也会不时在地铁站或公交车身上见到。

"每个初入行的歌手，一定都很想开一场属于自己的演唱会。"杜乐凝大概是见她看得入神，发起了新的话题，"很快你也会有。"

方昕瑶报以一笑，她当然希望能唱歌给更多的人听，不过现在才刚刚起步，她并没有想过太多。

"甄霓姐人气爆棚，不愧是通宇王牌。"

"是啊，当初通宇就是靠挖到她才在唱片市场站稳脚跟的。"

方昕瑶讶然："她不是通宇自己培养的人吗？"虽然很喜欢听歌，但她对于歌手的归属问题从来没有研究过。

杜乐凝摇头："甄霓最早是由泰华捧红的，人红之后跟泰华起了些合约上的纠纷，厉凌看准时机才把她签了过来。通宇后来也培养了几个自己的一线歌手，但始终都不如甄霓的成绩好。"

原来如此。她微微感慨，杜乐凝会告诉她这些显然已经是把她当成了自己人。

"其实我和厉凌对甄霓都不太放心，她曾经能背叛泰华，将来就能背叛通宇。我们不能等到将来有一天受她要挟，所以一定要再捧出一个能超越她的歌手。"

杜乐凝讲的明明是通宇的战略，可方昕瑶捕捉到的重点是"我和厉凌""我们"这样的词，就好像通宇是他俩开的"夫妻店"，而自己是店里的员工……唉唉，想什么呢。她敲了敲自己的头，在心里鄙视了一番这种酸溜溜的念头。

杜乐凝没有注意到她的这点小心思，继续说："方小姐，你就是通宇计划全力培养的新人，我很期待看到你超过甄霓的一天。"

方昕瑶又是一愣，她加盟通宇原本只是为了好好唱歌，从来没有好高骛远地把甄霓看作自己的目标。说起来她今天不过第一次见到杜乐凝，她却已经给了她数次震惊。

"甄霓姐出道多年成绩斐然，我只不过——"

不待她说完，杜乐凝便笑道："虽然我不太懂经营，但好歹是个大提琴手，对音乐的感受力还是蛮好的。那次比赛听你唱歌我就看好你，这次回来又听了你录的专辑，我可以很负责任地说，你绝对有这个潜力。"

对于她的好意和赞赏，方昕瑶很感激："我会尽我所能。"

杜乐凝接着告诉她，待会儿要见面的人是一个珠宝企业家，年纪不算大，才三十七八，但他在南方生意做得很大。现在想把覆盖版图往北扩展，第一站就选了北京。他有意和通宇签订赞助合约，在未来的三年内将他旗下的贵重珠宝免费提供给通宇的女歌手佩戴，借这个平台为自己的珠宝品牌做宣传。

车总算开到预订的昆仑饭店，方昕瑶和杜乐凝在服务生的引领下走进电梯。

"这种谈业务的事，如果不是因为厉凌恰好出差不在国内，那个珠宝商又只有今天路过北京，我才不会来。"杜乐凝笑言，"还好有你作陪。"

电梯上到顶楼，杜乐凝忽然懊恼地惊呼一声："呀！我的手机忘在车上了。"

"能让司机送上来吗？"

"我不记得他的电话。"

"那我陪你下去取吧。"

"不用，你先去包间吧，咱们已经迟到了，不好让人再久等，你就先替我招呼一下。"说着，她便坐电梯下去了。

方昕瑶叹息，这类招待客人的工作她也不太擅长。

"忆江南……"她循着走廊找过去，核对了一遍之后推开了包间的门。

包间里陈设空旷，装饰豪华，正中的小圆桌上已经摆好了三副精美的餐具。

"是杜小姐吗？"一旁的沙发上迎来一个男人的声音。方昕瑶刹那间犹如被雷劈中！

不可能的，怎么会是这个声音？可是，这个让她倍感恶心的声音，让她无数次从噩梦中惊醒的声音，她又怎么可能会听错。

　　全身迅速变得僵硬冰冷，她迟迟不敢转过身去面对这个声音。

　　"……杜小姐？"一只手掌轻轻拍了拍她的肩膀，方昕瑶"啊"的一声大叫，条件反射似的弹开。

　　于是不得不和他正面相对。这个叫朱启铭的男人的脸，就算风干成木乃伊她也绝不会忘记。

　　她冷着脸盯着他，心脏因为恐惧和愤怒急速跳动，胸腔也大幅起伏。

　　对面的男人愣了一瞬，旋即哈哈大笑起来："居然是你，没想到我们这么有缘。"说着，他又逼近一步。

　　"滚开！"方昕瑶后退，"我不想看见你，你滚！"

　　"哟哟哟。"朱启铭似笑非笑地看着她，"几年不见，你还是那个呛口小辣椒。世界这么大我们也能碰见，敢说不是上天要把你送给我吗？"

　　他一步步逼近，方昕瑶只能沿着圆桌一步步后退。瞥见桌上的红酒，她抓过一瓶，用力在桌沿敲下。

　　"哗啦。"瓶子后端应声碎裂，红酒飞溅，打湿了她身上的裙子，玻璃渣子也划伤了她的手背，但她完全不觉得痛，只是拿瓶子对着他："你再过来，我杀了你。"

　　"这是怎么回事？"方昕瑶听见杜乐凝震惊的声音从门口传来，但她无心应付她，只是红着眼愤恨地盯着面前的男人。

　　杜乐凝走过来："方小姐究竟怎么了？你们认识？"

　　"昕瑶，咱们好歹也有过肌肤之亲，你这样对我太不够意思了。"朱启铭扫了一眼，"岂不让杜总看了笑话。"

　　"你闭嘴！闭嘴！"她再也听不下去，握着酒瓶冲过去，恨不得把酒瓶插进这个恶心男人的心口。

　　"你疯了！"朱启铭终于意识到危险，往一旁避让开，方昕瑶控制不住自己，直直往前冲，最后一头撞在了墙上。

头撞在墙上的闷响和酒瓶破碎的脆响混杂在一起，她感觉到全身都在痛，也不知是因为撞到墙，还是因为碎裂的玻璃扎进了她的身体。又或者，破碎和疼痛的根本只是她的心。

天旋地转中，方昕瑶滑倒在地，意识渐渐模糊。

她好像听见周围一片嘈杂，好像感觉到身体被抬上担架，好像又听见了救护车尖锐刺耳的鸣叫。或许是刚才情绪激动用力过猛，她只觉得身体好累好沉重，只想闭上眼睡上一觉。

三年前，她以为她逃离了朱启铭的魔爪，以为逃离了小姨的家，以为孤身跑到北京就能重新开始人生，就能渐渐忘记曾经所有的痛苦。上天已经把厉凌哥哥还给了她，她以为这一生还有机会握住幸福，她已经离幸福如此之近，可为什么，为什么朱启铭会出现，为什么上天要在给她一点希望之后又将她对幸福的期待扼杀殆尽？为什么要跟她开这样的玩笑？

如果能就此一睡不起，不必再面对与朱启铭有关的一切梦魇，似乎……也是个不错的选择。

可惜，医生的努力抢救让她这一点期冀也破灭了。昏迷几小时后，方昕瑶感觉到一束刺眼的光，而后听见有人说："她的瞳孔已经恢复正常，很快就会清醒。"

"谢谢医生。"这个声音，她听出是杜乐凝。

方昕瑶心里一颤，之前的一幕被杜乐凝看在眼里，不知她会怎么想？会如何猜测自己与朱启铭的关系？会不会告诉厉凌哥哥？

医生离开病房后，杜乐凝在床边微笑道："我看见你眼皮动了。"

方昕瑶没法继续装昏睡，只好缓缓睁开了眼，盯着天花顶灯怔怔不语。

"我让都岚去饭店为你善后，厉凌也正从韩国飞回来，应该不久就到医院了。"

方昕瑶猛地转头看着她："他……知道了？"

"我只说你受伤进了医院。"杜乐凝叹息一声，"至于其他的，说不说，怎么说，当中究竟有什么误会，还是你亲自跟他说明比较好。"

"……谢谢你。"方昕瑶第一次打从心底里真正对杜乐凝起了一片感激之情。她这样光明、正直，没有一点私心，越发衬出自己的短浅和不堪。杜乐凝几乎就是一个完美的女神，人美、心好、头脑聪慧、家世优渥，唯一的缺憾似乎只有厉凌。然而如她一般的女子，天底下又有几个男人能抵挡得了呢？

后半夜，方昕瑶依然满怀心事地辗转反侧着，走廊远处遥遥传来一阵急促的脚步声，越来越近，越来越近，一直到她病房门口，停住。片刻后，门被轻轻地推开，脚步也极轻地缓缓挪动到床边，像是生怕惊扰了她。

她连忙闭眼假寐，尽量匀称呼吸。她知道是厉凌，从鼻翼间嗅到的气息就知道是他。

他不出声地站在床边，她能感觉到他正用灼灼目光盯着自己，随后弯腰握住了她露在被子外的手臂。手臂上被玻璃割破的几处地方都用纱布包扎了起来，厉凌的手指一处一处地轻轻抚过，带着浓浓的心疼与怜惜。

"唉。"暗夜里，她听见他的叹息，忍不住睁开了眼。

隐约能看见他紧蹙的眉头，她轻唤："厉凌哥哥……"

"吵醒你了？"他小心地把她的手臂塞进被子里，握住她的手却并没有放开。

掌心传来的温度令她眩晕，手指下意识地抽了抽，却被他用更大的力量握住。脸一下子烧起来，还好没有开灯，他应该看不见。

"晚上一直在睡，现在不困了。"

"还有什么地方疼吗？"

她笑："手疼。"

厉凌愣了一瞬才反应过来，又狠狠捏了她一下，稍微松了些力。

方昕瑶盯着他的脸，总觉得他刚刚似乎也脸红了，可是屋里这么黑，她怎么可能看得清呢？一定是自己眼花了吧。

"才凌晨四点，你再睡会儿。"

"那你呢？"

"我就在这陪你。"

"坐了几个小时飞机，一定累了吧。"她忽然想到，"你跑回来看我，会耽误工作吗？"

厉凌用另一只手揉了揉她的头发："不用担心，我都安排好了。只是明天下午还有一场谈判，所以天亮后还得飞过去。"

她脸颊又是一热，想了想："要不，你来我旁边躺会儿。"

"……咳咳。"厉凌似乎被这个意料之外的提议呛到了，又确认了一遍后自然欣然接受，脱掉外套躺在她身边。

"床有点窄，我好像要掉下去了。"

"那你再过来一点。"方昕瑶刚往另一侧挪了些许，厉凌突然手臂一展，勾住她的肩，将她往怀中一带。

"这样就够宽了。"他笑道。

周身的温暖包裹着她，让她觉得无比安心。她想起来那一晚在宿舍楼下，她也是这么伏在他胸口，听着这种铿锵有力的心跳声。

虽然还不明白为何自宿舍那晚之后他一直刻意跟她保持距离，也不明白为什么之前要保持距离现却又放弃了那种疏离，但眼下四周静谧，他们又亲密无间，或许正是最好的时机，她可以好好向他解释——

方昕瑶试探着开口："你不问问我究竟发生了什么吗？"

搂着她的手臂一僵："乐凝说，你跟人起了争执。"

"原因呢？"

"……你一定有你的原因。"不知是不是她的错觉，总觉得他在言语间多了一分迟疑。

"你不想知道吗？"她昂头看着他，却见他竟不自在地把头别开了。

"……只要你人没事就好。"

"你真的不想知道？"她加重了语气，眼里的火苗却在一点一点熄灭。

"……以后有机会再说。"他干脆放开她，侧过身去，形成一个拒绝的姿势，"再睡会儿吧。"

方昕瑶面对着他的后背，心不禁一寸寸冷却。跟他之间好不容易才拉近的距离，陡然一下子又退得好远。

她知道，他不愿问她原因并不是因为不在意，而恰恰是因为太在意。聪明如他，说不定早已从种种蛛丝马迹中猜到些什么。他太在意她和朱启铭之间的过往，以致根本不敢面对。

那段过去，连她自己都接受不了，又凭什么奢望他能接受？

眼泪无声滑落，方昕瑶背过身去，再无言语。

时间在她的重重心事中一点一点流逝，熬到天色渐亮时，厉凌起身穿上了外套。

她知道他要走了，心里浓浓的酸楚在不断翻滚着，即使闭着眼睛她也知道自己的脸一定难看死了。

脚步挪到门边，她听见厉凌自言自语般说了一句："昕瑶……对不起。"然后，他开门离去。

对不起……这句对不起究竟指什么？大概便是指在知道了她和朱启铭的事情之后，无法接纳她吧。

又不知呆呆地躺了多久，一直到都岚来接她出院，她的眼泪才如越过了极限那般拼命往外涌。

吓了都岚一大跳："怎么了，是哪里痛吗？"

痛？是啊，痛。方昕瑶捂着心口，朝都岚道："这里……痛……"一开口才发现自己哽咽得竟难以说清楚一句完整的话。

都岚忙丢掉手上的东西坐到床边轻拍她的背："你别急，不管什么事都有解决的办法的。"

"已经……解决……不了了……"方昕瑶说得艰难，都岚听得焦急。

安抚了好一阵她才镇定下来。都岚去为她办理出院手续，而她抱着膝盖埋着头，思绪不禁回到了那段跟朱启铭有关的过往上。

1. 那时的感受，就叫万念俱灰 /// //

　　方昕瑶曾给谢雪妍讲过的那些关于厉凌的事，并不是她尘封往事的全部。如果说妈妈的过世像一汪淹没她的水，厉凌的不告而别则取走了她的救生圈，而后来发生的另一件事，才是那只将她按溺在水中的手。

　　小姨和小姨父收养她之后把她带到隔壁城市，上了新的学校。所幸小姨小姨父待她不错，慢慢地她也就适应了新的学校和新的生活。

　　除了不再如以前那样活泼爱笑，一切倒也如常。

　　小姨父是做玉石生意的，开了家自己的公司，小姨则是全职主妇。小姨父常年生意忙碌，多是她和小姨相伴在家，不过小姨父对她很大方，总让小姨给她置办新衣，给她报各种才艺班，还说等到高中毕业就送她去法国学音乐，将来在法国落地生根，这样等他们老了之后就能去法国投奔她。

　　虽然方昕瑶对留学的事并不十分向往，但既然这是小姨小姨父的愿望，她当然要全力以赴才能报答他们。

　　由于休学过一年，她在念高二下学期时就迎来了自己十八岁的生日。小姨父对她的成人礼非常重视，亲自操办了一场大型的生日宴，还邀请了许多生意场上的朋友。小姨亲自为她打扮，还给她买了一条漂亮的希腊风单肩长裙。

她也暗暗奇怪过，为什么明明是她的生日，邀请的却大多是小姨父的宾客？

方昕瑶就是在宴会上第一次见到朱启铭的，他似乎是那一天最重头的来宾。小姨父特意把她介绍给朱启铭："这是我女儿。"

朱启铭的目光里有一道暗芒闪烁，看得方昕瑶不太自在。片刻后他从西服里掏出一个精美的盒子："这是送给昕瑶的生日礼物。"

她愣着不动，小姨父却喜笑颜开地接过，打开一看，是一块卡地亚的手表。

"朱总真是大方，我代昕瑶谢谢你。"

小姨父说着就要往她手上戴，她往后一缩："我只是个高中生，不适合这么贵重的手表。"

小姨父脸色立即尴尬起来，倒是朱启铭大方一笑："没关系，先放起来，等毕业以后再戴也一样。"

方昕瑶终于找借口脱离了他们，可是整场宴会无论她走到哪都会感觉到一道直白火辣的视线在笼罩着自己。

宴会结束以后，她本以为小姨父会不满自己的态度，但还好他一丝异常都没有，也没再提起那块手表，她也就渐渐放下心来。

高三课业繁重，方昕瑶为了好好学习申请了住校，只在周末回小姨和小姨父家。中间她也碰巧在家里见过朱启铭两次，但他并没有什么不适的话语和行为，反而对她格外有礼。

一切相安无事。

转眼迎来高考。方昕瑶状态不错，超常发挥，考出了一个相当高的分数，足以上国内任何一所一流大学。然而她早已和小姨父约定了留学，因此早些时候便已申请了法国的大学，只等着把高考成绩单寄过去就能拿下 offer。

寄出成绩单后她欢天喜地地回家报喜，快到家门口时恰好看见小姨从家里走出来。

她跑过去："小姨，我拿到成绩单了！"

小姨的反应却不如她预想中的激动，反而神色怪异地看了她一眼，没有说话。

"小姨你怎么了？有什么事吗？"她看不懂。

"……哦，没事，成绩的事以后再说。我出去一趟，你先回家吧。"

她不太放心："要不要我陪你去？"

小姨又看了她一眼，拍了拍她的手："不用，你在家等我就好。"

"那好吧。"她不再多问，往家的方向又走了几步。

却听见小姨忽然叫住她："昕瑶！"

"什么事？"她回头，总觉得小姨今天的反应怪怪的。

"……嗯，茶几上有冰镇的酸梅汤，你渴了就喝一点。"小姨叮嘱道，然后拎着包大步离开了。

方昕瑶开门进屋，一眼就看见了那壶小姨说的酸梅汤，她也确实渴了，于是喝了一大杯，酸酸甜甜清凉爽口，她忍不住又喝了一杯。

打开电视，她靠在沙发上，忽然感觉到一阵困倦袭来，强自揉了揉眼，居然眼睛也花起来，看什么东西都成了双影。

怎么回事？是自己太累了？

模模糊糊中，她居然听见卧室的门被人从里面拉开，然后一道人影飘然而出。

家里怎么会有人？是小姨父吗？

人影缓缓移动过来，蹲在沙发前，一双眼睛定定地望着她，可是她努力睁眼也看不清究竟是谁。

人影伸出手轻轻摩挲着她的脸，她本能地一阵厌恶，拼命往后躲。

"昕瑶，你躲不掉的。"人影不怀好意地笑了，这个声音，她好像在哪听过。

一阵天旋地转，她再也抵挡不住，彻底遁入了黑暗。

不知过了多久才恢复意识，方昕瑶睁开眼睛，只觉得头痛欲裂。

这里……她什么时候躺到床上还盖上了被子？动了动腿脚，她忽然发现不对！她的衣服都被人脱掉了，身体正一丝不挂地裹在被子里。

"你终于醒了。"一个男人的声音从一旁传来。

她这才看见有人坐在靠墙的椅子上，吓得大惊失色："啊！！！"

这个男人，正是朱启铭。

"你不用激动，还没把你怎么样呢，我对昏迷的人没兴趣。"

方昕瑶把被子拼命往身上按，身体瑟瑟发抖："那你……你为什么……"

"为什么脱你的衣服？"朱启铭哈哈大笑，扬了扬手上的手机，"我爱好摄影，拍了些美妙的照片。"

"你！"方昕瑶从来没想过有朝一日会遇上这样的禽兽，沉重的耻辱感扼住她的咽喉，但她死死咬着嘴唇，告诉自己一定不能哭。

"再说，有了这些照片，你才能乖乖听话。"他把手机放在梳妆台上，朝她逼近，"既然你醒了，是时候好好陪我了。"

"你滚开！"方昕瑶想躲开，可是卧室这么小，她又没穿衣服，能跑到哪里去？

"我小姨和小姨父很快就会回来了，你要是敢对我怎么样，他们不会放过你的！"

"哈哈，你居然指望他们呢？"朱启铭像是被她逗乐了，"快二十岁的人了，居然还这么天真。你以为，我为什么这个时候会出现在你家？"

方昕瑶几乎快绝望了，其实她隐约也能想到，小姨父早在她十八岁生日时就有意把她介绍给朱启铭，今天的这一切一定也是小姨父默许的。只是她不明白，为什么？

"就算小姨父跟你有什么协议，小姨一定也不会允许！"她刻意忽视心里对小姨的那些不安。

朱启铭似乎更觉可笑："你现在是不是应该研究一下为什么刚刚

绝世风光不及你

会昏迷？"

轰隆一声，脑袋像被什么炸开，连她仅存的最后一点希望也被全数毁掉。

是酸梅汤。

她想起来小姨在家门口那副古怪的神情，想起来她叮嘱她喝点酸梅汤的话——小姨根本就什么都知道，还亲手将她送了进来。

"为什么……为什么……"她缩在床边，痛苦地蜷成一团。甚至此时她才觉得，当初小姨和小姨父提出收养她根本就是为了将来有一天让她派上这样的用场。

"你难道没看出来？你小姨父的公司从一年多以前起就遇到了困难，一度资金链断裂濒临倒闭。他求我注资救他的公司，当然要拿出点诚意来了。"朱启铭一把把她拉起来，丢到床上，"昕瑶，如果不是因为喜欢你，我才不会投那么多钱帮他，也不会有耐性一直等到你毕业。"

方昕瑶的手脚都被他禁锢住，挣扎不开，眼睁睁看着自己的身体暴露在他充满征服意味的目光下。

"真美。"他啧啧赞叹，紧接着低头笼罩下来，用他的嘴唇从她的脸开始舔吻起来。

"浑蛋，你滚开，你放开我！"她梗着脖子左躲右闪，可又哪里逃得开，"救命！救——唔！"在她喊救命的时候，朱启铭的嘴欺上来吻住了她的嘴。

她感觉到一条滑腻恶心的东西疯狂地往她嘴里钻，想也没想就用力咬了下去。

"啊！"朱启铭疼得退开了，方昕瑶的手终于得以活动，眼睛瞥见右手边床头柜上的玻璃台灯，便一手抄起来狠狠地往朱启铭砸过去。

"你干什么？"朱启铭受这一击，整个人从床上弹了起来，他用手捂住后脑勺，鲜血一滴一滴从他指缝渗出来。

她无暇顾及，趁着这个空当迅速跳下床，抓起朱启铭搁在桌上的手机冲到客厅。可是她没有衣服，该怎么办？光着身子跑出去？

　　犹豫的这一瞬，朱启铭已经从卧室跟出来堵住了出去的大门。方昕瑶实在没办法，只能反身跑进了洗手间锁上了门。

　　万幸的是，洗手间里有她头天洗好晾在这里的衣服。她拿了一套匆忙穿上，朱启铭在门外用力拍门，不怒反笑："好一个呛口小辣椒，我更喜欢你了。快开门，否则我就砸门了。"

　　洗手间的门上本来就有一大扇毛玻璃，只需要砸碎玻璃就能轻而易举地开门。她本来想用朱启铭的手机报警，可是手机设置了密码她打不开，也无法删除手机上的照片。

　　方昕瑶探身看了看洗手间窗户外面，这里是三楼，不可能直接跳下去，唯一的办法是爬外墙上的水管。然而水管上没有能抓手和落脚的地方，稍微不注意的话就会摔下去。

　　她把朱启铭的手机咬在嘴里，爬上窗台，眼睛盯着不远处的水管，祈祷这一跃一定要抱住！

　　方昕瑶把心一横跳出去，成功抱住了水管。尽量不去看下面，她放松身体一点一点往下滑，就在力气即将用尽时，脚终于触到了地面。

　　往楼上看了一眼，正好看见朱启铭从窗户探出头来。她顾不上多想，拔腿就跑，也不知道目的地是哪里，她只想有多远跑多远。这个恶心的家，她再也不想回来。

　　曾经以为，自己虽然没有爸爸，但有很疼爱她的妈妈，后来又有了她在乎的厉凌哥哥。谁知道妈妈离开了她，厉凌也离开了她，她心灰意冷时小姨出现，小姨就是她在这个世界上仅剩的亲人。但如今，她再也没有亲人了，茫茫天地间，她孤身一人，不知应该去哪里，也不知哪里才是她的容身之处。

　　那时的感受，就叫万念俱灰。

　　方昕瑶在街上漫无目的地走了许久，不知不觉走到了火车站。她走累了，便坐在火车站前的台阶上。

　　一个看起来像票贩子的阿姨走过来："要火车票吗？"

票？如果有票可以离开，她去哪都行。她呆呆地抬起头："我想要，什么目的地都可以，可是我没有钱。"

票贩子为难："你这么漂亮的大姑娘，怎么会没钱呢？"

她自嘲地一哂："我不仅没有钱，我也没有身份证，没有户口本。"

票贩子盯着她看了一会儿："是遇到什么难处了吧？"

她在衣兜里找了找，递给她："喏，这有张去北京的绿皮车票，已经快到开车点，估摸着也卖不出去了，你要不要？坐这车也不需要身份证。"

她惊讶地抬起头："可是我真的没有钱。"

"哎，反正也卖不出去，送你了。"票贩子热情地塞进她手里，"你一个女孩子，一定要小心。"说完，她转身离开了。

她低头看着手心，除了一张火车票，还有一百块钱。

"谢谢，有机会我一定会报答你。"方昕瑶低头自言自语。

靠着这张车票和一百块钱，她成功挨到了北京。可是该如何生活呢？她想了很多办法，其中最理想的一条路是，找一家愿意接收她的大学。她知道这并不容易，她没有录取通知书，也没有证件证明自己的身份，学校会相信她并接纳她的机会几乎是微乎其微。但哪怕有一丝希望，她也不愿放弃。

方昕瑶开始了一边打工一边找学校的经历。她找到的工作是在餐厅弹琴唱歌，老板看她可怜，还应允她跟其他员工一起住在地下室里。

她晚上唱歌，白天就去一家一家跑学校。她的分数够上北京最好的北大清华，但这两家的教务人员听见她的请求都感觉荒诞无比，不留余地地拒绝了。

就这样跑了二三十个学校，没有人相信她，或者说，即使有人信她，这也不符合正常的录取流程，学校没必要为了一个不相干的人去做那些麻烦的审批程序。

直到两个月后，她找到 C 大。那时学校已经放暑假，教务处原本应该只留有少数值班人员，可是也许上天给了她一扇窗，她居然在教务处见到了恰好来学校查点资料的老校长。

老校长看上去是个十分儒雅善良的人，看完她的简历又听完她的请求后，虽然脸上也露出了藏不住的为难，但口头上还是给她留了一线余地。

"你叫方昕瑶是吗？为什么你没有正常填报志愿，而是用这种方式？"老校长问出了心中最大的疑问。

"因为我原本打算出国留学，所以没有报国内的学校，但后来发生了一些变故，留学才取消了。"她尽量平静地回答。

"那为什么你连身份证户口本都没有？"

她不禁心里一痛："我是从家里偷跑出来。对不起，我只能说这么多。"

老校长满脸讶然，却出于礼貌没有追问："那你该怎么证明你简历上的分数都是真的？又怎么证明这个分数就是你的呢？"

"我之前申请过法国的××大学，他们那边应该还保留着我的学籍和成绩单，我可以联系当时考察过我的老师，请她把我的资料寄回来。"

老校长听完沉思起来。方昕瑶心里涌起了一线希望，这还是第一次有人能有耐心听她说这么多。

许久之后，老校长悠悠地叹了口气："简历先放在这里，让我考虑考虑吧。"

刚才心头的希望又一下子缩水了大部分，但她仍旧勉强挤出一丝微笑，礼貌告辞。

不曾想，方昕瑶在三天以后居然接到了老校长的电话！老校长告诉她，C大愿意接收她！

"当时我心里原本还有犹豫，谁知道你走后不久，一个学生来办公室给我送资料，看见了你的简历。我跟他讲了你的事，他倒反过来劝我，说你一定是遇到了什么天大的难处。如果没有学校要你，你很有可能从此就要流落社会。作为一所高校，不应该放弃任何一个有资格求学的学子。我想，我一个老头子，可不能连一个年轻学生都不如啊。"老校长在电话里笑着说。

两个多月以来的努力终于幸运地得到了圆满，她漂泊的生命总算找到了一个可以停靠的港湾。

握着电话，方昕瑶喜极而泣。

2. 咔嚓一声，她似乎听见自己真的心碎了 /// //

方昕瑶现在这个全身各处缠着纱布的样子不适合回学校宿舍，因此都岚遵照公司安排给她租了一套公寓。

她托谢雪妍替她请了几天假，就这么窝在屋里谁也不愿见。

"嘀嘀。"

一个陌生号码发来短信，她随手拿过来一看，却惊得嗖地从沙发上弹坐起来，觉得浑身血液都要凝固了。

"昕瑶，你逃不掉的。"

凭直觉她知道是朱启铭发的。可他为什么会有自己的电话号码？

尚在失神，又一条短信发过来："我在昆仑饭店 1265 号房间等你，你乖乖过来。"

方昕瑶厌恶至极，立即删掉了短信，可是刚一删除又蹦出一条："如果不来，你的玉照就要出现在各大视频网站了哦。"

怎么可能？！她又惊又怒，她不是带走了他当初拍照的手机，还将手机狠狠砸碎了吗？

颤抖着按下回复："你胡说，你根本没有！"

"哈哈，我那么喜欢那些照片，当然要在拍完的当时就上传到我的个人空间里。"

脑子里嗡嗡乱响，这个恶魔，为什么一定要这样折磨她？！他究竟想怎么样？她又该怎么办？

"八点前不来，我就会发一张上网。九点不来，再发第二张。"

方昕瑶不敢去赌他会不会真的这么做，因此她不能不去，可她又明白自己绝对不能一个人去。她能找谁陪她？谢雪妍？都岚？不行，她们都是女性，去了也斗不过他的。厉凌？不，别说他现在还在韩国没回来，就算是在她面前，她也不愿让他目睹自己如此不堪的一面。

　　手机铃声突然响起来，她看见来电显示——是梁浩。

　　"喂喂，昕瑶，我听雪妍说你请病假了，要紧吗？我现在能去看看你吗？"

　　"梁浩……"方昕瑶握着手机，下定决心，"能不能陪我去一个地方。"

　　昆仑饭店 1265 号房。

　　她伸手按了按门铃，可是由于太紧张，居然按了几次都没有按响。

　　梁浩在一旁柔声劝慰："有我在，没事的。"

　　压下心头的慌乱，方昕瑶总算成功按了下去。

　　"叮咚。"门内很快传来开锁的声音，咔嚓一声，门被打开了。

　　朱启铭穿着白色浴袍出现在她的视线里，她下意识地别开脸，却看见梁浩的眼神里浮现出一片少有的冰冷。

　　"哟，还搬了救兵。"朱启铭靠在门框上，"你果然不听话。"

　　"你也没要求我必须单独前来。"

　　"这是你男朋友？"他面色古怪地瞥了一眼，"你男朋友不是那个叫厉什么的？"

　　方昕瑶无暇去想他怎么会知道厉凌，只是冷言道："少废话，我是来让你删掉所有照片的。"

　　"呵呵。"他似笑非笑一声，"我说过，照片都上传在了我的私人网盘里，除非你乖乖听话，否则我不可能交给你。"

　　咚的一声，方昕瑶还没有反应过来，梁浩已经一拳挥在了朱启铭的脸上。他比朱启铭年轻十几岁，又学过跆拳道，几下就把朱启铭扭成一团按在地上。

　　"你最好吸取教训，别再骚扰她，否则我绝不会放过你。"

"哈哈。"朱启铭被打了好几拳，却毫不示弱，"你一个毛头小子，能怎么不放过我？"

梁浩眼神凌厉，手上用力一撇，朱启铭的手臂咔地一响，疼得他龇牙咧嘴。

"如果你认为我是在说笑，大可以试试看。"说着，他站起来，拉起方昕瑶的手，"我们走。"

她被梁浩拉着快速离开，走到电梯才想起来："不行啊，还没有——"

"放心吧。"梁浩的神情比刚才柔和了许多，"他不是说照片上传到了空间里吗？我能从我的服务器里黑进他所有的网络账号，删除所有你想删除的东西。"

她呆呆地看着他："真的可以？你都不认识他。"

"相信我，有他的名字就没问题。"

方昕瑶确定梁浩不会拿这件事开玩笑，大松一口气："谢谢。不仅谢谢你陪我来，也谢谢你什么都不问。"

梁浩大方一笑："我说过，不管是以前还是将来，我都绝对不会勉强你，直到有一天你愿意告诉我，我也愿意专心地听你说。"他停了停，又说，"不过，我保证，不管你曾经发生过什么，我都不会在意。"

方昕瑶低着头，心里感动万分。她第一次领悟到，梁浩对她的感情或许远比她所以为的还要深。可是，她又能给他什么？感动能代替爱情吗？

思绪乱成一团，她忘了甩开梁浩的手，就那么呆呆地任由他牵着走出饭店。

华灯已上，大厦的霓虹闪闪烁烁，在一团光影斑驳中，方昕瑶清晰地看清了站在前方不远处，正定定地望着她的厉凌。

她傻了。他怎么会出现在这儿？按日程他应该明天才会回国的。他的脸色为什么那么难看？即使暖黄的灯光落在他的脸上，她也依然觉得像被霜雪冻住那样冰冷。

傻看了一会儿才猛然意识到，她的手还被梁浩握着！方昕瑶如同触电一般急忙抽手，梁浩却更大力地紧紧抓住。

梁浩这是怎么了？她吃惊地一看，发现他正用充满警惕和敌意的目光直视着厉凌。

"昕瑶遇到困难的时候，你在哪儿？需要人帮助的时候，你又在哪儿？如果做不到你说过的话，又凭什么妨碍其他愿意守护她的人。"梁浩的声音沉稳坚定，带着一种不容他人辩驳的锐利。

方昕瑶大大地感到意外，脑子有点发蒙，再一次刷新了对梁浩的认识。自从大学认识他以来，她一直都觉得他温暖、积极、浑身都是如暖阳般的正能量，可今晚不管是在面对朱启铭还是厉凌时，他都呈现出了一种和平时截然不同的状态。或许，正如梁浩曾说过的那样，自己对他的关注和了解实在太少太少。

他还提到厉凌哥哥说过的话，可是，他们又什么时候谈过话？是除夕那晚她回宿舍以后吗？

厉凌没有接话，只是深深地望着她。明明他并没有什么表情，可她就是觉得快被他那样的目光刺得心碎了。

时间像被无限放大拉长，周围的景象、人群、灯光似乎都慢了下来。或许只是片刻，又或许是很久，厉凌忽然转身，毫不迟疑地走进了一片车水马龙中。方昕瑶下意识地想去追，可脚步犹如灌了铅一般动弹不得，只能眼睁睁地看着他的背影消失不见。

咔嚓一声，她似乎听见自己真的心碎了。总觉得，自这一刻之后，她和他之间，或许再无转圜余地。

梁浩匆忙放开她的手，手忙脚乱地哄她："昕瑶，别哭……"

她摸了摸自己的脸，才发现脸颊湿漉漉一片，怎么擦也擦不干。

三个月后，方昕瑶的新专辑正式面世，一个月内便轰动全国，登上了国内各大音乐榜榜首。媒体一致盛赞，业内音乐人交口好评，粉丝数也直往上蹿。甚至已经有人拿她跟通宇一姐甄霓做比较，称方昕瑶虽然唱功上还不如甄霓成熟，但胜在音色空灵有意境，前途大好。

谢雪妍在电话里佯装生气："太不够意思了！这么大的事儿居然没有提前告诉我！更可气的是，当我兴冲冲地跟梁浩说时，才发现他居然早就知道了，哼！"

方昕瑶老老实实地赔笑道歉："一开始担心唱片最后到底能不能真的出来，所以才暂时对你保密，这不正打算找时间向你和盘托出呢。"

"我不管啊，你得补偿我心里受到的伤害。"

"是是是，你想要什么补偿都可以。"

"真的？"谢雪妍兴奋地提高了八度，"我要当你的粉丝团团长！"

方昕瑶扶额："我哪来的粉丝团？"

"很快就会有了！你都不知道学校里同学的那股狂热劲，好多人喜欢你都喜欢疯了，连带我也整天被一堆人跟着追问你的事。哈哈哈，记得那个谁吗，舒叶林，就是偷你 CD 的那个，有一次在食堂说你的坏话，立马被一群女生围殴！"

方昕瑶被她的情绪感染，心情也跟着开怀起来。专辑上市，她的声音能被那么多人聆听和认可，这本来应该是一件让她无比喜悦的事情，然而每当一想到厉凌，她就怎么都提不起精神来。

虽然这张唱片制作精良，选歌上乘，方昕瑶也确实发挥出色，但她明白像现在这样一面倒的叫好更多的还要归功于通宇在公关和宣传上下了大功夫。

主抓这件事的人就是厉凌。

这三个月她几乎都不曾在通宇看见过他。之前在误会杜乐凝是他女朋友时，她也曾有过一段躲避他的日子，如今时过境迁，说不定变成了他来躲避她。

厚着脸皮问过都岚一次，可她也不太清楚，只知道厉凌近段时间都不在公司，甚至把日常事务都交给了杜乐凝打理。

都岚笑呵呵地凑上来："怎么，跟厉总吵架啦？"

"才没有。"方昕瑶酸涩地想，他那样沉默寡言惜字如金的人，如果肯跟她吵架倒还好了，她也能有机会弄明白他究竟在想些什么。

"好啦。"都岚不再打趣，"杜总让我俩找她一趟，走吧。"

坐电梯上顶楼，厉凌的办公室门依然紧闭。

而杜乐凝今天穿着一身香奈儿米白色套装，脸上挂着一如既往的微笑："今天叫你们来是想通知你们一件事。"

原来，通宇打算趁热打铁，借着眼前方昕瑶的人气再举办一场全国巡回歌友签售会，从而进一步提升她的知名度，为下半年冲击最佳新人奖做准备。

"好事呀！"都岚异常激动，"我们整个团队一定全力以赴，待会儿我就安排他们赶紧拿出策划方案。"

"大体草案已经有了。"杜乐凝递给都岚一个文件夹，"你让人细化一下就尽快执行吧。"

这个草案……会是厉凌做的吗？方昕瑶脑子里刚闪过这个念头，就见都岚抛过来一个"快感谢我吧"的眼神，然后听她说："厉总会参与吗？"

心蓦地被高高吊起，却见杜乐凝摇了摇头，遗憾道："他似乎有一个更大的项目要忙，具体什么事连我都不太清楚。"

又重重落下。

签售会的时间定在七到八月，正好是方昕瑶大三的暑假。她被都岚带着辗转了三十多个城市，每一次签售现场都出乎意料地火爆。也被谢雪妍言中，她的粉丝后援团很快成立并迅速壮大，可惜团长之位没被谢雪妍抢到，而是落入了一个男粉丝手里。她的微博关注也涨到了百万级，各种关于她签售会的话题在微博上铺天盖地。

最后一站是昆明。签售全部结束后，公司感念团队辛苦，特意拿出一笔经费请大家去丽江休假几天。

他们住的是古城最好的客栈，位于中心地段，却闹中取静隔出了一大片院子，古朴而有韵味。

当天晚上都岚便组织了庆功宴，一行十几人兴高采烈，唯独方昕瑶郁郁寡欢。她也知道自己这个样子会扫了大家的兴，于是拼命强迫自己边笑边喝酒，殊不知这副模样更显得她心事重重。

吃完饭回客栈时，方昕瑶已经喝得半醉。都岚架着她回房间，把她丢在床上，恨铁不成钢地说："我实在受不了你这副鬼样子了，有什么事跟厉总摊开说不就好了？"

或许是借着酒意，方昕瑶胆子大了很多，脑袋一歪冲着都岚傻笑："我想说呀！可是他不要我，三个月人影都没见，哈哈……"

"杜总不是说了吗，厉总有重要项目要做。"

"是啊！他总有很多重要的事，上学的时候他因为重要的大学而一声不吭扔下我，现在也因为重要的项目而消失三个月。"方昕瑶把枕头狠狠摔在地上，"我就一点都不重要！"

都岚无奈，又好气又好笑，在她额头点了一下："深闺怨妇。你小时候肯定比现在开朗多了吧？"

方昕瑶疑惑地望着她："你怎么知道？"

"猜的。"都岚摸了摸她的头，"有件事我一直没告诉你，我跟厉总其实是大学校友，还同级。"

"啊？"方昕瑶唰地从床上弹坐起来，可是头实在太晕，才支撑了几秒钟就又软趴趴地躺下了，只能眼巴巴地瞅着都岚，"他大学时是什么样子的？"

"你躺着听我说就好。那时候的厉总可谓是学校名人啊，学业各种顶尖，社会实践各种出色，还长得又高又帅又酷，花痴他的女生简直太多。"都岚淡淡地笑着，"我跟他不同专业，但我们宿舍里就有个女生喜欢他，经常和我们分享她调查得来的消息。可是他那样惹眼的人一直没有女朋友，甚至连个可以靠近他的女生都没有，几乎快成学校奇谈了。直到他大四——"

听到这里，方昕瑶的心突然揪紧，难道他大四交了女朋友？其实明知道像厉凌哥哥这样优秀的人要没交过女朋友才奇怪，可她就是忍不住胸口泛酸，小心眼死了！

都岚笑着瞥她一眼，继续道："大四时，有一个大一妹子整天追在他身后，他虽然还是没什么响应，但不像以往那样把人拒得远远的，反而如同默认了这种状态一般。那个妹子是朵系花，大家纷纷感慨，原来冰山美男也难过美人关哪！"

"哼！"方昕瑶把头钻进被子里，想到自己小时候也是那样厚脸皮跟着他，原来连跟班的位置都有人跟她抢。

都岚大笑着掀开被子："你听我说完。系花妹子跟了几个月后，有一天突然就不再跟了，我那个八卦室友特意去找系花问明情况，系花只甩了一句话'我也是个有尊严的人，不愿意做别人的影子'。这句话在校内广为流传，众人纷纷表示不解。直到我在通宇第一次见到你，当时便觉得你和那个系花有几分神似。"她又顿了顿，"当然，一开始我并不十分肯定，毕竟你比厉总小好几岁，他高三时你才初二，那么小的年纪真的懂爱情吗？可是这么长时间以来，厉总对你的态度我看在眼里。我可以向你打包票，从大学到现在，你一定是独一无二的一个。"

"真的？"方昕瑶的脸醉成了酡色，先前黯然失色的眼眸一下子变得神采飞扬。

"当然，东北大妞是不屑于编瞎话的。"都岚飞她一个白眼，"所以我觉得，不管你们之间发生了什么，你都应该对厉总多一些信心。"

"嘿嘿嘿。"方昕瑶忍不住傻笑起来，笑着笑着突然表情痛苦地捂住嘴，"我可能真的喝多了……"

之后她在洗手间吐得稀里哗啦，又沉沉睡了一觉。第二天清早醒来，她拉开窗帘，外头明媚的阳光照进房间，连心底的阴霾都被驱走了大半。

虽然昨晚一直迷迷糊糊，但都岚说的每一句话她都记在了心上。那些话就像给她即将枯竭的心灵注入了新的生命力，她觉得全身上下每一个细胞都活过来了。关于那段不堪的过去，她觉得应该毫无保留地告诉厉凌，不管他能否接受，她也要再多一次努力，不留遗憾。

想要摆脱过去的阴影，最好的方法或许并非一直逃避，而是勇敢面对。

3. 不管是以前还是现在，他都是她眼中最夺目的焦点 /// //

都岚兴冲冲地推开方昕瑶的房间门："你猜我给你找到了什么好差事？"

"我听 Joe 说你一大早就跟林导喝早茶去了，难道跟他有关？"林导就是之前为方昕瑶新歌拍 MV 的导演，听说这阵子他正好在丽江出任务。

"聪明的丫头。"都岚一把拉住她，"走走走，先跟我过去，路上再详说。"

唉，都岚姐永远都是这个风风火火的急性子。方昕瑶无奈地被她拽着出门，一路快走，恨不得要跑起来。

原来林导最近加盟了一个叫《前世千寻》的电视剧组当副导演，这次是跟着导演一起带剧组过来云南取景，其中一站恰好是丽江古城，时间也恰好是这几天。这部剧资本雄厚，阵容豪华，从还未开拍时就已经是各大网站公认的本年度最值得期待的大戏。而都岚所说的"差事"即是让林导向导演举荐，由方昕瑶来演唱该剧的主题曲。导演表示听过她的歌，但希望能见一见她本人。

"这个大导演出了名的严苛，但是手底下出来的作品部部红透全国，如果能拿到唱主题曲的机会，对你在歌坛的地位和名望都大有助益。"都岚带着方昕瑶进了约定见面的茶庄，"公司那里我已经打好招呼，杜总让咱们一定要成功拿下。"

方昕瑶刚一点头，就看见林导迎上来："你们终于来了，孙导已经等得不耐烦了。"他看起来愁容满面。

"什么情况，离约好的时间还差十分钟呢。"都岚显然也看出林导脸色不对。

"唉，其实跟你们无关。今天剧组本来要拍一个小配角的戏份，谁知道孙导对我找来的几个备选演员完全不满意，我被他骂了个狗血淋头。"

"既然只是小配角，不都应该由副导演来拍吗？孙导还用得着亲自上？"都岚惊讶道。

林导又是一叹："这个角色虽然戏份很少，但对整部剧来说极其重要，孙导那么吹毛求疵的人当然不放心。"

当方昕瑶在林导的带领下入座时，正好面对着气场肃杀的孙导。这个驰名国内外的大牌导演显然脾气不太好，一双眼睛直勾勾地瞪着她，看得她心里一紧，只好一直小口喝茶强自镇定。

都岚是见惯大场面的人，不疾不徐地说："孙导您好，我是方昕瑶的经纪人，想必林导之前已经跟您提过关于昕瑶演唱新剧主题歌的事，不知道您有何看法？"

孙导不说话，还是直愣愣地盯着方昕瑶。

她被看得心里发毛，不知他是何意图。为了缓解尴尬，她低头斟了一杯茶递过去："看您杯子的茶已经凉了，喝点热的吧。"

孙导像是并没有意识到她的言下之意，目光毫不移开，但用手接下茶杯喝了两口。

都岚和林导面面相觑。

"嗯。"一直黑着脸的孙导终于开口了，"你的歌我听过，声音不错，主题歌的事没问题。"

方昕瑶微微一愣，这么容易就答应了？

都岚的眼睛里放射出兴奋的光，在桌子底下拽了拽她的手，以示庆祝。

"不过——"孙导话锋一转，"我有个交换条件。"

空气瞬间凝结。

不会是什么潜规则吧？她早就听说过娱乐圈复杂，如果孙导有什么企图，她就把茶泼在他脸上！手上下意识握紧了茶杯。

"您说。"都岚的脸也沉下来，做好了最坏的打算。

孙导却突然豪迈一笑："你们这么戒备的眼神是怎么回事？别多想，我只是希望方小姐能在我剧中客串一个角色，戏份很少，很快就能拍完，不知道方小姐愿意吗？"

话音一出，三人都感到意外。

林导问："您是指那个角色？"

"如果不是因为你找的演员太蠢，我用得着帮你找人？"孙导对林导不悦，"那些演员风尘气重成那样，怎么演高贵出尘的大家闺秀？"

林导卡壳。林导身为通宇的御用MV导演，在业内口碑极佳，但在大腕孙导面前他也只能乖乖当孙子。

方昕瑶心里没底："可我不会演戏。"

"放心吧，台词很少，近景也不多，我亲自给你说戏，保证三两下就能拍完。"孙导一副难耐的摩拳擦掌的样子，"不如现在就去剧组做准备，完了直接开拍！"

她看了看都岚，见都岚投来肯定的眼神，也只好把心一横——

"好。"

"哈哈，都是爽快人！"

于是方昕瑶被晕乎乎地带去了剧组。她听孙导讲解涉及她的部分，这一段讲的是一个朱门贵胄家的嫡长女爱上了一个寒门出身的朝廷新贵，但碍于身份之别两人无法光明正大在一起。当寒门新贵克服重重阻碍终于求得皇上赐婚时，嫡长女已经因病与世长辞。寒门新贵肝肠寸断，在嫡长女墓前发誓来生一定会寻到她，与她长相厮守。之后就进入故事的正题，转世后的男女主重遇，在各种阴谋和纠葛中谱写新的篇章。

方昕瑶要演的角色就是这个嫡长女。她看了剧本，一共只有不超过十句台词，记起来没问题，可是表演……事到如今，她也只能尽力而为了。

由于她的这套造型是古装，都岚不太放心剧组的造型师，于是把跟她们一起做签唱的Vivian调过来帮忙。

梳妆时间十分漫长，方昕瑶昨晚因为喝多了睡得不踏实，这会儿犯起困来，索性闭眼养神。

剧组给这个角色配了古装假发，但由于她头发本身就很长，假发很难将真发完全掩盖起来，Vivian尝试了几次却都不满意，又拆下来重做。

方昕瑶迷迷糊糊中听见Vivian说了一句去拿什么东西，可出去了好一阵也没回来。她正想睁开眼看看情况时，听见门被推开了，很快有一双手又为她梳起头来。

咦，这个感觉，和刚才Vivian梳头时不太一样。

方昕瑶心脏一跳，猛地睁开了眼。透过面前的镜子，她看见身后正为她梳头的人居然是厉凌！

"你你你你你——"她吃惊得连话都说不利索了。

他怎么会出现在这儿！

厉凌看了一眼镜子里的她："你不欢迎？"

"呃？那倒不是。"

"那就坐好，全剧组的人都在等你。"厉凌一边说一边扔掉了她头上的假发，"你的真发完全够做古装造型，Vivian还是不够灵活。"

方昕瑶立即坐得端端正正的，像个木偶一样呆呆地任由他搓扁捏圆。看他的样子似乎心情不错？他是专门来找她的吗？这三个月他究竟在做什么大项目？心里一遍遍滚动播放着这些疑问，却找不出一个答案。

厉凌利落地为她做好了造型，又扶她站起来，为她拢了拢耳旁的碎发，仿若不经意地说："障碍已经处理完了。"

她一愣，还来不及思考他这句话代表的意思，就感到他的脸忽然靠近，在她额头上落下一个轻柔的转瞬即逝的吻。

脸蛋霎时间烧得滚热，她不敢去看他的表情，只是低头提着裙摆匆匆赶往片场。虽然不明白为什么他总是这样忽然消失又忽然出现，仿佛之前几个月的冷淡从不曾存在一般，但她还是控制不住地，慢慢扬起了眼角眉梢。

之后的拍摄远景和背影都没有问题，而近景只有几个镜头：嫡长女思念爱人时忽喜忽悲的神情；偷偷见面时，分别之际寒门新贵出其不意在她额头烙下一个吻，嫡长女又意外又害羞的神情；以及嫡长女举目远眺，在看见人群外围注视着她的寒门新贵时脸上幸福甜蜜的神情。

第一个镜头只要想着厉凌哥哥就行，很容易就通过了。

第二个镜头只要想着刚才在造型室的那个吻就行，也不难。她甚至怀疑他刚刚是不是因为看了剧本后才故意那么做的……

第三个镜头，方昕瑶举目远眺，当目光锁定在厉凌身上时，发现他也正用暖意融融的眼神望着自己，不自觉就露出一个微笑。

"好！卡！"孙导满意地站起来，又对一旁的林导得意道，"看见没有，这才叫有灵气！"

林导连连赔笑。

不管怎么样，总算圆满完成任务。方昕瑶舒了一口气，这一身服装虽然不算厚，但也热得她出了一身汗。

换好衣服时，她又跟上次拍完 MV 一样收到都岚的短信："我还有事先走了，厉总会等你！"

呵呵呵呵，在丽江度假还能有什么大事？明显是个预谋。

一想到厉凌就在外面，她心里咚咚直打鼓。既然决定向他坦白一切，不如就趁今天把话都问明白。

走出剧组休息室，天已经蒙蒙发黑了。她远远便见厉凌的身影伫立在门外一棵古树下，岿然如松。丽江古城满眼都是风景，但此时和眼前之人比起来，满眼的风景竟比不上一个他。

她在他注视的目光中走过去，忽然就想起了多年前当她从教务处回来时，朝着教学楼外的他走过去时的画面。不管是以前还是现在，他都是她眼中最夺目的焦点，这一点从不曾改变。

"饿了吧？"

听他一问，方昕瑶下意识地摸了摸肚子，戏份虽然很少但也拍了一整天，中午只吃了个剧组盒饭，这会儿还真有点饿了。

"走吧，我带你去吃腊排骨，听都岚说昨天你就抱怨没吃上。"他淡淡地笑道。

她顿时两眼放光："好啊好啊，我要去四方街那家。"

他不由得为难："四方街离这不近，你的鞋能行吗？"

古城内禁止进车，去哪都只能靠双腿，偏偏去四方街的路有很长一段铺的都是极具古韵的青石块，石块之间还有不小的裂缝，她今天穿的细高跟走那样的路确实不太方便。

"放心，我完全没问题。"说着，她就兴致勃勃地迈开步子。

他也只好随她去了。

可是真的走到青石块路时，还没几步就听见方昕瑶"哎哟"一声，鞋跟一歪，还好厉凌眼疾手快扶住了她。又是几步"哎哟"一声，鞋跟嵌进了石块间的缝隙里。

"好难走……"她可怜巴巴地看着他，却见他嘴角眼角都愉悦地上扬，一副好心情的样子。

"干吗，你是在笑话我吗？"她哼一声。

"不敢。"厉凌忍住笑意，"前面路还远着呢，你是打算继续前进还是就此调头？"

"哼，我才不退缩呢！"她一咬牙，继续摇摇摆摆往前，专挑稍微大块一点的石子落脚，总算稳当了许多。走了一小段，她探目一看，脚够得着的地方都没有大石块，稍远一点倒有，但可能需要跳一步。

方昕瑶当然不会认输，她做好准备，噗地一跳。

"哎呀！"落地时鞋子高跟刚好踩在一颗小石子上，她整个人无处着力，瞬间失去平衡往一边倒去。

完了完了，这一跤一定疼死人。

她把眼睛一闭，准备承受身体与路面的撞击，然而却突然觉得被什么拽住了，跟着背部和腿被一道力往上一挽，她整个人腾空而起，吓得她连忙用双手去抓任何可以抱住的东西。

等她反应过来，才发现她的头正靠在一个宽阔的胸膛上，而她的手抱住的——是脖子！

抬头一看，正对上他噙着笑意的眼睛，脸又不争气地瞬间烧起来了。

她居然被厉凌拦腰抱了起来。

"谢……谢谢，你可以放我下来了。"她慌忙放开手。

厉凌却不理会，只是抱着她不慌不忙往前走："看你走路太揪心，还不如我帮你走。"

"那个，好多人看着呢。"她觉得心跳快得有些喘不上气来，丽江海拔本来就高，还受这么强的刺激，自己会不会晕过去啊。

他说得云淡风轻："你不去看他们就好了。"

"你这是掩耳盗铃！"

"你别乱动，我有高原反应，得省着点力气。"

方昕瑶一下子不敢挣扎了，不知道他说的是真的假的，看他的样子抱得并不吃力啊，再说自己也不过九十来斤，连雪妍都说过她太瘦。

啊啊啊，想到哪里去了！她摸了摸自己的脸蛋，想给双颊降降温，可连手心竟然也滚热一片。

又看了看厉凌，发现他脸上隐隐也浮现出一抹潮红之色，忽然起了捉弄他的心思。

"厉凌哥哥，你好像脸红了。"

他脸上的表情僵了一僵，瞥她一眼："你看错了。"

她笑眯眯地说："真的真的，不信我拿镜子给你看。"

"……不看，我要看路。"

她继续孜孜不倦："那我给你拍张照，到了饭店再给你看。"说着，她就去掏衣兜里的手机。

"不老实拉着裙子的话，会走光。"厉凌使出了杀手锏。

方昕瑶石化，她还是斗不过他啊。

她哼哼唧唧一番，缩在他怀里不再说话，贪恋地想把这一刻的时光铭刻在脑海中。

厉凌对她的忽远忽近已经反复好几回了，此时此刻他们虽如此亲密，却不知道下一秒钟他会不会又像什么都没有发生过一样远离她。

她已经决定，等到了饭店就要向他说明一切，倘若他接受不了自己的那段过去，她就会强迫自己收住心，退回到她应该存在的地方。如果将来他选择了杜乐凝，她也会一心一意地祝福他。

到了饭店，厉凌把她放下来，气定神闲地拉门、入座、点菜，她瞪着他想，什么高原反应嘛，看来是根本没有的事！

之前走路时兜里的手机微信就连续响了好多次，直到现在她才有时间拿出来看。

是梁浩发来的，好几张图片，还有一段视频。这是什么？

"是梁浩发的吗？"厉凌这么一问，她愣住了，他怎么会知道？

他忽然敛了笑意，郑重地道："昕瑶，我说过，障碍已经扫除了。"

带着疑问，方昕瑶点开了第一张图片。

南方珠宝豪商朱启铭因涉嫌经济犯罪入狱。

瞳孔瞬间放大！

她快速地浏览着一则则梁浩发给她的图片新闻，原来朱启铭在三个月前就被警方立案侦查了，搜够证据以后对他进行了起诉，按理说司法程序至少应该走个半年，但是现下才短短三个月就已经将他定罪入狱，一定有什么原因。

"你……"她脑中闪过一个念头，不由得脱口而出，"这三个月，该不会就是——"

厉凌并没有正面回答，只说："还有一段视频。"

方昕瑶用颤抖的手指点开视频，视频中只能看见墙面雪白的空旷的房间，没过几秒一个人像是被谁推进了镜头，摔在地上，不断地做着求饶的姿势，狼狈不堪。

这个人自然就是朱启铭。

"对不起……方小姐……对不起……我错了……我发誓从今以后再也不会骚扰你……我手上根本没有你的照片……都是吓唬你的……

真的对不起……求你饶恕我……"说到最后，朱启铭已经是哭腔。

方昕瑶惊得捂住了嘴，一时间头脑一片空白毫无反应，只是呆呆地盯着手机屏幕。

直到厉凌坐到了她身边，把瑟瑟发抖的她圈进怀里，一只手在她背上轻拍着安抚她。

"你……什么时候知道朱启铭的？"

"……还记得除夕夜那天吗？我说有事要办，其实，是我的助理找到了你小姨父。"他停了停又道，"再见到你之后，我一直觉得你心事重重，所以私下里调查了一番。未经你允许，我很抱歉。"

原来是这样，难怪当时她一问除夕夜的事他就支支吾吾地蒙混过去。不过现下她的关注点不是这个。她撑起来一段距离，盯着他的眼睛："你不介意？"

他似是没想到她会有这个顾虑，微微一愣："介意什么？"片刻后，他领悟过来，叹息一声后突然猛揉她的头发。

"哎呀，揉乱了！"她抗议。

"你怎么会这么想？"他瞪着她，"对我也太没信心。"

"可是……那天在医院里，你不愿意听我说。"回忆起当时的情形，鼻头还微微泛酸，"早上你走的时候，还跟我说对不起，我听见了。"

他闻言又想揉她的头发，却被她抢先伸手捂着头："不许再揉了！"

"那时候，我很内疚。"他向后靠在沙发背上，抬手罩住了自己的眼睛，看起来疲惫又痛苦，刺得她的心也一疼。

她晃晃他另一只手臂："不要内疚，跟你无关啊，不是你的错。"

"……是我没有保护好你。"

"不怪你，真的，你别这么想。"她万万没想到，他竟会因为这件事而如此自责。

厉凌又沉默了许久，放下手时脸上神情已恢复如常。他直直地望着她，目光像是能一直抵到她心里："以后有我在，没有谁能伤害你。"

听起来就像一个郑重的誓言。

方昕瑶觉得心里被融融暖意包裹着，还有一种拨云见日般的明媚和晴朗。那段不堪的过去忽然也不再重要，她以后再也不会沉沦在过去的痛苦中，因为她已经能够触摸到五光十色的未来。

服务员适时地端来了腊排骨火锅，阵阵香味勾得她食指大动。

"你快坐回去，先吃饭吧。"

厉凌放开搂住她的手，却没有站起来的意思，而是探手把摆在对面的餐具挪过来："我就坐这边。"

"哦，随你。"她夹了一块，红着脸低头闷吃，吃着吃着却忽然想起来，"不对，梁浩为什么也参与了？"

就算那些图片新闻是他看见了拍下来发给她，可那段视频——

"这次能成功将朱启铭定罪，梁浩出力不少，他从朱启铭的各个网络空间和加密邮箱里找出许多有用的证据。"

她歪头看他："你什么时候跟梁浩搭上了？"

他笑："谁让我们关心同一个人呢？"

"咳咳咳。"方昕瑶差点被嘴里的排骨噎住，这人说话怎么一点都不带委婉的呢！

"那时我正苦于证据不足，梁浩主动联系到我，将他找到的东西交给了我。"厉凌赞道，"他能这样不计前嫌，胸襟气度非同一般，是个很不错的人。"

她白他一眼，调侃道："前嫌？你们有什么前嫌？"

"你说呢？"他撑着头含笑看她，她很快败下阵来举手投降。

"吃饭，吃饭，呵呵。"原本还想问问除夕那晚她回宿舍后他们是不是碰面了，但在见识到厉凌噎她的功力后，她决定乖乖闭嘴。

晚餐愉快地结束，再次走到那段青石路时，厉凌准备跟来时一样抱她，她急忙躲开。

"吃多了，重呢。"

厉凌被她的样子逗笑了，想了想，面对着她伸出了手。

"来。"

方昕瑶脸一红，埋头扭捏了一会儿，就老老实实地把小手放进了他的掌心，被他牵扶着小心地往前走。

此刻，他就在身边，他的手指正与自己紧扣，她忽然觉得感动万分，眼里不禁升起一层朦胧水雾。她从小到大最大的梦想就这样实现了吗？上天还会不会跟她开玩笑，在给她一点甜头之后再无情夺走？

像感应到她心里的想法一样，他用力握了握她的手。他用这样的肢体语言告诉她，有他在，一切安心。

是啊，从今以后她不再是一个人了。她甩甩脑袋抛开那些隐藏的不安。不管前路还有什么困难，她都不会认输；从前没有认输过，将来更加不会。这份好不容易得到的幸福，要由自己亲手守护。

4. "醉？"程橘又倒了一杯，"我只求一醉。"/// //

方昕瑶拖着厉凌在丽江古城逛了一大圈，直到脚酸得不行才恋恋不舍地往酒店方向走。

快到酒店时她的脑子里不由自主地琢磨起一个问题来：如果厉凌哥哥想在她房间里待一会儿，要不要答应呢？

答应吧，好像显得她有些轻浮；不答应吧……她又实在贪恋跟他在一起的感觉。

就这样一路带着"天人交战"的心思，一回神已经走到了她的房间门口。由于他们住的客栈已经满房，厉凌便跟她告别："我走了，你早点休息。"

"哦。"方昕瑶默默地吐槽自己一路上的"自作多情"，结果人家一丁点难舍难分的意思都没有呢……只好悻悻地关门。

却久久没有听到他离去的脚步声，心怦然一动，她猛地又把门推开，对上厉凌些微愕然的眸子，甜甜地笑了："明天早晨我们一起去吃米线吧。"

"好，你睡醒了给我电话。"他轻轻颔首。

"晚安。"她呼一口气，重新关门，可就在门合上一半时，厉凌忽然伸手撑住门框。

"昕瑶，我……"

"怎么——"她话未说完，就看见一张脸快速地凑近，然后，双唇被一抹柔软的东西蜻蜓点水般掠过。

她呆立当场，下意识地用手指抚上了自己的嘴唇，上头还残留着刚才那一瞬间的触觉。

天哪——刚刚究竟发生了什么？

脸蛋骤然燃烧起来，刚才的，就是传说中的Kiss？

心脏突突突地震跳着，她紧张得不知如何是好，更不敢去看厉凌的表情。想象中他一定正在用一种颇为得意的神情笑话自己这个不知所措的傻样吧……

咚的一声闷响拉回了她漫游天外的神思。

哎？方昕瑶一看，厉凌竟然靠着门框跌坐在了地上，一只手按着胸口，不住喘息着。

她吓坏了："你怎么了？"她急忙想扶他站起来，可是他整个人如同完全失去了力气一般，试了几次都无法将他拉起来。

"之前说过……我有高原反应……"声音也变得绵软无力。

"我扶你去躺一下。"她担心得不行，使出全身力气从正面把他架起来，总算成功地让他挂在了自己身上，然后倒退着往屋里走。

走廊那头传来嗒嗒嗒的脚步声："昕瑶，我拿到了主题曲的DEMO，你要不要先——"声音的主人都岚跑到方昕瑶房门口时如同触电一般往回弹，"不好意思，不好意思，我什么都没看见，你们继续，千万别管我。"

方昕瑶哭笑不得，忙叫住她："都岚姐，快来帮帮忙，厉凌哥哥不太舒服。"

"我懂的，懂的，呵呵。"她继续快步回房。

"都岚姐！真的需要你帮忙！"

都岚犹豫地回头："这个……厉总……是真的吗？"

……

终于把厉凌扶到床上，看他脸色似乎有些苍白，方昕瑶放心不下，打电话请来了医生。医生检查了一番后说没事，只需要好好休息即可，另外注意不要剧烈运动，也不要往更高海拔的区域走，例如玉龙雪山千万不能去。

都岚带着一脸"了然"的笑容："不能剧烈运动啊？嘿嘿，我好像明白了什么。"

方昕瑶红着脸瞪她一眼："你想哪儿去了？不是你想的那样。"

"我又没说我想的是什么，你如何知道不是我想的那样？"都岚坏笑着把胳膊搭在她肩上，"再忍耐两天，等回北京了就……还是说，需要我马上预定一个最快回北京的航班？"

方昕瑶羞得抓过一个抱枕按在都岚脸上，都岚忙挡住攻势往后退几步："行了行了，我知道你嫌我待在这碍事，我走还不行吗？"

都岚大笑着离开了房间，方昕瑶刚松了一口气，一回头，看见厉凌已经醒来，眼神清亮地望着她。

"感觉还好吗？"虽然气色看起来已经恢复了，但她还是不太放心。

"嗯，平静下来就没事了。"

她又忍不住脑补了一番，明明抱着她走路都没见他有反应，没想到那样一个清水般的吻居然让他……

或许自己的想法被他看穿了，他笑道："刚才是有些'铤而走险'。"他抓过她的手放在唇边一吻，"这样就没事。"

方昕瑶已经算不清她要因为他而脸红多少次了。只知道自己会因为他一个眼神而心跳不已，因为他一句话而辗转难安。她想，这大概是世界上最神奇的魔力。

在丽江周围又玩了两天，回到北京时正值她大四开学。由于她已经进入公众视线，不方便继续住在学校宿舍，公司便为她租了一套条件相当不错的公寓。

谢雪妍在电话里抗议："自从你去了通宇，见你的时间越来越少，现在还要搬出去，唉，我的心……"

方昕瑶笑着安慰她："咱们上课还能见面呀。"

谢雪妍不依："大四基本就没什么课！"

"好啦，我保证，等我忙完搬家的事一定约你逛街。"

"那我到时要上你那参观。"

"没问题。"

于是谢雪妍乐呵呵地挂了电话。

由于这套公寓是空置的，厉凌便陪着她一起去红星美凯龙挑了一套简约精致的家具。沙发、柜子、床、餐桌，当一件件家具逐渐填充进屋子时，她的心里也像被注入了一点一点的快乐。

又择了个良辰吉日把她不太多的行李搬到公寓，收拾完时却也将近深夜了。

她看了看表，连忙对下班后过来帮忙的厉凌说："你快回去睡吧，明天要开早会呢。"

他点点头："那我走了。对了，屋里每个房间都加装了报警系统，遇到紧急情况时一按键就能立即通知到物业安保人员，同时也会发消息到我手机。"

"好的。"

等等！她突然意识到哪里不对："为什么租来的公寓会发消息到你手机？"

厉凌装傻："因为系统是这么设置的。"

"可这里明明是都岚姐帮我租的房子，为什么你好像比她还熟悉啊？"

"哦。"他淡淡地挑眉，"我曾经住这里。"

方昕瑶大汗，说："都岚姐说我的房东很好说话，不管我提什么要求都会答应，该不会这个房东——"

"嗯，就是我。"他说得云淡风轻。

她再次石化，有一种"又中了套"的感觉，似乎每次遇到跟他有关的事情，自己的智商都直接跳水跌到负数……

《前世千寻》的同名主题曲是孙导向业内一位不逊于骆添的大牌词曲家邀来的，通宇特地安排了程橘担纲编曲。为了将歌曲风格编得更利于方昕瑶演绎，程橘特地在讨论会后约她去一家清吧坐坐，沟通一下彼此的意见。

晚上七点，稍微躲过晚高峰后，程橘开车带着方昕瑶从通宇出发。

"你知道吗，这首歌的作者是骆添的好朋友。"程橘此时脑中口中都只有《前世千寻》，"我一定不会辜负这么好的作品。"

因为与骆添有关，所以她格外看重吗？方昕瑶想到厉凌曾说过的关于他们的婚姻，从她每回提到骆添时的神态来看，真的很难想象当初会是她爱上别人才导致他们的婚姻破裂。

那家清吧就在程橘家楼下，因此她干脆把车停回了地下车库；又想到回家取一只录音笔会更好，于是让方昕瑶跟着她回了趟家。

"你随意参观，我去里屋找找录音笔。"程橘递给她一杯水。

方昕瑶环视一圈，客厅空间很大，一侧靠墙立着一横排展架，上头摆着各式的奖状奖杯，从上面嵌着的名字来看，大部分都是属于骆添的，也有大约四分之一是属于程橘的。

客厅另外一侧被设计成了"乐器角"，白色三角钢琴分量最重，此外还有两把吉他、一个架子鼓、一把贝斯和一个电子键盘。钢琴旁边的架子上堆着乱七八糟的曲谱，地上也躺着一些，仔细一看，沙发前的茶几上也扔着一些。

方昕瑶略倾上身看了看茶几上的几叠纸，都是手写的，有曲子，也有词。字体有一部分潦草狂放，也有一些娟秀清晰。稍微一想就可猜出前者是出自于骆添手笔，后者出自于程橘。

这个家仅从客厅来看还处处留有骆添的痕迹，说不定正是当初他们一起生活的房子。

她注意到茶几底层有几页曲谱，看纸张痕迹应该时日已久。她拿起来一看，歌名《无法再拥有》，词曲都是程橘，右下角写着完成时间，已经是三年前。

这首歌她从来没有听到哪个歌手唱过，是自己孤陋寡闻，还是说歌曲并没有发表出来？她大致浏览了一遍，觉得是一首特别棒的歌。

而且，这首歌的词、曲和意境……她正想从头仔细哼唱一遍时，程橘已经从卧室走了出来。

方昕瑶便问："程橘姐，你写的这首《无法再拥有》是交给谁来演唱的？"

程橘脚步微顿，但脸上依旧若无其事地微笑着："那是一首失败的作品，所以一直压箱底。"

失败？方昕瑶心里疑问更深，但她没有继续追问，放下手稿跟程橘下了楼。

楼下清吧似乎是会员制，门面并不大，但进去以后有一种豁然开朗别有洞天的感觉。大厅中心一圈是吧台，四周则是卡座，程橘挑了一间空间较大的带半透明推拉门的卡座，里边居然还自带一个电子键盘。

程橘先说了自己的想法："对《前世千寻》这首歌我有两个创意，一种高昂清亮，以气势取胜；另一种迂回婉转，以灵巧取胜。第一种比较讨好观众，直白演绎，能抓人心，又能突出你声音的优点，但第二种我也舍不得放弃，迂回婉转的其实更考验唱功，如果能表达好，其中的韵味更是第一种曲风无可比拟的，很有机会成为长期流传的经典之作。"

说着她拉过电子键盘调了调音，把两种风格的AB段各弹了一遍。

方昕瑶认真地听着，不时提出了些小的修饰意见，也在键盘上演绎一遍。

程橘颇为赞赏："一直都听说你非科班出身，没想到音乐底子很不错，记忆力也很好，我才弹一遍你就记住了。"

被这样一个有才华的专业人士称赞，方昕瑶也很高兴："我妈妈是科班出身的声乐老师，从小受她熏陶所以稍微懂点皮毛。"

绝世风光不及你

程橘似乎来了兴趣："你妈妈叫什么名字？业内人士的话说不定我还认识。"

"……我妈妈八年前就去世了。"方昕瑶眸光黯然。如果妈妈还在的话，说不定自己也会一早就走上专业的音乐道路。

"抱歉昕瑶。"

"没关系的，程橘姐，妈妈虽然去世了，但一直在我心里。"她微笑道。

程橘也淡然一笑，继续道："怎么样，你更倾向于哪一种编曲？"

方昕瑶仔细思考了一番，难以取舍："我真的觉得都很棒，能不能这样，我们两种都录，最后交给孙导来选，毕竟是他的剧。"

"也好。不过咱们的工作量可就要翻倍了。"

方昕瑶吐吐舌头："辛苦的主要是程橘姐，我只需要动动嘴。"

程橘注视了她一会儿，忽然道："我总觉得你好像比之前开朗了一些。"

"嗯？"她讶异她竟会说到这个。

程橘接道："看来坊间传闻你和厉总在交往的事是真的。"

虽然程橘看起来人很亲和，但方昕瑶感觉得出，在那层"温柔有礼"的包裹下是与人之间淡淡的疏离，与自己曾经的淡漠有异曲同工之效，所以她真没料到她会同自己聊到这样私人的话题。

"是的。"方昕瑶从没想过隐瞒，笑着回道。

程橘盯着她："可你有没有想过，这会影响你们的事业？"

方昕瑶没有说话。

"你出道至今一直处在厉总的保护之下，他给了你最好的资源，帮你做了完美的媒体公关。并不是每个歌手都能这样一帆风顺，你可以想到仅通宇内部就会有多少人对你眼红。一旦你们的恋情曝光，你知道会有什么后果吗？"

方昕瑶仔细想了想："会说我靠傍金主上位？"这是徐曼卿曾骂过她的话。

程橘叹道："你所有的天赋和努力都会被公众忽视，他们只会看到你身后的男人，再加上那些眼红你的人一定会借机煽风点火，很可能压得你翻不了身。"

"我不在乎别人说什么。"方昕瑶淡淡地说。

程橘微微错愕："那厉总呢？厉总能拥有今天的地位付出过许多艰辛，如果爆出负面新闻，恐怕会影响集团董事会对他的看法。"

"为什么我们的恋情一定是负面的？我们是真心的。"

程橘嗤笑一声："媒体只在乎博眼球，大众只在乎猎奇和八卦，谁会在意真心？"

方昕瑶惊讶于程橘的状态，虽然表面上像在问她，可是她总觉得程橘目光里流露出的伤感和哀戚并不是针对她，而更像自伤。

"程橘姐。"她认真答道，"即使没有人认可，我们也不会因此放弃对方。"

"呵。"程橘苦涩一笑，"就算你这么想，又如何知道他的想法？"

方昕瑶还想说什么，卡座的门突然被敲了几下："程橘，是你在里面吗？"

拉开门，一个三十多岁、穿着时尚干练的女人出现在眼前。程橘立即收起了刚才的表情，换上常见的微笑："祝菁？这么巧，我正在跟一个歌手讨论编曲。"

叫祝菁的女人打量了方昕瑶一番："这个歌手妹妹好像有些眼生——"随后，她露出恍然大悟的表情，"我知道了，就是通宇新出道的歌手方昕瑶吧？"

方昕瑶站起来礼貌地点头致意。

那边立即递来名片："我是《星悦》的主编，方小姐还没有接受过纸媒的采访，不知道能不能把宝贵的第一次留给我们？"说着，她以征求的目光看了看程橘。

"这事要联系昕瑶的经纪人，我做不了主。"

方昕瑶于是给祝菁留下了都岚的电话。她从都岚那听过，《星悦》

是一本国内发行量最大的时尚明星杂志，在网络媒体如此发达的今天，纸媒的势力已经江河日下，但《星悦》属于例外，多年来市场地位一直稳固甚至不降反升，是众多圈内人士十分看重的一个阵地。

方昕瑶忽然想到，上次首先爆出徐曼卿私生女新闻的正是《星悦》，后来才迅速被各大网络争相转载。而程橘和这位《星悦》主编似乎有几分私交，会不会……

她摇了摇头，赶紧掐断这个想法。一个才华横溢的音乐人是不会做出爆料丑闻这样的事的。

"对了。"祝菁像是想起什么，拉了拉程橘的手放低声音道，"我听说，骆添和徐曼卿要结婚了。"

方昕瑶看见程橘的脸唰地一下白了，原本温柔的笑容刹那间僵在脸上。

这消息太突然，连方昕瑶都觉得有点难以接受。真的假的？祝菁用了"听说"这个词，难道，又是收到了什么风？

程橘勉强地重新牵起嘴角："是吗？跟我没关系。"

祝菁又看了她几眼，片刻后她告辞："我还有一个采访稿要改，先走了。"她安抚似的拍了拍程橘的肩膀，然后起身离开。

程橘低着头默默不语，方昕瑶不知她在想些什么，也不知自己该说什么好，就那样安静地坐着。

过了一会儿，程橘从包里掏出一盒烟，点上一支，深吸两口后说："口渴，陪我喝点东西吧。"

"好。"

说是口渴，可程橘点的不是饮料，而是烈酒。

程橘倒了一满杯酒，还不等方昕瑶说话就一饮而尽。

"程橘姐……你这样，很快会醉的。"

"醉？"程橘又倒了一杯，"我只求一醉。"

看她近乎自虐地喝酒，方昕瑶自然明白是刚才骆添要结婚的消息刺激了她。

也不知该如何劝慰程橘，她试探着说："祝主编只是听说，未必是真的。"

"呵呵，我了解她，如果消息不靠谱，她是不会告诉我的。"

方昕瑶不免惊讶，如果消息是真，骆添究竟是怎么想的？他和徐曼卿，看起来一点也不搭调。

"我一直以为，即使我们离了婚，我依然是他生命中最重要的人。即使他身边女人不断，我也深信那只是基于他创作的需要，我以为他绝对不会再婚，我从来没有怀疑过这一点。"她脸色惨白地笑起来，"看来，是我太天真。"

她给方昕瑶满上一杯："来，干杯，祝他俩举案齐眉。"说着，她一仰头，又喝下一杯。

方昕瑶知道自己酒量差，待会儿还得肩负起送她回家的重任，因此只敢少少呷一点。但程橘一直不停地催她喝，虽然每次只喝一小口，但加起来也够让她晕晕乎乎了。

在酒精的作用下，她实在忍不住，问："程橘姐，我看得出你依然爱着骆老师，可为什么当初要执意跟他离婚？"

程橘看她一眼："看来，你知道我们离婚的原因。"

方昕瑶点头。

或许是多年来她伪装得太累，此时记忆的匣子一旦打开，她再也控制不住。

"我在上音乐院校时，骆添已经是全国驰名的词曲家。有一次他来我们学校开讲座，我彻底被他的才华征服，成了他彻头彻尾的粉丝，立志要走上和他一样的道路。他的每一首作品我都拿来分拆解析，写了许多我的理解，还将我写的歌一并寄给他。一开始我并没有奢望能得到他的回应，可是没想到寄了三四次信件以后，他居然来我们学校找我了。"不知是因为酒精还是因为回忆，程橘脸上出现了淡淡的红晕。

"他说我很有灵气，要收我做他的唯一弟子。当时我高兴疯了，我们一起探讨、创作，在他的指导下我的作品开始面世，并得到了业内的认可。我越来越仰慕他，但我一直以为他对我只不过是师徒之谊。直到有一天，他忽然向我求婚。你知道吗，那时的我就和现在的你一样，幸福、甜蜜，对未来憧憬不已。"

听到这里，方昕瑶总算明白为何程橘要跟她说关于她和厉凌的事。

"后来呢？"

"后来，"程橘神色落寞起来，"婚后，我们形影不离，有一天却有媒体指出，自从骆添和我结婚之后，再也没有高质量的作品面世，到后来甚至一首作品也没有了。我这才惊觉，自从我们的注意力放在了爱情上，我们对创作的兴趣居然跌到了冰点。后来各家媒体跟风，有的说我是靠傍上骆添才能在词曲界崭露头角，说不定我的作品背后骆添才是枪手；有的说我是骆添事业的阻碍，跟我结婚以后他只能窝囊地被业界淘汰。"

"就因为这样，你选择离婚？"方昕瑶微微惊讶，"媒体只不过是为了吸引大众，何必在乎它们怎么报？"

"是啊，我可以不在乎，可我不知道骆添看了这些报道后会如何想。"她惨然一笑。

"你问过骆老师的想法吗？"

"我没问，但上天给了一个让我知道的机会。有一天他的好朋友来家里做客——就是写《前世千寻》这首歌的人——我出去买菜时发现忘了带钱包，于是折回来，刚好听到他的朋友问他：'你就这样被家庭拘束着，放弃了创作？'当时的我心狠狠一揪，等了很久才听见骆添重重地叹道：'婚姻确实影响了我的灵感。我当然不想放弃写歌，对我来说，创作等同于我的生命。'"程橘痛苦地闭上眼，似乎不忍回顾那时的心情。方昕瑶甚至可以想象当时她是怎样落荒而逃的。

"一开始我仰慕他就是因为他创作的才华，我又怎么可以自私地用婚姻的琐碎来牵绊住他？既然创作犹如他的生命，那这样的婚姻，则根本是在扼杀他的生命。"

方昕瑶久久无法言语，原来这才是程橘离婚的真相，她宣称"爱上了别人"的那个人，也只不过是她找来演戏的道具而已。

"如果你后悔离婚，为什么不告诉骆老师？"

"后悔？"程橘摇头，"我并不后悔。离婚后不久，他很快就写出了极好的作品，重新回归了词曲界，我为他高兴。"

方昕瑶心里不禁难受，这是一种怎样的爱情？独自忍受痛苦，只为放他去飞。

讲完这些，程橘终于不胜酒力，倒在沙发上，软成了一摊泥。方昕瑶架着她上楼，扶她进卧室，才发现卧室的墙上挂着许多她与骆添的合照，更是让人唏嘘和惋惜。

方昕瑶又照顾了她一阵后，接到厉凌的电话。

"你们聊完了吗？我去接你。"

她想了想："你能来程橘姐家里一趟吗？"

厉凌很快就过来了，她把他拉到茶几旁，给他看那首《无法再拥有》的手稿。

"这首歌，程橘姐说是失败的作品，所以没有发表。"

他颇感无辜："……五线谱看不懂。"

方昕瑶坐到钢琴前，照着曲谱断断续续弹了一次后，第二遍便流畅地弹完了整首曲子。

厉凌眸光闪动，走到她身后俯身搂住她："我还不知道你钢琴弹得这么好。"

她笑眯眯地说："其实一般，只能糊弄你这种门外汉。"意识到不对，她立马说，"哎呀，这不是重点，重点是这首歌，我觉得，程橘姐根本是写给骆老师的。"

"何以见得？"

"你看啊。"她指着一段歌词，"只爱你，只想你，再也不能拥抱你。只欺你，只骗你，从来只为离开你。"

"还有这一句：给你天空，还你自由，留我残缺，剩我无忧。"

厉凌略一思索，笑道："你想怎么做？

绝世风光不及你

"我有点犹豫，该不该让骆老师知道，程橘姐写过这首未曾发表过的歌。"

"你想帮他们挽回？"他明白了她的想法。

她点了点头。当她了解程橘原来在拿她跟骆添来同自己和厉凌做类比的时候，就觉得自己无法只做个冷眼旁观的局外人。

"我支持你。"

她眼神一亮："真的？你不觉得我多管闲事？"

"就算是闲事，我也陪你管到底。"

厉凌摸了摸她的头，惹来她的抗议："为什么你总摸我的头？我又不是小孩子。"

他笑得很开心："不是小孩子？那为什么总叫我厉凌'哥哥'？"

她脸上一热："你不喜欢？那以后改——"

厉凌急忙凑到她唇上轻轻一吻，阻断了她的话："千万别改，我喜欢得很。"他眸光里浮现出一丝不同以往的暧昧情意，又往前慢慢靠近。她被他的气息笼罩着，心跳如鼓，不自觉闭上了眼睛。

里屋却突然传来"砰"的一声。

方昕瑶如梦初醒，连忙从钢琴凳子上跳起来，红着脸跑到卧室一看，原来是程橘想找水喝，打翻了床头柜上的杯子。

她喂程橘喝了杯水："厉凌哥哥，我不太放心程橘姐，今晚想留在这里照顾她。"

"好。"本以为他会先回去，却听他说，"我陪你。"

"啊？"

厉凌走到沙发旁坐下，拍了拍一旁："过来。"

"哦。"她听话地坐到他身边，他伸臂把她一圈，让她枕着他的腿，又拉过沙发上一条披肩盖在她背上。

"睡一会儿吧。"

灯光被他调暗，她舒服地伸了伸懒腰，忽然想到程橘问她的那个问题。

"你说，我们的感情如果曝光，会影响你的事业吗？"

他低头看着她："为什么这么问？"

她难为情地往他怀里拱了拱："这个问题果然太幼稚了。"

厉凌笑着把她翻过来，俯身在她唇上一啄："该担心的人应该是我吧？你现在人气高涨，以后会不会甩了我？嗯？"

"才不会呢！"她急于想解释，两只手合力勾住了他的脖子，"让我开个新闻发布会都行。"

上身因此而抬起，她的脸就凑在厉凌跟前，还能感觉到他的呼吸若有若无地荡过她的鼻子。

这个姿势，似乎很危险……

"嗯……"厉凌的嗓音变得喑哑，"靠这么近，是想试探我的定力吗？"

方昕瑶心跳骤乱，她很想躲开他炙热的目光，可又觉得被他的气息笼罩得无处可逃。

"在……在别人家里是不是不太好？"她晕了头，已经完全意识不到自己在说什么。

"嗯？"他低低笑起来，"你的意思是，不在别人家里就可以？"

她的脸腾地一下烧得快冒烟："不是不是不是不是不是不是！"她想挥动小拳头打他，却被他一把抓住，放到唇边一吻。

又玩闹了一阵，她实在困了，也就老老实实躺在沙发上睡着了。

第二天清早，当程橘从卧室出来，看见的就是厉凌背靠沙发打盹，而方昕瑶枕在他腿上正睡得舒服的画面。

她觉得何其羡慕。

对于这位通宇唱片掌权人，她接触不多，但也曾听骆添津津乐道过他如何从一个实习造型师走上高级管理层的奋斗史。他为此付出了多少她是可以想见的，倘若有一天真要他在事业与身旁的女孩之间抉择其一，他会怎么选？

厉凌听见动静先醒来，朝程橘微一颔首，然后轻轻推了推怀里的人。方昕瑶睡眼惺忪地站起来走到程橘跟前："你没事了吧？"

程橘笑着摇头："谢谢你们，快回去吧。"

他拿起茶几上的那份曲谱："这首歌，能否卖给通宇？"

一瞬怔愣后，程橘微笑道："既然昕瑶喜欢，就送给她吧。"

5. 她也不知道他在想什么，也许该怪自己太没有魅力？ /// //

不久后，年度最盛大的音乐庆典各奖项候选名单公布，方昕瑶正如预料那般获得了年度最佳新人提名；然而超出舆论预料的是，她居然还同时得到了年度最佳歌手提名。

年度最佳歌手奖几乎是歌坛的最高荣誉。这个奖向来只颁发给成绩斐然的资深歌手，迄今为止还从来没有给过刚出道的新人。

都岚乐得都快开了花，在公司碰见灰头土脸的徐曼卿时忍不住噎她："怎么样？我就说昕瑶能一炮而红，你别太嫉妒哦！"

徐曼卿却没有像往常一样尖叫反击，只是恹恹地瞟了方昕瑶一眼，冷哼一声走了。

都岚大概是有一种一拳打在棉花上的憋闷感，拉了拉方昕瑶的衣服："你觉不觉得，自从上次爆出了小可的事以后，这位'尖嗓门'气焰全消，也没跟在甄霓屁股后面了，整天独来独往的，也不知道在干吗。"

方昕瑶望着徐曼卿消瘦的背影，她这样萧条的气场一点也不像要结婚的样子。虽然程橘说消息不会假，但她还是不禁有一丝怀疑。

在会议室里坐下，都岚开始说正事："音乐庆典会在一个月后的11月8日举行，这次你的主要目标是新人奖，至于最佳歌手，能获得提名已经很不错了，就算最后没有拿到，也千万不要灰心。"

"放心吧，都岚姐，月盈则亏，过犹不及的道理我明白。对我来说，留有进一步上升的空间才是最好的。"

都岚欣慰地点头："通宇的甄霓和另外一个泰华的王牌歌手是争

夺最佳歌手的焦点，到时如果有媒体问到你的看法——"

"我当然力挺甄霓姐。"平心而论，以甄霓如今在歌坛的地位和成绩，拿最佳歌手绝对当仁不让。

"嗯嗯，不错，很懂得为我们通宇着想。"都岚笑道，"厉总没白疼你。"

方昕瑶脸一热："跟他有什么关系？"

"哈哈，当然有关系，上午我跟他汇报找来的几个搭你走红毯的男伴人选，他黑着脸全部否决了。没想到啊，平时在公司以冷静自持闻名的大男人，实际心眼比针尖还小。"

方昕瑶汗颜："我一个人也可以的。"

都岚继续意味深长地笑："我当时就说：'厉总，你总不能让昕瑶一个人进场吧，会被媒体笑话她人缘差的。'结果你猜怎么着？"

呃……似乎很容易猜出来。她狡黠地笑了笑没有说话，免得破坏都岚演绎的兴致。

"厉总说他陪你去！哈哈哈，以前但凡有什么公众活动他都拒不参加，实在推脱不过参加的也一贯独来独往，连杜总都使不动他。现在他居然如此积极，哈哈哈，昕瑶你好样的！"

都岚十分开心，猛拍她肩膀："到时候媒体肯定会炒作你们的CP话题，再加上拿奖后的高关注度，公司会借机给你安排新闻发布会，并在会上宣布你第二张专辑的计划。"

方昕瑶微感意外："这么快？"

"公司给你排的计划是两年三张，并且第二张上市以后就会着手准备演唱会，时间确实比较紧，你要有心理准备。"

"嗯嗯。"听都岚这么一说，她反而燃起了斗志。

"好了，公事谈完，厉总交代要送你去跟同学聚会。"都岚摊手，"居然连这个都管，我有理由怀疑他的工作量根本不像外界传说的那么饱和。"

方昕瑶暗暗羞涩，厉凌哥哥还真是一点都不注意影响！

同学指的当然是谢雪妍，她上次说想去家里参观，因此方昕瑶拜托都岚先载她去学校接上谢雪妍，再送她们回自己公寓。

　　在车上谢雪妍表示早就听说过这位经纪人的大名，兴奋地拉着都岚一通神侃。她俩遇到一起真是棋逢对手，意气相投，一路上聊得不亦乐乎，待下车时就已经互留电话，准备以后扯着方昕瑶组成三人姐妹团了。

　　"我们干脆找个良辰吉日开坛结拜金兰吧！"谢雪妍眼睛闪闪发光。

　　"好啊好啊，我一直都想有个妹妹！"都岚毫不示弱。

　　方昕瑶扶额："我是多余的……"

　　"喊，你有男朋友！"那两人异口同声。

　　由于都岚还有工作，放她们到公寓后就开车走了。谢雪妍参观完方昕瑶的窝后感叹："真不错，好敞亮的空间。"

　　"你如果不想住宿舍，可以搬来和我一起啊，还有一间客房空着。"

　　谢雪妍吐吐舌头："不要，我才没那么不知趣呢，大灯泡。"

　　"他又不住这儿。"

　　"人虽然不住这儿，但架不住他一有空就来你这腻歪呀。"谢雪妍眼珠滴溜溜转了转，"据我观察，你这屋里有不少他的私人物品。"

　　方昕瑶白她一眼："不当侦探真是浪费人才。"

　　"嘿嘿。"谢雪妍凑上来挽住她的胳膊，"你跟我说说，你们发展到哪一步了？"

　　"什么……哪一步？"

　　"一垒？二垒？还是本垒？"谢雪妍贼兮兮地引导。

　　方昕瑶继续表示茫然不懂。

　　"哎哟！非要我那么直白，牵手了吧？"

　　虽然这个问题很让她羞涩，但她还是老实地点了点头。

　　"Kiss 了吧？"

　　她硬着头皮又点了点。

"法式深吻吗？他技术如何？"谢雪妍坏笑着拿胳膊肘撞撞她。

方昕瑶羞得拿过沙发上的靠枕蒙住脸："你都没交过男朋友，哪来那么多的专业名词？"

"我虽然缺乏实践，但是理论知识丰富啊，完全可以指导你。"谢雪妍一把夺掉她的遮羞枕，"快快快，告诉我告诉我。"

方昕瑶只能捂脸："那个……那个……只有浅吻而已。"

"啥？"谢雪妍惊叫起来，"不会吧？你们还当上中学呢？苍天哪，也太单纯了！"她又想到，"这么说，滚床单什么的更没有了？"

"……没有。"

"……"谢雪妍陷入了深深的思考，"没滚床单也就算了，可以理解为他尊重你，可是连深吻都没有的话，昕瑶，我很怀疑……"

方昕瑶笑着去掐她的脸："循序渐进懂不懂！"

其实有很多次她都觉得他的气息灼热得像要将她卷到怀里吃干抹净，可最终不过是浅浅一吻。

她也不知道他在想什么，难道是自己太没有魅力？

这么一想，好像有一点沮丧呢……

两个女孩打闹了好一阵，到了晚餐时间肚子饿得咕咕叫的时候，厉凌打电话来说请她的朋友一起吃晚餐。

让雪妍和厉凌哥哥见面啊……她握着电话犹豫。

"怎么，我见不得人？"

"不是不是，我只是觉得你工作那么忙，其实不用特地陪我们的。"

"我想认识你的朋友，以后你欺负我时也好有人帮我。"

谁欺负谁呀？真是……她笑着认输。

没过多久，厉凌来接她们。

这还是谢雪妍第一次正面见到厉凌，她用审视的目光把他上上下下里里外外打量了一番，然后意味深长地笑了："呵呵——"

方昕瑶紧张得不行，生怕这丫头一不小心脱口而出："你是不是男人啊？"

"久仰久仰。"谢雪妍笑嘻嘻地打招呼，"职场上是这么说的吗？"

"呼……"她松了一口气。

晚餐他们去了三元桥一家口碑很好的川菜会馆，由于停车位十分紧张，厉凌只好把车横在另一辆车前，然后把名片递给保安以方便联系他挪车。

"我最喜欢吃川菜了。"谢雪妍对着一桌子美食吃得不亦乐乎，带得方昕瑶也吃得很开怀，厉凌则以恰到好处的周到为她们服务。

"我觉得，你一点都不像昕瑶以前讲的那样啊！"吃得差不多了，谢雪妍又露出了八卦的本性。

厉凌饶有兴趣地问："哦？她怎么形容我的？"他瞥了她一眼。

"冷漠，寡言，对她爱答不理。"

"喂喂！"方昕瑶抗议，"我的原话才不是这样的。"

"嘻嘻，中文的博大精深就在于词面底下隐藏着你真实的意思。"厉凌轻挑了挑眉。

"来来来，再吃个榴莲酥，堵住你的嘴。"方昕瑶把一整盘点心都推到了谢雪妍的面前，刚刚还宣称再也吃不下的她居然又开始往嘴里塞。

"我再吃点儿，不能浪费，嘻嘻。"

包间外突然传来敲门声："请问，厉先生是在这里吗？"

厉凌起身打开了门。方昕瑶朝门口看去，本以为是让他挪车的保安，结果却是一个穿着西装、看起来精神干练的年轻小伙。

他手里拿着名片："厉先生吗？麻烦您把车挪一下。保安走不开，名片上的号码又打不通，我就自己过来了。"

厉凌侧身去拿挂起来的风衣，年轻小伙不经意往包间内看了一眼，发出一声疑问："方昕瑶小姐？"

咦？她愣了愣："你认识我吗？"

"当然认识！"年轻小伙绕过面色不善的厉凌直接大步窜到她旁边，"你不知道，你的签售会我跟着你辗转了多少城市。"

难道是粉丝？她还是第一次在私人场合被粉丝认出来，感觉挺奇妙的。

小伙从西装内侧口袋取出一张名片递上来："我叫于翰，见到你很高兴。"

名片上写着：浩瀚科技有限公司CEO。

厉凌抱手站在门边，淡淡地问："车还挪吗？"

显而易见的送客口吻，于翰却丝毫不以为意："方小姐，其实我会认识你是因为我的公司合伙人，他在你每一场签售会时都组织了很多粉丝参加，还赞助了大笔路费，绝对无愧于粉丝团团长的职务。"

方昕瑶颇感意外，虽然她早就听雪妍说过她的粉丝团团长是个男的，但在她的想象中应该是那种空闲时间一大把的宅男，听于翰的意思，这个团长倒像一位科技公司精英。

"于翰，怎么去了那么久？"包间外的走廊里传来脚步声。

方昕瑶和谢雪妍对视了一眼，这个声音……

很快，声音的主人出现在视线中。

于翰立即介绍道："他就是我的合伙人，浩瀚科技CEO梁浩。"

"什么CEO，只不过是一个十几人的小公司。"梁浩的目光穿过其他几人落在了方昕瑶身上，脸上露出一瞬间的怔愣，随后又看了看厉凌，"嗨，真巧。"

"梁浩，你怎么也在这儿？"谢雪妍高兴地站起来。

"你们认识？"于翰问完便一拍脑袋，"瞧我，你是方小姐的粉丝团团长，她又是你C大的学妹，认识也很正常。看大家也吃得差不多了，不如我做东，咱们换个地方喝一杯？"

"不了。"厉凌走到方昕瑶身边，不动声色地搂住了她的肩，"她累了一天，吃完饭得早点回家休息。"

斩钉截铁的拒绝令于翰稍感尴尬："这……"

梁浩上前，说："不打扰你们了。"他朝于翰使了个眼色，"我们走吧。"

方昕瑶看见梁浩回身走出包间门时，下意识地回头望了她一眼。那样阳光积极的一个人，居然也会露出这种落寞的、让人心生不忍的表情。

"我去挪车。"厉凌随后也走了出去。

谢雪妍面向她："昕瑶……我……"

她明白她的意思，微笑道："去吧。"

"那咱们改天再约。"谢雪妍抓过椅子上的背包，小跑着追了出去。

包间里彻底安静下来。方昕瑶托腮，不由得叹了口气，真没想到梁浩居然就是她的粉丝团团长。自从他毕业后他们就没再见过面，原来他跟朋友合作开了公司。说不定这个公司根本从他在校时就已经创立了。

梁浩，于瀚，所以叫浩瀚科技啊。她拿着名片正反面地看时，厉凌回到了包间。

"雪妍跟他们走了吧？"

他点头。

"那我们也回家？"

他还是不说话，转身拿过外套往外走，却有意放慢了脚步。方昕瑶跟上去，一直到回了家，见他仍一言不发地沉默，浑身上下一股酸溜溜的气场。

"怎么了嘛？"她忍住笑意，去拉他的袖子。

他一把将她拉到怀里，然后退到沙发上坐下，把她整个人圈起来。半晌，他发出一声无奈的叹息："谁让我女朋友太有魅力。"

方昕瑶被他的鼻息弄得脖子痒痒，笑着躲开："哪有什么魅力啊，你看你都不为所动。"

厉凌闻言轻轻捏住她的下巴把她的脸转过来，低沉地道："你还想我怎么动？"

她直视着他的眼睛，想起来下午谢雪妍说过的话，不由自主地脱口而出："你知道什么是'法式深吻'吗？"

抱住她的身躯瞬间僵住了。

方昕瑶恍然明白自己刚才说了什么，脸噌地红了："不是不是，我不是那个意思！"她急忙想挣脱他的怀抱站起来，刚一用力却被他的手臂更大力地禁锢住了。

"嗯，理论上是知道的，你想试试吗？"

暗哑的声线犹如一种蛊惑。她中了蛊，只能呆呆地望着他，仿佛忘记了世间除他以外的所有一切。

厉凌的手指轻轻扫过她的嘴唇，跟着大掌扣住她的后脑勺，再不给她任何可以逃走的机会。掌上稍微用力把她拉近，他决定暂时放任自己，去吞噬掉心里渴求已久的甜美。

嘴唇相接的刹那，他不再如往常那样轻柔，而是变得掠夺一般想要攻陷她所有的防线。

"啊——"她一声惊呼，却不知正好给了他可乘之机，他立即顺从本能，更深入地占有她的领地，一遍又一遍，唇舌交融，浑然忘我。身体紧紧绷起来，心里那头野兽双目发赤，没有什么能阻止他。

没过多久，他才刚刚尝到甜头，怀里的娇躯却扭来扭去地发出抗议的哼哼声。

只好强迫自己稍微放开她，但他完全不打算停手，只给了她一点呼吸的空间。

"我……我喘不上气了。"她红着脸，又娇又嗔地瞪着他。这样的眼神让他怎么把持得住呢？

"快抓紧喘。"

"啊？"她还没想明白他什么意思，他便把她拦腰抱起来，大步走进卧室，将她放在床上。

"这样比较方便。"话音一落，他欺身上去把她整个人罩在身下，再次吻住了她的嘴唇。

这一次，他可没那么轻易放开她。

方昕瑶头晕目眩，只能任他摆布，也不知过了多久，客厅里突然响起一阵手机铃声。

　　"嗯……你的……电话……"她从唇齿间勉强挤出几个字。

　　他稍微抬起："不管它。"

　　"别别，万一有什么急事呢？"她趁机往旁边一闪，被他亲了这么久真有点吃不消啊。

　　厉凌极不情愿地起身，去客厅回拨过去。她躺在床上，浑身滚烫，还沉浸在被他气息包裹的梦幻中。这次体验了法式深吻，那下次……

　　呵呵呵，实在太羞人了！方昕瑶用被子蒙着头，在床上滚来滚去。

　　他的电话持续了很久，看来确实有重要的事。她等着等着就觉得有些困了，于是迷迷糊糊地眯了一觉。

　　大概一个小时以后，厉凌结束通话，上床从背后搂着她，轻声说："昕瑶，有件事要告诉你。"

　　"什么？"

　　"未来一段时间，我可能要去通宇集团工作。"

　　"咦？你要离开唱片公司？"她一下子清醒了。

　　"不是，集团那边出了些事情，老爷子被气得住了院，他希望我能暂时去集团代理他的位置，等处理完那些事我就会回来。"

　　她十分担心："老爷子身体还好吗？究竟出了什么事？"

　　"放心，没事。"他吻吻她的额头，"集团涉嫌专利侵权被对方起诉，导致几个大投资者撤资，现在面临资金链断裂的危险。"

　　"啊，那通宇唱片——"

　　"唱片公司的资金是独立于集团之外的，不会受到影响。"

　　她往他怀里拱了拱："听起来满棘手的，会不会太辛苦……"

　　他心情不错："我会每天来你这儿充电的。"

　　她羞涩地埋头："下午跟雪妍聊天，她说……她说……"

　　"哦？"厉凌露出一副了然的神情，笑道，"难怪。"

　　她更是脸红得不行。

"之前，我一直担心，所以不敢太着急。"他敛起笑意，用手指一丝丝捋着她的头发。

方昕瑶猛地抬头，对上他满含怜惜的眼睛。

原来是这样。他一直担心朱启铭留给她的阴影还未完全散去，所以总是小心翼翼地对待她。

方昕瑶鼻子酸酸的："已经过去了，我早就不在意了。"

"你不讨厌？"

她拼命摇头。

厉凌低笑："既然如此，那我就不客气了。"他的声音突然变得灼热暧昧，方昕瑶惊觉自己又一不小心引来一场暴风雨，慌忙嬉笑着往后躲，可是……

最终没躲开。

/// // 第五章 ///
越难越爱

1. 或许，他也会为她感到骄傲 /// //

　　每年的 11 月 8 日是音乐界最盛大的庆典，在这一天会决出包括作词、作曲、编曲、制作、演唱等各个领域的奖项共四十八个。

　　本次庆典选在北京国际会展中心最大的礼堂内举行，从黄昏时分开始，各路媒体便已在会场外等候，丝毫不愿错过今晚任何能够吸引大众眼球的新闻。

　　晚上七点，礼堂大门开放，门外的红毯一直铺到了可以停车的大厅门口，媒体记者们翘首以待，准备记录下谁是今晚第一位从红毯经过的人。

　　"来了来了。"眼尖的记者一眼便看见外头连续几辆车快速驶来，准确地停在了大厅外，从车内分别走下来几位年轻的盛装男女。快门和闪光灯不停咔嚓闪烁，待他们从容地从红毯上走入礼堂，镜头便又对准了下一波前来的嘉宾。

　　通宇唱片的车队于七点三十分准时到达，甄霓的车排在首位，她第一个翩然而下，挽着她今晚的男伴——通宇旗下另一位一线男歌手款款从红毯上走过。作为今晚夺冠的大热门，记者们自然不会放过她，对她争先恐后地拍照采访，甄霓雍容华贵地应付了几句，便款款步入了礼堂。

中间几辆车上坐的是几位受邀的观礼歌手及制作人，方昕瑶和厉凌坐的则是最后一辆。

下车前，她一直下意识地用右手护住心口，不断地调整呼吸。今天的发型和妆容都出自于厉凌之手，晚礼服也是提前一个月定做的，她知道肯定出不了差错，但这毕竟是她第一次在这样星光聚集的庆典上公开亮相，小小紧张在所难免。

"别怕，有我呢。"他握了握她另一只手，随后下车绕到另一侧为她拉开车门。

方昕瑶扶着他下车，刚一站稳就看见一大波记者蜂拥而来。

"看！那是最近爆红的新人方昕瑶！"

"跟她一起的好像是通宇唱片的高层！"

"我们快过去！"

乌泱泱一群人瞬间把他们团团围住，闪光灯明明灭灭，快门声不绝于耳，这阵势比之前的签售会可要震撼多了。

她拿出妈妈教她的淑女礼仪绝招：不知道该怎么应对的时候，只需要昂首挺胸微笑即可。

"请让一让。"厉凌脸色淡淡，沉着地护着她往前移动。

"请问方小姐对今晚的新人奖怎么看？"她听见耳边出现这个问题，跟着立即有一个话筒伸到她嘴前。

抿了抿唇，正准备回答时，厉凌却不动声色地从她右侧换到左侧，挡开那个话筒，不疾不徐道："你说呢？"

那个记者愣了愣，脱离了队伍。但很快又有其他人补位，这一次朝向厉凌："您是通宇的厉总吧？我听说您从来不在公众场合露面，这一次为什么出现？是为了陪方小姐一起吗？"

厉凌投过去一个意味深长的眼神，直接不理。

这……对媒体太过冷淡似乎也不太好吧。方昕瑶默默吐槽。

"方小姐，方小姐，请问今晚对于最佳歌手奖有什么看法？你认为你和甄霓谁更有实力拿奖？"

她微笑道："甄霓姐是我十分敬服的歌手，她若拿奖是实至名归。"其他也不再多说。

终于突破重围进了礼堂，方昕瑶松了一口气。找到属于他们的座位坐下，离庆典开始还有四十分钟，于是她又去了一趟洗手间。

从洗手间格子里出来时，她碰到了正在对镜补妆的甄霓。甄霓对她和善地一笑："这么巧，一直也没机会当面对你说声恭喜。"

她也大方地报以微笑："谢谢甄霓姐，今晚的最佳歌手一定是你。"

方昕瑶在回礼堂的走廊上，迎面遇到一个有几分眼熟的中等身材的男子，总觉得在哪见过。直到与他擦肩而过，她才想起来：他不就是除夕跨年时，梁浩带她参加的那个拍卖会上出现过的，那个泰华唱片少东吗。

"哎呀，手机落在洗手间了……"方昕瑶只好折回去拿，接近洗手间时听见门口传来一男一女激烈的争论声。

"你有什么资格干涉我？"

"霓霓，够了，别闹了。"

"哈，当初是谁让我滚蛋的？对不起，我滚远了！"

"我承认，我有不对，但这么长时间过去，你也该消气了。"

居然是甄霓和泰华少东。泰华唱片是甄霓以前的东家，他们会认识并不奇怪，但从这番对话听起来，他们之间的关系好像并不简单。

方昕瑶进也不是退也不是。还好甄霓很快看见了她，脸上闪过一抹尴尬之色，丢下泰华少东快步离开了。

泰华少东不动声色地打量了方昕瑶几眼后，转身进了男士洗手间。

她是不是听见了什么不该听见的东西……

方昕瑶回到礼堂又歇了一会儿，庆典于八点半准时开始。今晚的主持人是歌坛两位资深前辈，在一段段 VCR 与歌舞表演之间，他们逐一宣布了各个奖项的候选人与最终得主。骆添获得了最佳制作人大奖，程橘则凭一首电影插曲拿下了最佳影视金曲奖。

方昕瑶激动得手都拍红了，厉凌失笑道："待会儿还有你激动的时候。"

话音刚落，下一个奖项便轮到了最佳新人歌手奖。

男主持人说："最佳新人歌手奖候选人共有四位，他们分别是：泰华唱片的季舒、鼎丰唱片的刘雅寒、通宇唱片的方昕瑶，以及海景唱片的沈宏非。"

女主持人接道："获得本年度最佳新人歌手奖的是——通宇唱片的方昕瑶小姐！"

礼堂内立即涌起热烈的掌声，似乎说明她拿到这个奖的确众望所归。聚光灯很快捕捉到了她。在厉凌鼓励的眼神下，她站起来，轻拈裙摆，徐徐走上了领奖台。

接过颁奖嘉宾递上来的奖杯，她感觉到沉沉重量就握在手中。这是她歌唱事业中所获得的第一座丰碑，无论将来如何，它都会对她有特别的意义。

站在话筒前，她说："此刻心情，除了激动，更多的是感恩。谢谢你们，一直陪在我身边。"

她朝着厉凌的方向遥遥举起了奖杯，虽然由于头顶的聚光灯，她并不能看见他，但她就是知道，他一定正目含暖意望着台上的自己。

或许，他也会为她感到骄傲。

后来，当晚的压轴大奖——年度最佳歌手，不出意外地归属了甄霓。今晚的庆典从大局上看，通宇唱片力压泰华，成为最大的赢家。

庆典结束已近午夜，出了会展中心免不了又是一轮记者盘问。好不容易回到家，方昕瑶踢掉高跟鞋，斜倒在沙发上。

厉凌帮她把头上的发饰拆下来："你好好休息，我还有个电话会议要开。"

"咦？都这么晚了。"

"对方是美国公司，这个时间刚好。"他摘下领带，松了松西装的纽扣，"过几天就要召开你的新闻发布会，具体事宜我都交给都岚去办了。"

她心疼地拽住他的袖子："厉凌哥哥，老爷子的事已经够让你焦头烂额了，我这边你不用管，别太辛苦。"

他一副心情大好的样子，轻轻刮了刮她的鼻子，说："来，让我充充电。"

"不要不要。"她大笑。任何躲闪都可以被理解为欲迎还拒。

一室旖旎。

厉凌走后，方昕瑶把奖杯郑重地放在了书架上，又卸了妆换了身便服，拿起手机准备上网看看新闻。

"嘀嘀——"

屏幕上跳出一条短信："昕瑶，睡了吗？"

发信人是梁浩，大概他已经知道了她拿奖的消息。

"还没呢，有事吗？"

"作为你的粉丝团团长，必须当面祝贺你，哈哈。我在你家楼下，方便下来一趟吗？"

她握着手机犹豫时，他很快又跟过来一条："只是把粉丝团合做的礼物转交给你。"

她想了想回复："好的，不如我请你吃夜宵？"

自从跟厉凌在一起，她还没能正面跟梁浩说上一句话。虽然他的情意她无法有所回应，但至少应该正式地感谢他为自己做过的一切。她当然希望他们还能做朋友，但若做朋友并非梁浩所希望的相处方式，她也愿意退得远远的，在没有一丝交集的空间里为他祝福。

套上外套下楼，当她站在梁浩跟前时，居然有一种恍若隔世的错觉。

"嗨。"他依然和以前一样笑着跟她打招呼，但她明白，这个笑容里所包含的意义再不一样了。

找了一家通宵营业的火锅店，点完菜，梁浩把手里拎着的袋子递给她："这是你的粉丝们手写的贺卡，我挑了一部分有特点的，剩下的几大箱子改天送到你公司去。"

方昕瑶接过来，抽出几张看了看，心里又温暖，又伤怀。

"你怎么会变成我的粉丝团团长？"

梁浩爽快地笑了："那时候我让公司团队用同一个账号轮流刷你微博，很快就在粉丝中攒下了人气，后来知道你要做签售，于是我就发帖组织各个签售地的粉丝们去看你，再后来就被扣上了粉丝团团长的帽子。"

他说得云淡风轻，她却能听出闪烁其中的心意。

"梁浩……谢谢你，不只为这，还有那时朱启铭的事。"

他摇了摇头，说："那件事，是厉凌为你做的，我只不过刚好发现了一些线索。而且，黑来的证据根本无法呈堂，最终能把朱启铭定罪，他费了千钧之力。"

他自嘲地勾了勾嘴角："早就知道你们之间有过去，但我心里始终拒不承认，我认为我还有机会。直到那天在饭店看见你们，看到你和他在一起时的样子，我才醒悟过来，原来你从来就没有给过我机会。"

"可是昕瑶，我不知道我究竟是输给了他，还是输给了你们曾经的时光。"

锅里升腾的烟雾模糊了他的轮廓，方昕瑶隔着雾气看着他，不知该如何回答。火锅店里明明嘈杂熙攘，他们这一桌却沉陷在难挨的沉默里，就连她带出来想还给他的那个翡翠发箍，此时也不忍从包里拿出来。

幸而梁浩的手机铃声突然响起来，他不想接，对方却毫不放弃。

他叹息一声，唯有接起："喂？"

"梁浩？不好了，院里有个孩子生病了！"电话那头的人似乎很着急，声音大得从听筒里传了出来，"我必须送她去医院，可是福利院打不到车。"

"好，我马上过来。"挂掉电话，梁浩站起来，"昕瑶，我先送你回家。"

"事态紧急，我跟你一块去，说不定还能帮上忙。"

梁浩稍一考虑，点头同意。

他们以最快的速度赶到福利院，院长正焦急地候在大门口。

"怎么回事？"

院长急道："是小可，她患有严重的肾衰竭，每个月需要透析一次，可是这个月她明明已经做过透析，刚才人忽然晕倒了！"

方昕瑶一惊，小可不就是徐曼卿的女儿吗？

"通知她家人了吗？"她一边跟着他们往宿舍走，一边问。

院长看了她一眼，说："她妈妈根本没有留下电话，只是每个月来一趟。"

小可已经昏厥，手脚出现肿胀，情况危急。梁浩把她抱到车上，奔往离福利院最近的一家三甲医院。

方昕瑶从都岚那里要到了徐曼卿的手机号，打过去把情况告诉了她。

徐曼卿在电话里吓得尖叫起来："在哪儿？小可在哪儿？"

"正去同仁医院，你快过来。"

挂了电话，她不禁感叹。上次见小可时她还蹲在地上画画，一点都看不出身体有这么严重的疾病。这会是徐曼卿把她丢在福利院的理由吗？可是从刚刚电话里的反应来看，她明明是那么忧心小可的安危。究竟为什么？

到了医院，值班医生立即对小可实施了抢救。她的情况必须立刻做透析，可操作设备的医生早就下班了。方昕瑶把小可托付给梁浩，自己跑到医院旁边的单元房里，想尽办法把能做透析的医生找了出来。

徐曼卿赶到医院时，小可的病情已经稳定下来。让方昕瑶大感意外的是，骆添居然陪着徐曼卿一起过来了。

"妈妈……骆叔叔……"在做透析的同时，小可已经醒来，虽然声音有气无力，但她还是笑着跟骆添打招呼。

"小可乖，真勇敢，等你出院了骆叔叔带你去欢乐谷玩。"骆添弯着身子摸了摸小可的头。

方昕瑶看得愣住了。实在没想到，一向随性无拘的大制作人在面对一个孩子的时候，竟会流露出这样脉脉的细腻和温情。而小可微微眯起眼睛，把小脑袋往骆添的手掌里用力蹭了蹭，仿佛他的疼爱就是她能支撑下去的最大动力。

心不由得揪了起来，她明明不忍程橘为爱受苦，可见了眼前这一幕，她也不忍破坏这份被小可珍惜的温馨。

"你出来。"徐曼卿对她使了个眼色。

站在远离病房的走廊上，徐曼卿点燃一支烟，吞吐两口后才淡淡地说："今晚谢谢了。"

方昕瑶忽然觉得她或许并不像平时所表现出的一样讨人厌，因此决定问："你为什么把小可送到福利院？"

"为什么？"她好笑地反问一声，"当然是因为之前的爆料都是真的。"

方昕瑶无言望着她。

"我徐曼卿，年轻的时候为了出名，为了拿资源，做过很多不要脸的事，我承认。"她耸了耸肩，"后来我怀了小可，却不知道父亲是谁。但没关系，她是我的孩子，我会好好抚养她长大。可是上天呢，把应该让我遭受的报应放在了小可身上。这孩子四五岁时就被查出肾衰竭，只能靠透析维持生命，等待合适的肾源。"

说到这，她露出悲伤的神色："小可已经够不幸了，我把她放在福利院，就是为了不让她接触外面的世界，不让她知道她原来有一个这样肮脏的妈妈。"

方昕瑶犹豫道："既然如此，为什么有了小可后，你还是没有改变呢？"

徐曼卿嘲讽地看了她一眼，说："透析费用就是一大笔，将来换肾的手术费又是一大笔。而我只不过是一个三流歌手，除了维持生活开销，能攒下多少钱呢？我跟你这种从来没受过苦，一出道就处在厉总保护之下的大小姐不一样。"

方昕瑶苦涩地笑了笑，说她从来没受过苦吗？

"小可的事被爆出去以后，我一度绝望，可没想到骆添会帮我。"她神色平和了许多，"他安慰我，陪我去福利院看小可，还承诺担负小可未来所有的医药费。或许，是上天不忍再让我的女儿继续代我受苦吧。"

"你……要和骆老师结婚？"

徐曼卿冷哼，不屑地道："你是听《星悦》主编说的？没错，消息是我故意放出去的，就为了刺激程橘。我实在见不得她那张整天戴着面具的脸孔。"

她猛吸几口烟，把烟头按灭在烟灰缸里："你让程橘放心吧，骆添是我的恩人，我不会打他的主意。"

"真的吗？"方昕瑶纠结的心一下放松了，这样一来她便不用左右为难。

徐曼卿白她一眼。

"还有，上次爆我料的人，我已经知道是谁了。"她顿了顿，斜眼瞥着她，"你一定想不到，那个人针对的并不是我。我只不过充当了炮灰。"

方昕瑶讶然："什么意思？"

"爬得越高，摔得越狠。厉总最近不在你身边，你多加小心吧。"说完她便转身回了病房。

方昕瑶突然觉得一阵寒意袭来，她下意识地裹紧了身上的外套。

针对的不是徐曼卿，而是她？

厉凌不在，她需要多加小心？

这些话究竟是什么意思？

她觉得犹如坠入一片迷雾之中，脑中忽然闪过一个可怕的念头。不，不可能的。她拼命想把这个念头赶到脑外，说不定徐曼卿在诓她？

说不定就连徐曼卿也搞错了？

可她清楚，即使再不愿承认，一旦那个念头曾闪现过片刻，就已经在她心里埋下了种子，让她不得不正视哪怕仅有百分之一的可能性。

在空荡的走廊站了很久，她慢慢冷静下来。小可有徐曼卿和骆添照顾，梁浩便开车送她回家。

一路上，方昕瑶手里装着翡翠发箍的袋子被她左手换到右手，右手换到左手。

在一个等红绿灯的十字路口，梁浩轻轻一笑："你是不是在想，该怎么开口还给我？"

他指了指："你袋子里的东西漏出来了。"

呃——

一阵尴尬。

"昕瑶，如果这个发箍曾经让你觉得贵重，但到了今天，它对你来说不过是一个再平常不过的首饰。"梁浩踩下油门，车缓缓启动，"你收下吧，以后我不能再跟学校里一样……希望它能代替我陪着你。"

她终究还是狠不下心。

"梁浩，你一定会遇到值得你爱的女孩。"

"当然。"他极力拉出一个笑容，将目光投向虚无的远方。

2. 徐曼卿的话的确没错，她只不过充当了炮灰 /// //

经过厉凌的不懈努力和斡旋，几家投资机构终于松口答应，如果通宇集团能顺利让美国远思撤诉，并消除市场上的负面影响的话，一切投资便照旧。

带着这样一个几乎不可能完成的任务，厉凌必须亲自去一趟美国。

出发前晚，厉凌特地从百忙之中腾出时间，亲自下厨为她做了顿晚餐。

方昕瑶想去厨房帮忙，被他以"打扰我的创作"为由赶了出去，她便只好坐在沙发上美滋滋地望着他忙碌的背影。

网上说会下厨的男人最性感，看来有几分道理啊，嘻嘻，要不她怎么会被他迷得五迷三道呢。

"好了。"四菜一汤端上桌，都是他们的家乡菜。

她每一样尝了一口，幸福陶醉得不行："想不到你手艺这么好！你是从哪学的？"

他宠溺地看着她大快朵颐的样子："从小就帮外公外婆做饭。"

"那……这么多年，你没回去看过他们吗？"

"我有派人定期给他们送钱。"

"这不一样……你不想见他们吗？"

厉凌轻笑："我从小就只不过是他们的累赘，不出现才更好。"

她心疼地握住他的手："不会的，你是他们的亲人啊。"还有他的爸爸妈妈，当初抛弃了那么小的他，不知道时隔多年他们可曾后悔？

他回握住她："等我忙完手上的事，我们一起回去吧。"

一起？是见家长的意思吗？她害羞地低头扒饭："好。只不过，他们应该不记得我了吧？"

他愉悦地笑道："应该会记得，你让他们印象很深刻。到时候告诉他们，我最终还是被小时候经常上门骚扰的小姑娘骗到手了。"

她红着脸瞪他一眼："明明是你，老牛吃嫩草。"

"嗯？"他挑了挑眉，"居然说我老，看来，有必要让你重新认清形势。"

厉凌丢下碗站起来，突然一把将她拦腰抱起往卧室走。

"喂喂，我饭才吃到一半呢！"她强烈抗议。那么好吃的菜可不能浪费。

"饭待会儿再吃。"他的气息已经急不可耐地扑面而来，"先吃点别的。"

嘴唇被他热烈地覆盖住，辗转吮吸，方昕瑶很快就头脑模糊，顺势倒在了床上。或许是因为分别在即，总觉得今晚的热吻比起以前更多了几分急切的占有。

很快，压在她身上的人感到难以餍足，唇舌不自觉地移动到了她纤细的脖颈上，手指也若有若无地扫过她的胸前，想要解开她衣领处的扣子。

她一慌，抓住了他的手："厉凌哥哥……"

"放心，我有分寸。"

暗哑的声音哄着她，让她紧张得不知所措。然而这份紧张并不是因为害怕，而是……她也在隐隐期待接下来会发生什么。

"太复杂了。"他小声抱怨，干脆直接扯掉了三颗。

"啊——"胸口的一片肌肤暴露在空气中，她还没来得及适应，已经被他温热的嘴唇罩住。心跳激烈得快要窒息，脑子也一片混沌，不管他接下来要做什么，她都根本无力阻止。

可是厉凌突然深吸一口气，停了下来，躺到她身侧搂住她。

咦？她用迷离的不解的眼神看着他。

"你这样看我，会让我后悔刚才停下的。"

"呃！"她如梦初醒，羞得不行，连忙抓过身下被子的一角盖住脸。

他附在她耳边："还有四个月……"

"什么？"

他温柔地抚摸她的头发："等你毕业，就再也跑不了了。"

原来他是这么想的啊。方昕瑶又羞涩又感动地往他怀里钻，听见他又说："这次去美国，少则一个月，多则三个月，必须多冲点电，要不然工作起来动力不够。"

"啊？"她还没反应过来，刚一抬头，便再次沦陷在了他的唇舌之中。

一个星期之后，方昕瑶的个人新闻发布会如期举行。

网媒、纸媒、电视台，各路媒体几乎都到齐了，受关注度丝毫不逊于上周刚召开发布会的最佳歌手甄霓。一大波粉丝相携前来支持他们的偶像。当方昕瑶在都岚的陪伴下入场，还微笑着跟大家打招呼时，粉丝们激动得放声尖叫，手舞足蹈，就差晕倒在地了。

方昕瑶和都岚在大幅海报背板前的长席正中坐下，其他工作人员依次坐在两侧。

"很高兴现场的各位朋友赏脸光临昕瑶的发布会。"都岚清了清嗓子，"昕瑶是通宇唱片出色的歌手，能成为本年度的最佳新人奖得主，公司感到与有荣焉。今天我正式宣布，她的第二张个人专辑正在紧锣密鼓地筹划当中，预计六个月后就能和广大歌迷朋友见面。公司相信，昕瑶的歌唱事业一定能在各位的见证下蒸蒸日上，再创新高。"

今天的发布会都岚是主力，而方昕瑶只需要面对媒体端坐微笑，乐得轻松。但到了提问环节，她避无可避要正面回应媒体，不过头几天都岚已经做好公关，列出了今天媒体会问到的问题，她也提前都准备好了。

"方昕瑶小姐，请问——"一个电台记者率先发问，然而话还未说完，从外场突然跑进来一个人，用力钻过人群附到电台记者耳边低语了几句。

电台记者闻言立即色变，向前台的方昕瑶投来一种"不敢相信"的目光。

紧接着，各路记者的电话、短信、微信纷纷响起，再后来连粉丝们也不知用手机看了什么，相互之间传阅着，现场顿时一片交头接耳的嘈杂声。

发生什么事了？她和都岚对视一眼，都从对方眼里读到茫然。

"不好了！"通宇留守后台的Joe抱着笔记本电脑匆匆跑到长桌前。

"你喊什么！"都岚不悦地喝止他，"还不快维持现场秩序！"

Joe顾不上害怕都岚的脾气，把笔记本上的画面转了个方向："你们看，五分钟前刚发出来的。"

一个私人网站上被人上传了一组照片，照片角度虽不同，但拍的都是一个十分年轻的女孩子全身赤裸地躺在一张床上。床单是暗紫色的，女孩子却肌肤白皙，鲜明的色彩对比一下子就能让人把那具胴体看得一清二楚。

这张床……这个房间……这个人……方昕瑶心里咯噔一声，脑子一下蒙了。

照片下还有标题：本年度最佳新人歌手方昕瑶。

晴天霹雳！

都岚惊讶地看着方昕瑶，听见台下有记者喊出来："请问照片上的人是否是方小姐本人？"

"方小姐是什么时候拍的这些照片？拍摄人是谁？"

"从照片上看拍的时候方小姐似乎比现在要小几岁，是否意味着方小姐很早便喜欢拍摄自己的身体？"

越问越难听。都岚说了句"今天的发布会到此结束"，便和工作人员一起拉着彻底呆住的方昕瑶离开了现场。

回到公寓，都岚支走了所有人："我要单独和你谈谈。"方昕瑶还从来没有见过她面色如此难看的样子。

"照片里的人究竟是不是你？"

问是不是她？她目光空洞，说不出一个字。她又如何知道是不是她呢？照片里的床、房间，确实是她在小姨家的卧室，床上的女孩子看起来也确实跟她身形相似。而且照片的角度取得很巧妙，女孩子身体的各个部分都能看得很清晰，偏偏脸上的五官难以细辨，只能看个大概，何况女孩子又是闭着眼睛，就更不好确定。

"你说话呀！现在不是装死的时候！"都岚急得快疯了，倒不是说裸照就一定怎样，毕竟照片里并没有其他男人出现，谈不上男女作风问题。可方昕瑶自出道以来走的就是清纯、仙灵的路线，这样一来，裸照就变得很致命。

"我……我真的不知道……也许是吧……"她抱着膝盖坐在地上，感觉身体就快被无边的黑暗吞噬。或许这些就是当时被朱启铭拍的？她真的无法肯定。

都岚见现在也问不出什么，重重地叹息道："我回公司一趟，找杜总商量对策。唉，偏偏这个时候厉总又不在。"

"都岚姐。"提到厉凌，她眼中才有了一点焦点，"能不能先别告诉他？"

他为了解决集团的困境已经忙得焦头烂额，她实在不愿自己的事让他分了心。

"……好，我答应你。只是现在互联网这么发达，又能瞒他多久？"

"拖一时算一时吧。"她疲惫地闭上眼睛。他最近忙得连给她发短信打电话的次数都很有限，说不定他根本没有时间上网。

都岚走后，方昕瑶倒在沙发前的地毯上，望着天花板长久地发呆。她知道，不久后这件事就会被报得人尽皆知，她的歌唱生涯将会遭遇重挫，甚至说不定就此完蛋，刚拿到的最佳新人奖也会成为一个巨大的笑话。

但当她反复地把最坏的结果想了几遍后，心反而出乎意料地缓缓平静下来，就仿佛一直以来在等待的那只楼上的鞋终于落地了。

该来的始终会来，不是吗？

梁浩的电话率先打来。他既然是她的粉丝团团长，想必已经知道了发生的一切。

"喂。"方昕瑶接起来，正好可以拜托梁浩帮她确定一件事。

"昕瑶？你没事吧？"梁浩口吻焦灼，"我不明白怎么回事，朱启铭的所有个人网络账户我都查过，绝对没有这些照片！"

"你别急，我没事。"她反过来劝慰他。

"我怎么能不急！真想不通朱启铭到底把照片藏在了哪里。而且，后来我和厉凌抓住他拍道歉视频的时候，他也再三强调了手上根本没有那些照片。当时的情况他不可能说假话。"

她眼眸微沉，有了梁浩这些信息，她更加可以肯定此事与身在监狱里的朱启铭无关。

"梁浩，你能不能帮我查出照片在网上流出的源头？"

"我已经查过了，可是源头 IP 是国外一家代理网站，每天连入网站的中国地址多达几十万个，无法一一排除。"他的声音听上去很苦恼，但突然灵光一闪，"除非——昕瑶，你心里有没有目标 IP？如果你能给我几个你怀疑的对象，我可以追查到目标 IP 有没有在照片发布的时间点前后连入过那家代理网站。"

"你稍等。"方昕瑶去书房找出厉凌放在这儿的记事本，在尾页翻出了一个 IP 段。

"这人是谁？"

"以后再告诉你，也许不是呢？"

"好，我马上查。"

挂了梁浩的电话后不到两个小时他便短信发来了追查结果。

与此同时，都岚也给她打来了电话。

"昕瑶，杜总她……想单独跟你聊聊。"声音很严肃，还带有一丝为难。

"我知道了。"

她自嘲地勾了勾嘴角。杜乐凝这段时间总留在通宇唱片，听说拒绝了好几次巡演邀请，甚至连以前常驻的乐团都退出了。

换了身轻便的衣服，把头发利落地扎成马尾，方昕瑶对镜子里眉目淡然的自己说，兵来将挡水来土掩，即使厉凌哥哥不在身边她也一定不会退缩，她不是一个要靠男人保护才能过下去的人。

仍是通宇唱片顶层那间总裁办公室，这一次走进去，她的心境大不相同。

杜乐凝今天穿着一件 Versace 上月才发布的新款宝蓝色长裙，衬得面上那抹一如既往的微笑更添了几分艳丽之色。

"昕瑶，请坐。"

"不用了，我站着就好。"她淡淡地说。

"可是——"杜乐凝直视着她的眼睛，"这件事，恐怕不是短时间就能谈好的。"

方昕瑶轻轻一笑，也不再坚持，依言坐在了办公桌前。

"杜总找我，有什么事吗？"她明知故问。

杜乐凝慢条斯理地说："发布会上的事，我听说了。那些照片我也看了，你有什么解释？"

"哦？听说？"方昕瑶耸了耸肩，"我没什么好解释的，杜总打算怎么办？"

杜乐凝似乎没料到她会是这种反应，脸上笑意凝固了一瞬："你就不担心？"

"事到如今，我担不担心又有什么用？担心，难道杜总就会放过我了吗？"

"你在胡说什么？"杜乐凝用无辜的眼神望着她，"昕瑶，你是不是误会了什么？"

"杜总。"方昕瑶略感可笑，"若非知道你是一位大提琴家，我真要以为你是中戏北影的高才生。"

杜乐凝脸上的笑容终于绷不住了，立即垮了下来。

"你是什么时候开始怀疑我的？"

"杜总终于亮了底牌，这样我们的谈话也轻松一点。"方昕瑶缓缓道，"其实也谈不上怀疑，只是我们第一次面对面时，你的反应根本不像一个正常女人在面对爱情时应有的样子。你太过大度，太过完美，太过零瑕疵，当时的确让我敬佩不已，自惭形秽。然而事后再想，未免显得太不真实。过犹不及的道理，杜总难道不明白？"

杜乐凝淡淡一笑，右手不自觉地搓着食指上的蓝宝石戒指。

"徐曼卿私生女的事，爆料人想必就是杜总吧。"

"何以见得？"

"我一直以为，那天在饭店遇见朱启铭只是个意外，现在我才明白，其实一切都是杜总设下的局。"她平静地盯着杜乐凝。

这个局，大概从徐曼卿在除夕夜遇见自己时就已经开始筹划了。杜乐凝一开始没有现身，是因为她一直在暗中调查自己的背景。她得知自己和徐曼卿在福利院因为小可产生了争执，又不知用什么方法查出了自己和朱启铭的过往，于是巧妙地将这两件事结合起来。当时机成熟时，她约了朱启铭来北京谈生意，又适时爆了徐曼卿的料。爆料的目的有两个，一则能够让杜乐凝有个十分正当的理由召见自己，不会引人疑心；二则顺理成章地带自己去赴与朱启铭的饭局。

徐曼卿在医院说的话的确没错，她只不过充当了炮灰，爆料人真正针对的只有方昕瑶一个。

"至于决定性的证据，是杜总办公室的IP地址恰好在照片发布的时刻连了国外的代理网站。能把我一脚踹入谷底的爽快事，杜总必定不愿假手于人的。"

多亏厉凌为了陪她时常带着笔记本电脑回家办公，IP地址需要在公司与家里来回切换，所以他把公司IP抄在记事本上。而杜乐凝与他同在高管区，IP地址与他只差最后一位数。凭着这一点，梁浩很容易便查了出来。

"方小姐真是有一颗七窍玲珑心。"杜乐凝大方地承认了。

"这些我都能想得通。"方昕瑶深吸一口气，"唯一不明白的是，既然杜总如此讨厌我，为什么校园歌手大赛后要给我留名片，又为什么要给我打电话让我参加甄选？"

"你以为我愿意吗？"杜乐凝的声音变得冷冷的，"留名片只是为了联系到你以便确认一下我的怀疑，可你一直没有打给我。后来爷爷身体不太好，我去照顾了他几天，谁知回公司后已经被厉凌看到了我对你的背景调查报告。"

杜乐凝揉了揉眉心："我只好告诉他挑中你来公司试音，当着他的面给你打电话。"

方昕瑶心里一动，想起当时接到那个电话时，杜乐凝身边确实像是还有旁人。原来……

"说这些没什么用。"杜乐凝重新露出胜券在握的笑容，"发生裸照外泄这种事，你的形象已经毁了一大半，如果没有通宇的公关团队为你挽回，你想再发唱片几乎是不可能的了。"

她身体前倾："都岚是个尽责的经纪人，她拜托我动用一切资源来保你。我告诉她，不是不可能，只是——"

"只是有条件，对吗？"

"你能有今天的成就完全是因为赶上了机遇。而机遇这种东西，可一不可再。方小姐是个聪明人，应该明白我的意思。"

终于切入主题了啊。方昕瑶笑了笑，说："抱歉，恐怕会让杜总失望了。我不会为了所谓的成就和机遇而放弃厉凌哥哥。"

"厉凌？"杜乐凝轻笑，"如果他看见那些照片，知道你的身体已经被全民都瞻仰过了，他还会当你是件宝贝吗？与其等着被人厌弃，不如自觉离开，你说呢？"

你要相信我。方昕瑶脑海中浮现出在丽江时他对她说过的话。她从容地一笑："厉凌哥哥恐怕也会让杜总失望。"

"呵，你以为有他在，公司就不敢雪藏你了吗？"杜乐凝用手指在办公桌上点了点，"这里，姓杜，不姓厉。"

方昕瑶一叹："杜总大概是以为，先前放任公司团队大力捧我，等我习惯了站在让人仰视的云端时，就再也接受不了摔在地上的滋味了吧？可惜你错了，我爱的是唱歌，不是当明星，杜总未免太以己度人吧。"

"你！"杜乐凝猛地站起来，注视她半晌，笑了笑，"很好，希望方小姐真的能承担这个后果。恕不远送。"

方昕瑶给了她一个轻蔑的笑容，然后头也不回地走了出去。都岚在电梯口焦急地来回踱步，见了她立即迎上来："怎么样？杜总肯帮你吗？"

她朝都岚抱歉地笑了笑："恐怕，你很快就不是我的经纪人了。"

都岚愣了愣："她提的条件，是让你离开厉总？"

她点了点头。

"什么山炮玩意儿！"都岚气炸了，"还以为她长着一张女神的脸就有多高尚，没想到这么乘人之危！"

方昕瑶无言地一笑，乘人之危？未免也太小看杜乐凝的段数了。她相信今日之后杜乐凝还会有后招，一定要打得她永无翻身的机会才肯罢休。

"要不，我还是告诉厉总吧？"都岚不死心。

"千万不要。"方昕瑶拉住她的手，"厉凌哥哥正在做一件很了不起的事业，我不想因为我而影响他。"

"可是……他早晚会知道。"

"我明白，都岚姐。"她眼眸闪亮，"到时候，我会等他自己做出选择。"

3. 没想到今时今日还是被人捏住了软肋，狠狠将了她一军 /// //

随后几天，各大媒体都争先恐后地报道了那组貌似方昕瑶的裸照，一时间关于她的负面新闻纷纷涌出。有媒体从裸照引出联想，暗指方昕瑶从出道起一路太过顺遂，或许就是因为善于利用潜规则。

跟着还有各路音乐评论人一改之前对她赞不绝口的态度，发文抨击她"野路子出身"，音色缺乏变化，歌路单一，实在担不起最佳新人之名。这样一个歌手居然还能获得年度最佳歌手提名，让人匪夷所思。这个观点正与"善于利用潜规则"的论点遥相呼应。

全国最著名BBS也出现了类似于"论歌手方昕瑶的身材比例""大家一起来猜方昕瑶的素肌是几号色"等侧面毁她的帖子。

与此同时方昕瑶的粉丝阵营也出现了倒戈，大部分粉转路人粉转黑，但也有一小部分粉丝在团长的带领下坚持维护她，称相信她是清白的，照片一定是伪造的。

这几天她不便出门，窝在家把之前没时间看的电影好好恶补了一遍，每天下午还能接到厉凌在睡前打来的越洋电话。

"远思已经同意和我们签订专利交叉许可协议，等细节敲定就会和我们签署谅解备忘录，同时撤诉。"短短半个月，厉凌的工作已经取得了重大突破。

"好厉害啊！"方昕瑶由衷地佩服，"之前不是说远思看不上通宇集团拥有的专利吗？为什么现在态度变了？你给他们灌什么迷魂汤了？"

"你猜。"他听起来心情很愉快。

"莫非，远思的老板是个女的？"她故意惊叹，"你出卖美色了对不对？"

电话那头笑道："要我出卖美色，除非对象是你。"

"那猜不到啦，商业的事我又不懂。"

"远思的产品在美国口碑很好，却一直没有打入中国市场，原因是他们董事会认为中国市场环境太复杂，政府的政策又让人捉摸不透。可是中国市场的巨大潜力就像一块诱人的蛋糕，他们怎么会不想咬一口？所以我以此为突破口，邀请远思与通宇在中国设立合资企业。这段时间我一直在接触远思的董事会成员，终于取得了多数票，在他们今天的临时董事会上通过了这个议案。"

厉凌在谈到公事时的声音尤为迷人，她几乎想象得出他自信满满、神采飞扬的样子。

"那个……你最近忙坏了吧？"本来想问他有没有上过网，但又觉得那么问显得此地无银三百两，反而会引起他的警觉。还是算了吧，既然他没有提起，应该压根还不知道。

"是有点，多亏我走之前电冲得满。"他笑道，"你呢？上次新闻发布会顺利吗？"

"很顺利，第二张专辑也在筹备中了。"她竭力让回答显得真实。

"之前我和骆添商量过，在第二张专辑里纳入两首你写的歌。"

她微笑道："厉凌哥哥，这些等你处理完手上的事回来再说吧，不着急。"

"嗯，最多再有一个月。昕瑶，你等我。"

"好。"

即使眼下陷入了这样被动的局面，但只要他一个电话打来，她依然觉得心头暖暖。

挂了电话不久，门铃居然响了起来。这个时候谁会来找她？记者？狗仔？

从猫眼中一看，原来是梁浩和谢雪妍。他们大概是因为担心自己的状况，才结伴过来看她吧。

努力调整好状态，她打开门笑脸相迎。反而是梁浩和谢雪妍，一个面色严肃，一个眉头深锁。

"昕瑶！"谢雪妍一见她就扑上来抱住她，"你受委屈了。那些人太过分了，之前表现得那么喜欢你，现在都还没弄清真相就急着调转枪头！"

"公众本来就容易受舆论左右。"方昕瑶无所谓地笑道，"别人怎么看我不在乎，再说你们不是都相信我吗？"

"对，我们都相信你！"谢雪妍放开她，"差点忘了，今天梁浩找到了证据证明照片是假的，所以我们赶紧过来找你。"

她心里忽地一跳："真的？"

梁浩道："是。我分析过第一版流出的原始照片，图片像素超过了 1800 万。据我所知，三年前并没有手机能做到这一点。"

"我记得，朱启铭的那个手机是诺基亚 vertu。"

"那就对了，vertu 的手机三年前只有 800 万像素。"梁浩紧皱的眉头终于舒展开来，"这就说明，这些照片根本不是朱启铭拍的那些。换言之，照片里的人根本不是你。"

方昕瑶大大地舒了一口气，之前虽然怀疑照片的真实性，但毕竟被拍照的时候她陷入了昏迷，毫无知觉，事后也只是毁了手机，从没见过那些照片，因此无法百分百肯定照片里的人究竟是不是她。现在梁浩拿出了强有力的佐证，她就可以完全放下心来。

谢雪妍很开心："那我们赶快把这件事告诉媒体，还昕瑶一个清白。"

方昕瑶和梁浩对视了一眼，无奈地笑了笑。

这样的证据只能用于自求心安，若向公众解释反而等于亲口承认自己曾经确实被拍过裸照。至于那些不得已的苦衷，是没有人会理会的。况且她也不愿将自己的隐私公之于众。

梁浩无意地拍了谢雪妍的肩："只这一个证据还不够有说服力，我会继续调查的。"

谢雪妍犹如触电一般缩了缩身子，不自觉地摸着自己的肩低下了头。方昕瑶恰好把这一幕看在眼里，不免一声叹息。

本以为只要淡出公众视线就能过上几天清静日子，方昕瑶却受到了不速之客的骚扰。

她叫了一份晚餐外卖，然而等来的不是送餐的小哥，而是两个穿着一身黑色西装的男人。

"杜总要见你。"其中一个不客气地说。

她不在意地笑笑："杜乐凝？"

"不，是杜老爷子。"

方昕瑶不免惊讶，自己只不过区区一个小女子，居然会惊动堂堂通宇集团主席？

"如果我说，我不愿意去呢？"

黑衣人冷淡地说："方小姐可以愿意，也可以不愿意，但最终结果不会改变。"

她无奈地一叹，看来这一趟非走不可了。她也无人可以求助，只能见招拆招，希望一个自重身份的老爷子不会太过为难自己这个小女子吧。

约见地点定在朝阳公园附近一家私人会所里。

黑衣人还算有礼貌，领她到一间包间外面后，就示意她自己进去。

推开厚重的木门，一眼就可见房间里陈设豪华，灯光辉煌，一个身着对襟式中山服的老人单独坐在沙发上，对她比了个"请"的手势。

她忍不住偷偷观察杜乐凝的爷爷。这个一手创建通宇集团的传奇企业家，在她的设想中本应气势夺人，然而眼下看上去毫无锋芒，更像一位儒雅的研究文学的老学者。

"方小姐不必拘谨。"杜老爷子先开口，"房间里只有你我二人而已。"

方昕瑶呼了一口气，坐在他对面沙发上。

"方小姐果然很漂亮。"老爷子笑道，"跟乐凝的明艳动人不同，方小姐的甜美沁人心脾，可谓各有千秋。"

她微微一愣："您过奖了。"这个老爷子，找她来不会只是为了点评一下自己跟他孙女谁更漂亮的问题吧？

果然，他饮了几口茶后，话锋一转。

"小厉向我汇报了他在美国的进展。对他，我一向满意。"杜老爷子看似无意地提到了厉凌，"方小姐知道吗，我膝下仅有一个独子，可他年轻时热衷于去做战地记者，后来在一次出任务时被流弹射死了，仅留下乐凝一个女儿。"

听着老爷子语带沉重地叙述着他的家务事，方昕瑶总算明白了他找她来的目的。她面含微笑，不动声色地注视着他。

"通宇集团需要一位继承人。我已经跟董事会达成协议，如果小厉能成功解决远思的危机，董事会就会将他列为下一任继承人候选人，他就能有机会彻底接管整个通宇集团。"

而继承人，自然不可能让一个外人来当。孙女婿的身份就再合适不过了吧……方昕瑶在心里为他补完了没有说出口的留白。

"相信方小姐是个聪明人，明白一份宏大的事业对于小厉来说意味着什么。为什么要为了一些微不足道的儿女情长阻碍他的发展呢？这恐怕只是占有，并非真正的爱。"

她沉默不语。

"他有没有告诉过你，在大一大二时他一个人要打几份工才凑得够学费和生活费？他有没有告诉过你，最困难的时候他一天只能吃一顿饭？他有没有告诉过你，最累的时候他站在公交车上也能睡着？"老爷子感同身受，"我最初创业时，体验过跟他相同的境遇，所以我更能明白事业对他的重要性。"

她缓缓开口："您的意思是，对他来说，我一定是阻碍？"

老爷子眼里暗芒闪动："以目前的情势来看，可以这么说。"

他停了停，继续道："小厉在远思的案子上耗费了多少心血你不会不知道，难道从中你还看不出他对未来的宏图大志？而以方小姐如今的公众形象——恕我直言，只会影响董事会成员对他的看法。"

老爷子颇有耐心，一言一语娓娓道来，层层递进，听上去字字句句都是站在厉凌的角度为他着想。

方昕瑶却越听越别扭，这份用言语粉饰的道貌岸然她虽不屑，但有一句话击中了她的心。

她当然明白厉凌哥哥对工作投入了多少精力，也亲眼见证过事业的成功带给他的成就感。她也知道小时候被父母抛弃的经历曾让他深深怀疑过自己，而事业于他而言最大的价值正是找回那份暌违多年的自信。

她从来没有自私地认为一定要将他绑在身边不可。

"您希望我怎么做？"方昕瑶不想继续浪费大家时间，干脆挑明。

"小厉是个重情义的人，即使他回国后知道了你的事，多半也不会狠心离弃你。"

她苦笑，老爷子打太极的功夫未免太高，明明想表达一个意思，但偏偏无法从他嘴里听见一句准信。既想获得最大利益，又不愿在明面上当个彻头彻尾的坏人。看来他孙女的那一套口蜜腹剑的功夫正是从他这个爷爷身上得到的真传。

"我尊重他的选择。"她盯着老爷子的眼睛，不疾不徐地说。

"哦？但方小姐眼下境遇让他如何选择呢？听过道德绑架这个词吗？"杜老父子一副循循善诱的口吻。

方昕瑶站起来："我会离开北京三个月，给他足够的空间。"

杜老爷子舒心地笑了："那敢情好。"

从会所出来，她走在北京繁华热闹的街头。身处熙熙攘攘的人群中，她却深感自己孤独无依。这种无力的感觉，在妈妈车祸去世时出现过，在她孤身北上时出现过，她以为过往的经历已经让她练就了百毒不侵的功夫，没想到今时今日还是被人捏住了软肋，狠狠地将了她一军。

"咦，你们看，那是不是方昕瑶？"人群中，有人认出了她来。

"不会吧？出了那种丑闻她还敢在街上招摇？"

"我以前蛮喜欢她的，看起来很清纯声音也美，没想到……"

她苦涩地牵了牵嘴角，离开三个月，对她来说或许也不完全是坏事。起码可以还耳根子一片清净。

继续往前走，人群叽叽喳喳的声音逐渐远离。她站在马路边时，一辆棱角方正的越野车朝她的方向靠了边，车窗摇下，里边的司机叫她："小昕瑶！"

她定睛一看，居然是骆添。

"你去哪儿？我送你，上车。"

方昕瑶心念一动，顺从地坐上了副驾驶。

骆添一边开车，一边侧头看了她一眼："你好好保重。"

她笑道："怎么，我脸色有那么难看吗？"

骆添欲言又止，最终一声叹息，还是什么也没说。

"骆老师，有件事想拜托你。"在她离开北京之前，这恐怕是唯一一次机会了。

"你说，做得到的我一定做。"骆添或许以为是跟她现下的处境有关的事，脸上神情不禁也严肃起来。

"不是什么大事，您不用这么如临大敌。"她尽力让气氛轻松一点，"其实就是程橘姐送了我一首歌，对其中的细节我不是非常明白，所以想请教您一下。"

骆添果然愣了愣："你怎么不去问阿橘？"

绝世风光
不及价

"程橘姐忙，我不想打扰她，这不是正好碰上您了吗，要不我也不好意思打扰您。"

"好，没问题。"他不出所料地应承了。

"我需要一台钢琴。"

骆添把方昕瑶带到了朋友开的一间音乐餐厅。临近打烊时间，餐厅里客人已经不多，他跟朋友打了声招呼后，把餐厅正中那架三角钢琴指给了她。

《无法再拥有》这首曲子她在家里已经练习过无数次，就算现在没有曲谱，她要弹唱也没问题。

她将十指轻放在钢琴键上，试了几个音后便流畅地弹起了前奏。

"只爱你，只想你，再也不能拥抱你。"

"只欺你，只骗你，从来只为离开你。"

"给你天空，还你自由，留我残缺，剩我无忧。"

全部唱完后，方昕瑶心里百回千转，几欲落泪。唱歌之前对骆添能不能领会到她的意思并无把握，但从他现在久久没有说话的情形看，想必他已经接收到了她想传递的信息。

她帮程橘将心意传达给了骆添，可是她自己的心意又该如何传达给厉凌？会不会多年以后她也像歌里唱的那样，只能遥遥地孤独自伤。

"你说这首歌是阿橘写的？"骆添黑沉着脸，若有所思。

"是的。我想请教您的问题就是，程橘姐是在何种情况下写出这样的歌的呢？"

她直直地盯着骆添，盯得他苦笑一声："小昕瑶，看来你知道得挺多。她当时爱上了别人一意要跟我离婚，离了没多久却又跟那个人分手了，说不定她只是为他而写。"

"骆老师，这么多年来，你见过程橘姐交别的男朋友吗？"

骆添无言地沉默。

"上次，她以为你要跟徐曼卿结婚，喝得大醉，酒后才向我吐露了你们当初离婚的那些事。"

"她……还说了什么？"

"我觉得，您应该亲自问问她。"

骆添脸上神色几变，然后终于开窍了一般，抓过外套就往外跑："小昕瑶，我先走了，一会儿让我朋友送你回家！"

她望着骆添急匆匆的背影，由衷地展颜。她已经做了她应该做的，至于他们二人能不能冰释前嫌，就看他们是不是彼此多年来心里都只有对方。

回家后，方昕瑶收拾了几件衣服，买了一张飞香格里拉的机票。她给厉凌发了一条短信："厉凌哥哥，我要参加公司安排的一个封闭式培训，手机就不带了。"

然后她把手机卡拔出来留在了茶几上，只有这样才能杜绝自己因收到他的消息而动摇的可能。

第二天，她没有告诉任何人，悄悄离开了北京。

4. 像在拼命地渴求她，又像在愤怒地惩罚她 /// //

方昕瑶在香格里拉县城租了一间带小院子的平房。她每天看看书，看看电视，养养花草，有兴致时还能在后院的泉眼里泡一泡温泉。

香格里拉有许多天然的温泉眼，当初会租下这间房子就是因为后院正好有一处，房东还就着泉眼挖了一个面积不小的池子，水温也正适中。

这一住就是一个月。算算日子，他应该已经从美国回来了吧？他会不会因为自己的消失而心急如焚呢？还是说他已经通过了董事会的考核，准备成为通宇集团下一任掌权人？

她一边胡思乱想，一边胡乱切换着电视频道。不经意间，她瞥见一则新闻：应届大学生就业迎来最后一场春招机会。

忽然想到，一个多月前雪妍似乎跟自己提过，春招过后学校便要录入学生的就业去向，需要填写很多个人信息，让她到时抽空回一趟学校。

如果耽误了这事，会不会影响她拿学位？思前想后，她决定给雪妍打个电话。

在营业厅买了一张当地的电话卡插进手机，号码拨出的瞬间她没来由一阵紧张。

"喂？哪位？"电话里的声音蔫蔫的，一点都没她平时的朝气。

"呃……我……"

才说了这两个字，那边的谢雪妍立马爆发出了一声惊呼："昕瑶？是你吗？"

"是我。"

"哎哟，我的天，你终于舍得出现了！这一个月你究竟跑哪儿去了？这个电话是哪里的号码？你怎么想的啊？一声不吭玩消失，我们都快急死了你知不知道！"一串连珠炮似的拷问和谴责，方昕瑶听起来却倍感安心。

"别担心，我只是出来散散心。"

"我知道你压力大，散心不是不可以，你好歹告诉我一声啊，手机也一直是关机状态，我跟梁浩差点就报警了。"

"好啦好啦，现在不是联系你了吗？消消气。"方昕瑶赔着笑，"对了，之前你说学校里要让毕业生填资料。"

谢雪妍一向大大咧咧，听她这么一问，很快就把这一个月以来生的气都抛诸脑后了，笑嘻嘻地说："辅导员发了表，我一看需要填的关于你的信息我都知道，所以已经帮你交了，放心吧。"

"谢谢你。"

"那你什么时候回来？"

"大概……还有两个月吧。"

"有一件事。"谢雪妍想起来，"宿舍收到一封寄给你的挂号信，要不你告诉我地址，我用快递发给你？"

信？什么信？方昕瑶疑惑："谁寄的？"

"唔，我看看，信封上落款人是姚子冬。"

方昕瑶不由得怔住了。怎么会是她？

姚子冬，是她的小姨。

自从去年寒假接过她一个电话之后，这么久便再无音信。她还以为小姨已经听懂了她在电话里说的那些与过去划清界限的话，现在怎么会又给她寄了一封信？

"昕瑶？"谢雪妍叫她。

原来她还是不能完全不在意。

"好，我把地址发给你，但你要答应我，不能告诉任何人。"她停了停，"包括梁浩。"

"嘿嘿，好，但你也得保持这个号码畅通，有事我会给你电话！"

"知道知道。"

五天后，方昕瑶收到了谢雪妍寄给她的快递。小姨的字迹和妈妈的很像，妈妈说过，她从小就跟小姨一起跟着同一个书法老师练字，姐妹之间感情极深。

即使时隔三年，她依然想不明白，那样一个跟妈妈一样温雅娴静的小姨，为何会出卖她？

这封信里，能找到她一直以来想要的答案吗？

几次深呼吸后，她才缓缓展开信纸。

　　昕瑶，见信好。

这一年以来，我在电视和杂志上得知你成了一位十分受人喜欢的歌手，还拿到了最佳新人奖。你走上了与你妈妈一样的音乐道路，相信她泉下有知，一定会非常非常欣慰。

本来，我已经没有脸再出现在你的生活中，更没有脸乞求你的原谅。写这封信，并不是要为自己开脱什么，只是想告诉你一些你应该知道的事情。

几年以前，你小姨父的公司遇到困难，四处奔走无果，后来借着你的生日宴搭上朱启铭那条线。我到那时才知道，原来他一早同意收养你时目的就不单纯，他希望将来有一天你能以类似的方式为他的事业铺路。我悲愤交加，跟他闹过，吵过，一度想过离婚。你那时高三住校，想必没有察觉这些吧。后来，你小姨父一直劝我说，朱启铭是真心喜欢你，还数次邀请他来家里做客，美其名曰让我考核。逐渐地，我就像被猪油蒙了心，居然信了你小姨父和朱启铭的话。

在你高考时，小姨父的公司再度陷入危机，之前朱启铭注入的资金已经被消耗光，只差那两三天就会破产。朱启铭这时抛出的条件是，只要能立即促成他和你的好事，就答应再给一笔钱。我一开始不同意，但你小姨父跪在我面前哭得声泪俱下，说这个公司是他祖父那辈打下的，经他爸爸的手传给他，不能就这样毁在他的手里。还再三跟我保证，朱启铭得到你以后就会和你结婚。现在想来那多么可笑的逻辑，但当时的我居然鬼使神差地就信了。

我不是要辩解什么，我知道任何外因都只不过是借口，真正的原因或许是我当惯了家庭主妇，无法想象你小姨父破产后我该怎么生活，又或者是我舍不下一直以来的锦衣玉食。总之，我牺牲了你。我愧对你和姐姐，这一辈子，不仅你们，连我自己也不可能原谅我自己。

第一页信纸便是这些内容。方昕瑶看完后心里涩涩地钝痛，小姨的理由跟她猜想的基本一样，她正是为了小姨父而舍弃了自己。她也从来没想过要当圣母原谅他们，但看完这封信，印证了她一直以来的猜想之后，还是有了一种如释重负的感觉。

方昕瑶又拿起第二页。

幸好，老天有眼，你逃了出去。我不知道你去了哪里，但我每天都在家里祈求上天能让你平安。

没有了朱启铭的支持，你小姨父的公司很快就破产了，他还因涉嫌非法集资被关进了监狱。为了怕周围的人指指点点，我卖了房子，对邻居说出国陪女儿读书，一个人去了另外一个城市生活。去年除夕那天，你小姨父刑满释放，正月初一就来这边找我，告诉我头天晚上他刚离开监狱时有一个叫厉凌的小伙子找到他，问了很多关于你的事。我于是想起来，在你妈妈去世的当晚，我也见过他。

看到这里，方昕瑶瞳孔微微放大，心也猛地漏跳一拍。

厉凌哥哥在除夕夜找过小姨父她是知道的，但妈妈去世的那晚，小姨怎么会见过他？

还记得医生把你妈妈推出急救房的时候，你因为情绪激动晕了过去。那时一个男孩子来找你，看见你睡在我的怀里，就静静地在椅子旁蹲了好久。中间你有惊醒过一次，扑到我怀里叫我妈妈，那个男孩子在那一刻流露出的心痛神情一直让我铭刻在心。跟着你又再次昏迷，他对我说，你需要我，请我一定要收养你。我当然愿意，于是征求你小姨父的意见，你小姨父沉思了一会儿，叫男孩单独出去谈谈。

过了一会儿，你小姨父一个人回来了，说那个男孩已经离开。我当时并不知道他们谈过什么，直到他出狱来找我之后，才告诉了我原委。原来，你小姨父同意收养你的初衷本是要将你养大之后嫁给能帮到自己事业的男人，因此对男孩提出了收养你的条件，是必须要让他永远离你远远的，再也不能来见你。

起初我以为那个男孩对你也只不过是少年情动而已，没想到时隔八年他还在打听你的消息，我思前想后，觉得还是有必要把这件事告诉你。这才是我写这封信的主要目的。

昕瑶，小姨并不知道你现在是什么样的状态，做歌手会不会很辛苦？有没有交男朋友？如果，我是说如果，你有办法联系到厉凌，请你向他转告你小姨父对于当初那个过分要求的歉意。如果有机会，小姨也希望你能握住这份幸福。

小姨保证，这是最后一次打扰你的生活。

看完这封信，方昕瑶情不自禁地捂住了嘴，似乎只有这样才能稍微缓解心里的震惊。她这个姿势保持了很久很久，脑子里乱哄哄的，什么小姨父如何利用她，小姨如何背叛她，朱启铭如何伤害她根本不重要，在她终于得知厉凌当年不告而别的真相之后，其他一切都瞬间变成一颗颗可以轻轻拂去的灰尘。

原来，厉凌哥哥只不过是想在妈妈去世以后，她还能有一个可以安身的家。

原来这些年，她一直错怪了他。

方昕瑶瞥见一旁桌子上静躺的手机，要不要，现在就给他打个电话？其实这一个月以来，她忍耐得都快发疯了。

哪怕听听他的声音，问问他工作进行得怎么样？也是好的吧？

天人交战了好一阵，她最终下定决心，拨了那个早早就烂熟于心的号码。

彩铃响了很久，就在她以为不会有人接电话时，电话却喀地一下通了。

她屏住呼吸："喂……"

电话那头无人说话。

"厉凌哥哥？"

"嘟嘟嘟。"电话被挂断了。

方昕瑶沮丧地想，自己闷声不响出走了这么久都不跟他联系，他一定生气了吧……

在房间里一遍遍地来回踱步，她心里越来越慌乱，为了自我镇定，她干脆脱掉衣服走进了后院的温泉池。

泡在四十摄氏度的温泉水中，看着高原地区独有的清朗的星空，她尝试着放松自己。既然他不愿意跟她讲话，待会儿发一个短信试试……

"咔嚓——"

静谧的夜里突然响起的开门声吓了她一跳。后院有一道直接通向外面街道的小门，钥匙只有房东才有，难道房东是要来拿什么东西？可是他怎么也不提前打个招呼！自己这样赤身裸体泡在温泉里的样子怎么见人？

她听见门开后，有低沉的脚步声朝温泉池走来，只好慌忙躲在池子中间的假山后大喊："房东先生，你别过来，你先出去一下！"

脚步却没有丝毫犹豫，继续朝她而来，却一步一步走得极慢。

方昕瑶心里涌起不好的预感，这个房东究竟想干吗？她缩在假山的阴影里，咬住嘴唇不发声。

可她万万没有想到，脚步居然直直就踩进了温泉池里！

"啊！"她吓得尖叫一声，这声尖叫却成了来人找寻她的指引。

水被划开的声音越来越接近她，她来不及思考更多，转身就往池边跑，却被追在身后的人一把拽住，猛力一拉，把她按到假山上抵住。她甚至来不及看清面前的人影到底是谁，已经被人影掌住脑袋，狠狠吻上了嘴唇。

刹那间忘记挣扎。

强烈的吻带着一股充满侵略意味的怒气，身体里的空气似乎都快被这个吻吸干。对方像在拼命地渴求她，又像在愤怒地惩罚她。

唇齿间交融的气息，她立即就认出来——

是厉凌。

他怎么会出现在这儿？

厉凌不愿给她思考的空间，进一步加深了这个吻。他身上的衣服已经被温泉浸透了，但他毫不在意，只想靠近再靠近，最好把她嵌进身体里，再也不给她到处乱跑的机会。

察觉到她真的快喘不上气了，他才不情愿地退开了一点。

"厉凌哥哥……"不知道是因为这个吻还是因为在温泉里，她双颊粉红，眼波润泽，看得他心里一动，控制不住地又吻了上去。

这一次，他才发现，这个泡在温泉里的美人，身上原来一丝不挂。

这个诱人的发现让他的双手离开了她的脸,难以自持地缓缓下游,触到了她的肩,她的背,她的腰,她的腿。

掌心里的肌肤细嫩幼滑,令他爱不释手。反反复复地细致揣摩一番后,他的手不自觉地移动到了两人紧贴的身体之间,触摸到一握饱满的柔软。

脑中的理智防线轰然倒塌了,一股巨大的最原始的冲动喷涌而出,叫嚣着此时此刻就要将她全然占有。

可是——

方昕瑶沉陷在云山雾罩般的朦胧中,脑子一片空白,突然觉得面前搂住自己的身体好像失去了力量般缓缓下滑。

她急忙架住他。

"厉凌哥哥,你怎么了?"

"高原反应……"他无力地哼了哼,之前还高涨的战斗力瞬间跌回零。

啊啊啊啊,忘了香格里拉的海拔比丽江更高,又泡在温泉里,他们……能不高原反应吗?

方昕瑶手忙脚乱地把他拉出温泉池,又红着脸脱掉他身上湿透的衣服,把他扶到床上躺好。

"我这有缓解高原反应的药,你吃一点。"

喂他吃了药,又缓了一阵,厉凌看起来恢复了些许元气,但还是面色不善地盯着她。

"方昕瑶,你真了不起。"

呃,好像还是第一次被他连名带姓地叫,看来他真的很生气吧。

"那个……你怎么会在这儿?"她有点心虚。

"多亏我之前请你朋友吃过饭。"他冷冷地道。

方昕瑶顿时石化,就知道谢雪妍这丫头的承诺靠不住。

等等,不对!

"你怎么会有后院的钥匙?"这个房东也太不靠谱了,怎么能随便把钥匙给别人！

厉凌斜她一眼，不紧不慢道："我押了身份证、手机，还陪他玩了十几把梭哈，再不给我钥匙，他的小店都快输光了。"

她彻底凌乱了，只好乖乖投降。

他忽然拽住她的胳膊把她拉上床，再一个翻身将她罩在身下："你最好解释一下。"

方昕瑶两只手被他一左一右地按住，动弹不得，干脆厚脸皮装到底。

"呵呵，这里空气好，房租又便宜，所以租了这里。"

"嗯？"他不满意地看着她。

"呃，上次在丽江时就想来香格里拉玩，考虑到你高原反应，最后不是没来吗，所以这次补上，嘿嘿。"她扯出一个讨好的笑容。

他眼睛里的光看起来却更危险了。

"为什么不告诉我？"寒冽的声音似乎彰显了他心情很糟糕。

"什么？"

"发生那么大的事，为什么不告诉我？"

厉凌直直盯着她，眉心紧蹙，目光中流露出一丝受伤的神情。她立马慌了："对不起……"

"我不是要听你道歉。我只想知道，你究竟把我当什么人了？"

"那个时候你在美国，远水救不了近火，告诉你不是徒增你的烦恼吗？"

"你不告诉我，怎么知道我没有办法？"厉凌深吸一口气，像是在平息着怒意，"昕瑶，你真狠心。"

"我都说我错了……"她可怜巴巴地噘着嘴。

他还没完："如果我不来找你，你是不是打算永远都不回来了？"

"才没有，一开始我就只打算离开三个月，时间到了就会回去找你。"这可冤枉她了。

"哦？"他若有所思，"你是这么跟人交易的？"

绝世风光
不及你

"厉凌哥哥……我真的错了……"她挺起身子凑到他唇上亲了一下，"我不应该鬼迷心窍丧心病狂丧尽天良，你就别生气了，再气又高原反应了怎么办？"

被她一逗，他心里的火气其实已经跑了一大半，但又觉得就这么原谅她未免太便宜她了。

他继续板着脸："你是不是认为，离开通宇我就再也找不到工作，养不活你？"

咦？方昕瑶瞪大眼睛："什……什么意思？"

"我辞职了。"

……

她怀疑自己理解错了："辞职是什么意思？"就算他因为她的原因受到董事会鄙视，无法接管通宇集团，也不至于真的离开通宇啊。

厉凌气结："你是真傻还是假傻？"

"可是，你在通宇拼搏了这么多年才创下的基业，难道就……"

他的声音一下子柔软下来："我是一个男人，分得清什么是最重要的。"

她本来还愣愣的，听见这句话瞬间变得眉开眼笑："我可不可以理解成，在你心里我是最重要的？"

厉凌长叹一声，放开她的手，俯下身子将额头与她抵在一起："昕瑶，我一直很后悔，八年前不该丢下你。"

他还是第一次主动提起八年前。方昕瑶知道他想说什么，连忙用食指贴住他的嘴唇。

"千万不用道歉。那时你不过是一个刚刚高中毕业的学生，当然认为要给我一个家才是对我最好的。何况小姨父的心思，你那时又怎么能预料得到？"

他神情一滞："你知道了？"

"是，今天刚知道，小姨给我的信里告诉我的。"她指了指一旁桌上的信封。

"你不怪我？"

"当然不。"她使劲摇头，"我知道你是为了我好。"

她明白他一直以来内疚和自责的源头就在于此，但在当时的情境下，那是他能为她做出的最好的选择。

他把她紧紧搂在怀里："昕瑶，你放心，照片的事我一定会圆满解决。"

5. 啊啊啊啊，她好像不小心又暴露了什么 /// //

厉凌已经分析过，既然确定照片是由另一个女孩拍摄的，那么能澄清这个恶意陷害事件的最好办法就是找出照片里的女孩本人，说服她站出来给公众一个交代。

她不明白："可是，单凭一张照片，怎么能知道她是谁呢？"

"这些照片流传那么广，网上总会有人能提供线索。来找你之前我已经通过一些渠道了解到几个有嫌疑的模特，经过一番排除，我发现其中有一个叫邱清的模特自从照片发布后就带着行李消失了，我猜大概有人给了她一大笔钱并帮她藏了起来。"

"既然她有心要躲，我们怎么可能找得到她？"

"放心。"厉凌摸摸她的头，"这个时候就要看都岚的本事了。"

她更加云里雾里："都岚姐？"

"她没告诉过你吗？"他微微笑道，"她爸爸是国务院办公厅主任，舅舅是北京公安局局长。"

方昕瑶惊讶得下巴都快掉了，她从来没想到都岚姐的来头居然如此之大。

"所以，我们只要耐心等待即可。"他胸有成竹的样子，看来什么都已经安排好了。

她下意识道："这么说，这段时间我们就是两个无业游民喽？"

"没错。怎么样，要不我带你去国外玩一趟？"

绝世风光
不及你

她目光闪闪地望着他："去旅行？可是签证怎么办？"

"我带你去马尔代夫，有护照就可以。"

"好啊，好啊！"她翻身而起，乐得眉眼弯弯，恨不得背上行李现在就走。

第二天，他们便踏上了从香格里拉县城出发的转机之途，历时三十多个小时才终于抵达了那个世外桃源般的岛屿。

方昕瑶坐飞机坐得晕晕乎乎，昼夜颠倒，在飞机上就大呼到达之后首先要大睡一觉。可是当她真的踏出机舱门的一刻，眼前天高地远、美轮美奂的海岛风情一下吸引了她所有的注意力，先前的疲惫也一扫而空。

"我们先去逛哪里？"她已经迫不及待了。

厉凌拖着她的行李箱无奈："先去酒店 check in，休息一会儿再出来。"

"可是我想去海滩……"

"这家酒店有私人海滩。"

"走走走！"方昕瑶高兴得拽住他的胳膊就往一个方向兴冲冲地走。

他一边跟着她，一边悠然道："酒店派来接我们的车在另外一边。"

……

从机场到酒店只需要半个小时，沿途的风光让她兴奋不已。到达酒店后，厉凌去前台办理入住，她便坐在大厅角落的沙发上，用手机对着落地玻璃外的沙滩拍照。

"方小姐？"

低头整理照片的时候，听见旁边一个声音叫她。

抬头看去，居然是《前世千寻》的孙导。她忙站起来打招呼："孙导你好，没想到会在这儿碰到您。"

"是啊，《前世千寻》就快上映，我带几个主要工作人员过来休假。"孙导穿着花衫短裤，一派休闲的打扮，跟之前在丽江见过的那个严谨暴脾气的大导演截然不同。

"我也是过来休假的。"她微笑道。

孙导却突然沉了脸色："有一件事，我已经告诉过你的经纪人了，既然今天碰到你，再当面跟你说说吧。"

她心里咯噔一下，应该是主题曲的事吧。

果然，孙导叹了口气："投资方考虑到观众认可度的问题，不允许用你唱的主题曲。"

方昕瑶淡淡地一笑："您有您的立场，不必为难。"

孙导似乎松了口气："你能理解最好。你的戏份我会保留，只是片尾不会出现你的名字。"他顿了顿，又道，"我多说一句，人生就是这样起起落落，我最难的时候比你现在更难。"

感受到孙导的善意，她心里很安慰："谢谢您。"

孙导离开后不久，厉凌拿着两张房卡过来了，将其中一张递给她。

她不假思索地脱口而出："干吗订两间房啊，浪费。"说完，她才发现自己又说了这种不矜持的话，脸唰地一下红了。

厉凌面含笑意，故意慢悠悠地说："一间房配了两张房卡而已。"

啊啊啊啊，她好像不小心又暴露了什么……

顶层套房空间开阔，装饰在精致华丽之外还颇有一番热带风情。客厅外伸出了一个大阳台，站在阳台上就能看见酒店私属的私人沙滩。海面辽阔，波光闪闪，一片祥和。

厉凌从她身后拥上来："怎么样，下去逛逛吗？"

她深深吸了一口甜滋滋的空气："这会儿好像又有点困了……"

他探过脸看看她："怎么了？我刚才在大厅见到你跟孙导说话，是因为他跟你说了什么吗？"

"咦？你去办入住都不忘往我的方向看啊？"她笑眯眯地调侃他。

"我就是喜欢看，你有意见？"

"哈哈，不敢不敢。"她把后脑勺靠在他肩上，"孙导说不能用我唱的主题曲了。"

厉凌闻言一怔，搂住她的手臂不由得收紧。

"你别担心，我没事的啦，现在我形象糟糕成这样，他们也有他们的考虑。"她反过来劝慰他。

"都岚昨天给我发消息，她已经掌握了那个模特的行踪，很快就会查到她隐藏的地点。"

"嗯。"她点点头，"厉凌哥哥，如果能成功说服她站出来说明情况当然好，但如果不行，也不用强求，大不了不再做发片歌手，做一个简简单单的普通人不是也挺好吗？"

他没有接话，若有所思。

在马尔代夫度假的时光犹如置身天堂，这里有一望无际碧蓝的海水，还有绚丽灿烂金色的阳光。更重要的是，还有她爱的人全天候地陪在身旁。

一个星期后，都岚一个电话打到了厉凌手机上，用十万火急的嗓音喊："你们速回北京！找到那个叫邱清的模特了！"

于是，还意犹未尽的方昕瑶被归心似箭的厉凌当天就拖上了飞机，十几个小时就飞回了北京。

都岚的急性子当然等不及他们回家，干脆亲自开车来机场接他们。在车上她把一份档案递给厉凌："你们一定想象不到这个小模特现在人在哪里。"

厉凌一页一页翻着档案，上面有邱清所有的个人信息，包括出道前的成长环境和出道后的所有经历。

"我记得，厉总你和昕瑶的家乡是 S 省，而昕瑶被小姨收养后搬去了 F 市对吧？"

"是的。"方昕瑶问，"为什么问这个？"

厉凌接道："她现在就在 F 市？"

"Bingo！"都岚弹了个响指，"她不久前在 F 市置了一套房产，正是厉总之前给过我的地址。"

方昕瑶总算抓到点眉目："你是说，我小姨和小姨父的那套房子，是卖给了这个模特？"

都岚道："房子现在确实在邱清名下，但她不是从你小姨手上买的，中间还有一个转手人，我怀疑他是杜乐凝的人。"

"这么说，杜乐凝正是用这套房子来收买了邱清，还让她躲在那里？"方昕瑶微感惊讶，这的确是一步好棋，如果没有都岚姐家人的帮忙，他们做梦也想不到邱清居然会躲在他们的家乡。

厉凌沉吟片刻："我们现在必须弄明白，邱清为什么要伪造那些照片，仅仅是因为想要钱，还是有什么把柄落在别人手上。"

"你说得对。"都岚接道，"我已经找过邱清几个圈内好友，大家都对她称赞有加，说她有天赋，聪明，勤奋，心眼也好，不像是会做这种事的人。"停了停她又道，"不过，我从她的一个闺蜜嘴里套出点消息。"

那个闺蜜告诉都岚，邱清从小父母感情就不和，她爸爸是个职业赌徒，经常在外面欠债，一输钱就回家找她妈妈要，她妈妈稍有不从就会惹来一阵拳打脚踢。有一次她爸爸下手太重，导致她妈妈后脑勺撞在地上，从此以后人变得有点呆傻。邱清家又是农村的，警察不愿意理会家务事，她也没办法代替她妈妈向法院提出强制离婚。

后来，邱清的这个闺蜜前往北京打工，安顿下来后劝她也过去。北京生活虽然困难，但总好过面对一个恶魔一样的爸爸。于是，十七岁的邱清带着妈妈北上，用微薄的积蓄租了一间地下室，日子虽苦，但心里踏实。

没过多久，脸蛋漂亮外形姣好的她被一家模特公司看中，后来顺理成章成了一名平面模特。日子眼看越来越好，她还给妈妈找了一家条件不错的疗养院。

都岚说到这停了停："可是，前段时间这个闺蜜陪邱清去疗养院看她妈妈时，邱清爸爸居然出现了。其他的，不用我多说了吧？"

方昕瑶忍不住在心里叹息，有一个这样的爸爸，这辈子该如何才能安宁。

"很好，这样信息就全了。"厉凌眼中光芒一闪，"都岚，把我放在路边吧，麻烦你送昕瑶回家。"

都岚道："你要去档案上的地址找她爸爸？"

"是。"

"我陪你一起去。"方昕瑶不太放心。

"听话，刚下飞机，你先回去休息。"

都岚靠边停车，厉凌下车后回身握了握昕瑶的手，说："我很快就回来。"

"那你千万小心啊。"

"嗯，放心。"他点了点头。

车继续上路，都岚发出一串"啧啧啧"的感叹："要不要这么难分难舍啊，考虑一下我这个单身人士的感受好吗？"

方昕瑶脸微红，赶紧转移话题："都岚姐，这次真的谢谢你。"

"嘿，谢什么，你是我一手带起来的，我还能眼睁睁地看着你受冤枉？"

"那厉凌哥哥辞职的事……你知道了吗？"刚刚她听都岚还依然叫他"厉总"。

"我知道，厉总告诉我了，但通宇唱片内部并没有放出准确消息。"都岚叹了口气，"自从你出事以来，公司里很多人都对杜总完全不做公关就直接将你雪藏的做法不满，而厉总又一直到现在都没有露过面。坊间传闻厉总因为长期把持公司，集团忌惮他功高震主所以收回了他的权力。"

"那杜总怎么说？"

"杜乐凝始终没有正面回应过这种传闻，更让那些猜测的人人心惶惶。要知道通宇旗下几个拿得出手的歌手全是由厉总的团队签回来的，现在他们合约也快到期了，真不知道下一步会怎么样。"都岚不满地哼了一声，"说实在话，论公司运营，她岂止是没刷子，简直连根刷毛都没有。"

不知为何，方昕瑶脑海中忽地闪过年度音乐盛典开场前见到甄霓和泰华少东的一幕。

"对了。"都岚想起来，"最近杜乐凝签了个新人，好像就是你们学校声乐系的，她想丢给我来带，我一口就回绝了。她想指使本小姐，没门儿。"

方昕瑶心里过意不去："都岚姐，我——"

"停停停。"都岚急忙打断，"感激的话我可听够了啊。谁让我，骆添，程橘，Joe，我们都是坚定的厉瑶党呢，哈哈。"

方昕瑶被都岚逗笑了。她知道自己再多说什么只会显得生分，反而辜负了这些一直站在她身后支持她的朋友。还有谢雪妍和梁浩，她能回报给他们的最好的礼物，便是从那些意图将她击倒的负面新闻中重新站起来。

厉凌打了个车直奔天通苑。

天通苑是北京一片容量很大的小区集聚地，他按照档案上的地址找到那个叫尚悦居的小区，然而能开进小区的机动车门被另外一辆出租车堵住了。

司机师傅说："前面的司机和乘客好像发生了争执，我就不开进去了行吗？"

他于是付费，下车，往行人侧门走去。

"你等一下！"后面传来一个清亮的陌生声音。

他不觉得是有人在叫他，又走了几步后被人一溜小跑拦在了他身前。

是一个年轻的女孩儿。厉凌并不认识，皱了皱眉："请让让。"

"等一下！"年轻女孩儿着急道，"我忘了带钱包，能不能麻烦你借我点车费？"

他利落地从钱包里抽出一百块，倒不是因为他乐于助人，而是压根没耐心跟一个陌生人周旋。

女孩儿接过钱，说了声谢谢，却并没有立刻让开："我会还给你的，能留个电话吗？"

"不必。"

厉凌耐心用光，干脆直接绕开女孩走了。

女孩儿不甘心地跺跺脚："我叫舒叶林，你呢？"

理所当然地被他无视了。

进小区找到对应的楼号、门号，厉凌按响了面前的门铃。等了许久，无人回应，他也不着急，因为他料到模特的爸爸必然在里面。

果然，屋内不一会儿传来缓慢挪动到门边的脚步声，跟着有人警觉地问："谁？"

厉凌按照来之前设想好的那样回答："我是通宇的人。"

想要套出对方的话，首先必须取得对方的信任。他可以肯定邱清爸爸的出现是由杜乐凝一手操纵的用以控制邱清的手段，但他目前还不能肯定这件事究竟是由杜乐凝亲自出面还是交代给了别人。但不管是谁，想要利用一个职业赌棍，一定需要亮出一个让对方认为"许下的条件都能兑现"的有保障的身份。

因此，无论如何，"通宇"这个身份杜乐凝是一定会使用的。

如他所料，邱清爸爸很快打开了门，还悠闲地靠在门框上打量他一番："怎么换人了？也对，你可比上次那个五大三粗的大汉有修养多了。"

厉凌微一扬眉，立即就知道他所说的"五大三粗的大汉"是指杜乐凝的私人保镖。那个保镖忠诚度极高，身手也不凡，遗憾的是，缺了点办事的脑子。既然杜乐凝会指派她的保镖处理此事，就代表她没有其他更稳妥的可用之人。

而她一定不会放心由不够聪明的保镖从头到尾操办这件事。由此可以推断，杜乐凝必然亲自露过面。

他不动声色地说："杜总派我来的目的你应该知道。"

"当然，事儿办妥了你们也该给我尾款了。"邱清爸爸双眼放光。

厉凌顺势从钱包里掏出一张自己的卡："钱在卡里，密码六个八。"

邱清爸爸接过卡，嘴上却不满意："干吗给我银行卡，不是说好给现金的吗？"

"是这样，杜总体恤你还要回家乡，带太多现金不方便。"

"谁说我要回家乡？"他不怀好意地笑了，"有这么个当模特的乖女儿，做爸爸的当然要陪着她。"

就等他这句话。

厉凌继续追击："你记住，绝对不能让你女儿知道是杜乐凝杜总把你接来北京的。"

"你告诉杜总让她放心，她那么慷慨地把一棵摇钱树送到我手上，我怎么会不知趣呢？"邱清爸爸笑得咧开嘴。

目的已经达到，他也不再多做停留："我先走了。"

有了他们今天的对话，他有信心能说服邱清站出来给公众一个真相，还昕瑶清白。

心情大好，令他步履轻松。

回到公寓，他把今天的收获告诉了昕瑶，可她的第一反应居然不是欢呼雀跃，而是焦急地从沙发上一跃而起："哎呀，你怎么能把你的卡给那个坏蛋？我们快去挂失！"

厉凌心情极好地伸手一挽，把她圈在沙发上坐好："放心，那是通宇给我发薪的卡，钱早就每个月自动转走了，只是一张空白卡。"

她松了一口气："那你是不是准备回一趟F市？"

"是。"

"我跟你一起去。"

"不用，我很快就能解决。"

方昕瑶不依："不嘛，一个人在家很无聊，你又不让我出门，又不让我回学校，闷在家里我会胡思乱想的。"

"乱想什么？"

她来回晃着他的胳膊："你是去找一个美女耶，万一你看上她跟她双宿双飞不回来了怎么办？"

"呵——"明知道她是故意找了个不靠谱的理由，但他心里莫名地很受用，"既然如此，我接受你的监督。"

其实，不愿带她同去的理由，只是担心她故地重游会想起那些不开心的事。但既然她真的已经释怀，他当然万分愿意将她时时带在身旁。

1. "要是实在找不到你，大不了终身不娶。" /// //

　　方昕瑶和厉凌一起从高铁站出来，当双脚踏上这片故土时，心里不免感慨万千。当年坐绿皮火车北上的时候，她还以为自己这辈子都不会再回来。

　　厉凌自然而然地牵起她的手："我们先去酒店放行李。"

　　城市不大，最好的四星级酒店坐落于市中心。他们拿好房卡上楼，刚出电梯就见一个穿着黑色西装的酒店男经理正在训斥一个穿着制服的女清洁工。

　　错身而过时，方昕瑶听见清洁工阿姨说："对不起，家里真的有点事。"

　　声音竟有一丝熟悉，她不由得多看了几眼。

　　女清洁工年届中年，面容憔悴，头微低着，或许是感应到她的目光，也抬头看了过来。

　　心里一动，她想起来了！这不就是当年给了她一张绿皮火车票的票贩子阿姨吗？

　　"稍等一下。"她拉住了厉凌，转而对阿姨说，"您还记得我吗？"

经理愣了愣："您好女士，我在处理酒店内部事务。"

清洁工阿姨这时也认出了她来："姑娘，是你！你还好吗？"

"我很好。"方昕瑶激动地对站在她身旁的厉凌说，"那时候，如果不是这位阿姨给我一张火车票和一百块钱，我根本到不了北京。"

厉凌闻言也投去友善的目光："万分感谢。"

经理在一旁尴尬地咳了两声。方昕瑶不禁问道："阿姨，发生什么事了吗？"

阿姨不好意思地说："我儿子生病住院，请了好几天假，今天本来应该补班，可是医院刚才通知我去交费，所以不得不又向经理请假。"

经理接道："不是我不帮忙，我理解，谁家没个难事呢？可是这个月你有一半的时间都在请假，公司有公司的规定，超过天数上限就必须扣除当日工资。"

"别别。"阿姨急道，"我儿子住院已经花光了家里的积蓄，现在医院又催我补齐欠款，您再扣我工资我该怎么办啊？"

经理其实也很为难："酒店毕竟不是慈善机构，也不是我说了算，领导有要求，我也没办法。"

厉凌看了看方昕瑶，对经理示意："借一步说话。"二人走到窗户边。

方昕瑶走近阿姨两步："您儿子他……"

"唉。"阿姨抹了抹眼角，"他六月份本来要参加高考，可是不久前突然发生休克，送到医院检查是心脏动脉有问题，医生说要做个搭桥手术，我也不太懂。"

经理跟厉凌说完话走过来："行了行了，既然有客人帮你求情，请假的事就算了，我会再给上级打报告争取不扣你工资。"

"谢谢你经理！"阿姨感激不已。

方昕瑶和厉凌陪阿姨一起去了趟医院，又找主治医生了解了情况。其实这个心脏搭桥手术不算复杂，风险也很小，唯一需要的就是几万元手术费，阿姨直到现在也无法拿出来。

病房里，阿姨的儿子看起来脸色虽有些苍白，但精神还算不错："妈妈以前跟我说过你，她说在火车站广场看见一个姐姐，好像遇到什么困难的样子，不知道她那样做能不能帮到你。"

方昕瑶和厉凌相视一笑："你妈妈真的帮了我一个天大的忙。"

阿姨也笑了："看你现在过得很好，还找到这么好的男朋友，我也就放心了。"

主治医生在这时敲了敲病房的门，满面笑容地走进来："恭喜你们，医院今年刚申请下来一笔手术费用补贴，经过院里研究，决定拨出一部分给小天免费进行手术。"

"真的？"阿姨显然不敢相信天上竟然掉下一块大馅饼，还正好落在她脚边。

"是真的，我已经预约好省会支援医院心外科最好的主任，一星期后就能手术，小天出院后还能赶上高考。"医生给她吃了一颗定心丸。

阿姨和小天都露出了由衷的笑容。

告别之后，两人从医院出来。

厉凌笑言："滴水之恩涌泉相报。"

方昕瑶摇头："她对我远远不止滴水之恩，而是雪中送炭。"

"是，是，如果没有她的善心，我恐怕要打一辈子光棍了。"

她傲娇地瞪他："就算我不去北京，你就不能使劲找我吗？"

他无辜："我已经很使劲地找了。"他那时还查过那几年所有去法国留学的中国学生名单，都没有见过她的名字，甚至以为她会不会因为被收养而改换了姓名。

"你说，我们如果没有重遇会怎么样呢？"

"反正我已经想好，要是实在找不到你，大不了终身不娶。"他牵起她的手在手背上一吻，"幸好。"

方昕瑶脸上急速升温，烫得几乎快冒烟。他怎么可以这样一本正经大言不惭地说出这么肉麻的话呢！

厉凌像是根本没察觉到她已经害羞得想捂脸遁走，频率瞬间切换到工作状态："我们现在就去你小姨的旧居吧。"

"好，离这里也不远，我们步行过去吧？"

只有走路才能让她有一点时间平复心里的起伏啊！

越往小姨家走，她越能感受到曾经生活过的熟悉的环境和影子。虽然已经三四年过去，部分街道、楼房、商铺已经变换了样子，但她还是能清楚地在脑中勾画出这里曾经的模样。

一直走到那栋熟悉的房子楼下，又一直上到熟悉的楼层，走到熟悉的门牌号前。

厉凌紧紧握着她的手，得到她肯定的眼神后，按响了门铃。

很快有人应门："谁呀？"

方昕瑶沉下心来："我是方昕瑶，有事想找邱小姐谈一谈。"

屋里的人噤声不语。

"邱小姐，逃避并不能解决问题。你既然当初那么做了，就应该料到早晚会有你我面对的一天不是吗？何况，我已经自报姓名，就是想表明我没有恶意。"

门被打开一条缝，但锁链依然插在锁眼里。一张漂亮白净的脸蛋出现在她视线中，乍一看还真的跟自己有三分相似，倘若再仔细化化妆就会更像了。

"我在电视上见过你。"邱清警惕地看了看她身边，"但他是谁？"

"我是昕瑶的男朋友。"厉凌上前一步，"我们已经查明那些照片里的主角其实是你。"

邱清双手抱在胸前："你们根本没有证据，否则也不用来找我。"

"邱小姐既然这么聪明，难道就看不出在这件事里你被人利用了吗？"

"利用又如何，她帮我，我也帮她，各取所需而已。"

厉凌冷冷地问："你确定她帮了你？"

"你什么意思？"邱清大概听出他话中有话，敛了脸色。

方昕瑶接道："邱小姐，这件事说来话长。你还是先开门吧，邻居来来往往的也不好看。"

邱清再三犹豫权衡后，还是让他们进了屋。

屋子里的陈设跟方昕瑶曾经住时一模一样，甚至一件家具也未换过。方昕瑶坐在客厅的沙发上还能望见她曾住的房间里连那张床也还是原来那张。

"有什么话你们快说吧。"

厉凌也不绕弯子："我们希望邱小姐能主动站出来向公众澄清照片的真相。"

邱清直言拒绝："抱歉，这不可能。"

"你打算在这里躲藏一辈子？"他淡淡道，"把伯母一个人扔在北京，让她独自应付伯父的骚扰？"

邱清脸色大变："你说什么？你们知道什么？有事冲我来，别搞我妈妈！"

方昕瑶微笑道："我们知道，你之前遇到难处时，有人伸手帮了你，而条件就是那些照片。但你有没有想过，这个难处原本不应该出现的。"

邱清定定地注视着方昕瑶，陷入了沉默。而昕瑶大方地回视着她，给她思考的空间。

"有什么证据？"

厉凌从外衣口袋里取出一支录音笔，按下开关。

"当然，事儿办妥了你们也该给我尾款了。"

邱清在听见她爸爸的声音时脸唰地一下白了。

"钱在卡里，密码六个八。"

"干吗给我银行卡，不是说好给现金的吗？"

"是这样，杜总体恤你还要回家乡，带太多现金不方便。"

"谁说我要回家乡？有这么个当模特的乖女儿，做爸爸的当然要陪着她。"

"你记住，绝对不能让你女儿知道是杜乐凝杜总把你接来北京的。"

"你告诉杜总让她放心，她那么慷慨地把一棵摇钱树送到我手上，我怎么会不知趣呢？"

听完这段录音，邱清的脸色难看到了极点。

"原来是这样。"她痛苦地闭上眼睛，"难怪我跑到遥远的北京也能被他神通广大地找到。"

一阵空白的沉默。

"对不起，方小姐，我因为自己的愚蠢伤害了你。"

方昕瑶循循善诱："你愿意说出真相吗？"

"可是……我只是一个没有背景的农村丫头，而杜乐凝是通宇集团的千金，如果我说出是她指使的，会有人信吗？况且，她也一定不会放过我。"

方昕瑶看了看厉凌："其实，我是这样想的，你只需要说出照片里的人是你，不必指出杜乐凝。"

厉凌脸上露出微微讶异的神色。

"这……可以吗？"邱清的态度明显松动了。

"事实上，我已经为邱小姐安排了后路。"厉凌道，"我查到你父亲因为好赌生事曾进过监狱，留有案底，因此摆脱他最好的办法就是出境定居。我托朋友在英国为你母亲申请到一家条件非常好的疗养院，如果你愿意，随时可以过去。"

"真的？"邱清不可置信，"我做了这种事，你为什么要帮我？"

"别误会，我只不过是为我女朋友考虑。"

"好，我答应。"最后一丝顾虑也消除了，她终于下定决心，"明天我就回北京，以最快的速度召开记者会。"

方昕瑶和厉凌目光相接，皆从对方脸上看见了欣慰的笑意。

回到酒店，厉凌问出了刚刚的疑问："为什么要为杜乐凝留情面？我既然能安排邱清出国，她不必顾虑杜乐凝什么。"

方昕瑶白他一眼："你怎么能对一个爱你的女人如此绝情？"

"什么意思？"

"装傻，哼。"她扭头，"我就不信你不知道。你以为杜老爷子让你离开我，还让你接手通宇集团是因为什么？"

他明白过来，连忙澄清："我发誓，我跟她从来就只有工作上的合作。"

"嘻嘻，我开玩笑的啦。"看见他这么急于解释的可爱样子，她也不忍心继续逗他，"不管怎么样，杜老爷子和杜小姐对你也算有知遇之恩，我们不应该做得太绝。更何况就算邱清说出来，对杜乐凝又有什么实质上的影响呢？还不如留一线，希望她能想明白，以后再见也不至于成为你死我活的敌人。"

厉凌用赞赏的目光看着她，忍不住又伸手去揉她的头发："看来，我们家昕瑶早就不是小孩子了。"

"原来你一直把我当小孩。"她气鼓鼓地瞪他，"那你是有恋童癖吗？"

"被你看穿了。"

他当然不会放过任何一个可以一亲芳泽的机会，顺势扑上来把她按倒……

方昕瑶原本还想回D市一趟。D市是他们的家乡，在无意遇到了票贩子阿姨这个故人以后，她忽然很想念他们曾经一起上过的学校，走过的街道，想念发型店老板娘，想念他的外公外婆，想念一切他们共同熟悉的人和事。

但厉凌一心想先处理好照片的事，答应她等一切平复后再陪她回来。

第二天，他们和邱清搭乘同一班飞机回到北京。

隔日，邱清以个人名义召开了新闻发布会，说明之前网上公布的裸照其实是她自己所拍，本意是为了博眼球出名，但不知道为什么，还没来得及卖给媒体就被黑客盗用了，还标上方昕瑶的名字发布出来，造成了极其恶劣的影响，对方昕瑶本人更是造成了难以挽回的伤害。

邱清把所有罪名都扛在了自己身上，当时为她拍摄的摄影师也从旁作证。

媒体哗然，公众目瞪口呆。

同时，厉凌动用曾经的人脉进行了一轮私下里强力的公关，媒体很快一面倒地发布了"向无辜受害者方昕瑶道歉"的通稿。

各大论坛也冒出了各式各样带有忏悔性质的讨论帖，还有很多人事后诸葛亮地表示"我就知道方昕瑶一定是无辜的"。

总而言之，之前的裸照事件迅速得到了平反。

几天后，电视剧《前世千寻》在各大卫视首播，主题曲虽然不是方昕瑶唱的，但许多耳尖的歌迷听出，剧中有一版与主题曲词曲都相同、编曲却大相径庭的插曲，演唱者正是方昕瑶！而跟唱主题曲的那个老牌歌手相比，方昕瑶唱的插曲显然更灵动更耐听，瞬间就把一板一眼的主题曲秒成渣渣！

前段时间刚拿到年度最佳制作人大奖的骆添高调发出乐评，炮轰之前指责方昕瑶"曲风单一、歌路窄"的几位评论人：你们究竟是拿钱发帖还是眼瞎耳聋？

更让歌迷剧迷轰动的是，第一集里饰演女主角前世的演员，不正是方昕瑶本人吗！虽然她在公共场合出现得并不多，但粉丝还是从少有的照片和视频里截取了她的样貌与剧中人物对比，最后百分百肯定是她。她的演技虽然略显青涩，但人们显然就喜欢她这样纯粹、清澈的美，把这个角色也定义成她的本色演出。

一时间，这个原本只有短短二十分钟戏份的角色大放异彩，光芒一度盖过了本剧女主角。

几集过后，方昕瑶的名字出现在了片尾字幕上，这更证实了公众的推理。

然而，无论舆论如何热烈，粉丝如何呼唤，作为这一系列事件主角的方昕瑶却始终未曾再露过面，通宇唱片也一直没有任何回应和表态，更没有宣布中止雪藏的消息。

处在风口浪尖的焦点人物方昕瑶实际上正在为她的毕业答辩伤脑筋。

大四一年她几乎把所有的精力都放在了唱歌上，写论文真可谓临时抱佛脚。幸好前三年她专业课学得还不错，又有厉凌这个高才生从旁指导，还有谢雪妍从教授那儿为她套口风。一篇拿得出手的学士论文总算赶在最后交期的那天发给了导师。

由于毕业答辩需要全程英文，厉凌便扮演现场提问的导师陪她演练。

几遍下来她纳闷："我一直觉得，虽然我高数不怎么样，但专业课还是学得蛮好的呀。可为什么今天我发现，我的英语水平还不如你一个学市场营销的？"

厉凌扬眉："怎么，你歧视学营销的？"

"……哼。"

"大学时有很多教材和参考书目都是英译中的，为了掌握更精准的表述我会买英文原本来看，看着看着就融会贯通了。"

"唉……"她有点沮丧，"你怎么可以样样都那么厉害呢？"

她好像什么都比不上他。

厉凌不同意："有一样，你绝对比我厉害。"

"什么？"

他不疾不徐地说："你能把一个样样都厉害的人收入囊中，可见魔高一丈。"

……

方昕瑶石化，他到底是在夸谁……

2. 毕业的愉悦很快就被一个惊天大消息击散了 /// //

答辩顺利通过，时间一眨眼就跃到了毕业典礼。

为她颁授学位的人正是当初收她进学校的老校长。

轮到她走上台，老校长同她握手："祝贺你。"

方昕瑶从他手中接过学位证书，由衷感激地说："谢谢您的仁慈，否则我也不会有今天。"

老校长欣慰地笑了："其实你不用谢我，反而是我应该感激上天，让我没有失去你这个优秀学子。"

授学位仪式结束后，谢雪妍挽着她蹦蹦跳跳要去学校里各处拍照。

走在熟悉的校园内，她忽然想到，似乎许久都没有听见关于梁浩的消息了。裸照风波结束之后他也仅仅给她发过一个表示放心的短信。或许，他也是在有意识地淡出她的世界。

她便问道："梁浩最近还好吗？你们有联系吗？"

谢雪妍挎住她的胳膊蓦地僵住了："你……知道了？是他告诉你的吗？"

方昕瑶意识到她们不在一个频道上，笑了："我好像看出了点什么哦。"

谢雪妍少见地扭扭捏捏："其实，我正想今天找个机会告诉你……我……跟他表白了。"

方昕瑶微愣了愣，旋即明白过来。原来如此，雪妍终于迈出了第一步啊。

"昕瑶，你不会生气吧？"

"怎么会。"方昕瑶拉起她的手，"你是我的好姐妹，梁浩也是我的朋友，我希望你们幸福。"

谢雪妍呼了一口气："可惜，我失败了。"

"他怎么说？"

"他说，他依然喜欢你，不愿意耽误我，现在连我的微信都不大回了。"

"雪妍……"方昕瑶不知该如何接话。

"别，昕瑶，千万别说对不起，该说对不起的是我，明知他喜欢你却还是喜欢上了他。"谢雪妍扮了个鬼脸，"而且，我会喜欢上他也不仅仅因为他很优秀，也因为他这份痴心呀。"

方昕瑶摸了摸谢雪妍的脸："那你有什么打算？"

"我不会放弃的。"她吐了吐舌头，"不回我微信，我就每天去他公司找他。反正我已经保研，这个暑假有的是时间。"

"加油啊。"方昕瑶打从心底里希望雪妍的热情能让梁浩再次敞开心扉。似乎那样自己才能真正安心。

"昕瑶。"同班几个女同学从后边围了上来，"我们能和你拍张照吗？"

她向雪妍投去询问的眼神，雪妍便立即笑嘻嘻地拽着她跟同学一起合影。后来，又有许多其他路过的校友希望能要她的签名。

"我已经离开唱片公司了。"

尽管她这么解释，但也挡不住校友们的热情"我们就是喜欢你！"

她笑了笑，友善地签下了自己的名字。

这时，一个不和谐的声音从另一条路上飘然而来："哟哟哟，这是谁呢？我们的得奖大歌手方昕瑶啊。"

抬头一看，一高一矮两个女生走过来站在她眼前，高个子女生看起来有几分面熟，刚才的话正是从她口里说出的。

"你们也敢要她签名，小心沾上她喜欢拍裸照的恶俗。"女生不怀好意地笑。

"胡说什么呢！"谢雪妍第一个听不下去，"那些照片已经证实不是昕瑶拍的了。"

方昕瑶想起来了，这个高个子女孩不就是徐曼卿的表妹舒叶林吗，也正是校园歌手大赛上偷她CD的那个人。

舒叶林不屑道："公关手段你们也信，那个出来澄清的模特说不定根本就是她花钱雇来的。"

矮个子女生搭腔："林林说的是真的，她已经签进了通宇，有内幕消息哦！"

方昕瑶微微惊讶，签进通宇？难道都岚姐曾提过的杜乐凝刚签的新人就是她？

周围围着的同学们都面面相觑。

谢雪妍气坏了，冲上去想推舒叶林，方昕瑶连忙拉住她，轻轻摇了摇头。

"昕瑶，我不能任由她们污蔑你。"

"跟她们没必要费力气。"方昕瑶掏出手机，按下录音键，"能不能麻烦你把刚才的话再说一遍？我想告你诽谤，需要一点证据呢。"

舒叶林立即闭了嘴，伸手欲抢手机。

正在这时，一辆 A8 施施然停在了她们面前。

舒叶林看见从驾驶室里走出来的男子，顿时两眼放光："是他？居然是他！他是来找我的吗？"

矮个子女生也很激动："什么？他就是你说的很有风度帮你付了打车费的帅哥吗？想不到你念叨了这么多天终于见到本尊了！"

方昕瑶和谢雪妍对视一眼。

"嗨。"舒叶林上前几步打招呼。

厉凌用看怪物一般的眼神扫了她一眼，然后便完全无视地走到昕瑶跟前："我来接你和你朋友去吃饭。"

谢雪妍眼珠滴溜一转，指着舒叶林说："你认识她吗？"

"不认识。"他自然回答得斩钉截铁。

舒叶林咬着嘴唇站在一边："上次在天通苑，你忘了吗？"

厉凌微微皱眉："请让让。"

跟着，他牵着方昕瑶走到车边，又回头招呼谢雪妍："走，上车。"

谢雪妍对舒叶林释放了一百个嘲笑点，心满意足地走了。

三个人扬长而去。

在车上，谢雪妍笑得肚子疼："你们看见舒叶林那张惨绝人寰的脸了吗？"

方昕瑶一哼："我还不知道你什么时候帮人家付过车费呢。"

"就是，快从实招来！"谢雪妍也上来凑趣。

厉凌极其无辜："她可能记错了。"对于路人，他是真的记不住。

"嘁。"她们都表示不信。

毕业的愉悦很快就被一个惊天大消息击散了。

厉凌的手机突然响起来，他看了一眼来电人，见是都岚便直接接了起来。手机是通过蓝牙连在车上的，音箱里传来都岚急迫的声音。

"厉总，通宇出了大事！"

车内陡然安静。都岚那样一个天不怕地不怕的人，能被她称为大事的事一定不同一般。

"出什么事了？"

"甄霓合约期快满了，之前听杜总说已经跟她谈好了续约条件，谁知道她今天突然反口声称不再续约。不仅如此，她还悄无声息地拉拢了通宇其他的几个准一线歌手，准备集体跳槽去泰华唱片！"

都岚报出了要跟通宇解约的几个歌手的名字，每说一个，厉凌的脸色便凝重一分。

方昕瑶也知道，通宇失去甄霓本身已经大伤元气，如果连自己一手捧红的几个准一线也失去，几乎就等于满盘皆输。而重新培养新人歌手所要付出的时间成本和资金成本都是如今的通宇所支付不起的。

都岚说完后，车内沉寂了好一阵。

厉凌淡淡道："我已经离开通宇，这件事，你不必告诉我。"

"厉总！"都岚急道，"你在通宇干了六年，怎么能说撇清就撇清？何况杜总对内对外一直都没有正式宣布过你辞职的消息，你现在回来也是名正言顺的。"

见厉凌毫无反应，都岚好言劝道："我知道你和杜总因为昕瑶的事闹得不愉快，我也很讨厌她的做派，但我们大家都是见证着通宇从一个默默无闻的小唱片公司成长到今天业内前三的规模的，对它多少也有几分感情，你怎么能眼睁睁地看着它陷入一个前所未有的大危机中而袖手旁观呢？"

都岚还想继续说些什么，却被电话里一阵杂音打断了。她似乎是低声询问了几句，又道："厉总，Joe 刚刚告诉我，泰华的人过来找杜总，要把包括甄霓在内的几个跳槽歌手剩下的合约期一次性买断，杜总已经答应了，还在合同上签了字。"

方昕瑶愕然地看着厉凌，杜乐凝这个举动无疑等于主动放弃了通宇的未来。她为什么这么做？她不打算继续经营唱片公司了吗？

"现在通宇所有工作人员和剩下的签约歌手都人心惶惶，大家都在质疑为何从头到尾你都没出现过。厉总，你最好回来一趟。"

厉凌蹙着眉头，静默无语。

车继续驶过了两个红绿灯，他们原本的目的是要去双井晚餐，厉凌却无意识地错过了应该转弯的路口。

"抱歉。"他很快回过神来，准备掉头。

方昕瑶知道，他心里一定放不下通宇。她拉起谢雪妍的手："雪妍，我想先去前面的商场买点东西，反正时间还早。"

谢雪妍心领神会："好啊，我陪你去。"

"厉凌哥哥，把我们放在商场门口就行，你去公司看看吧。"

"通宇已经与我无关。"

虽然他这么说，她却听得出他语气中的迟疑，不同于往常一贯的笃定。

"都岚姐之前为了我的事出了多少力啊，就算看在她的面子上你也应该去一趟。"

厉凌沉吟良久，最终还是将车停在了商场门口，轻叹道："我会速去速回。"

方昕瑶下车时，他突然攥住了她的手，无言地握紧。她明白他的心思，朝他投去一个让他放心的笑容。

厉凌驱车来到通宇唱片，以往专为他留下的车位依然空在那里。

停好车，他走进大厅，前台一片嘈杂，两个前台文员轮流接着四部电话，嘴里不停解释着："对不起我们不接受采访。""抱歉这个问题无可奉告。""您的话我会记下来转达给上级的。""这里只是前台，抱歉无法回答您的问题。"

看来，通宇的变故已然传开。

厉凌走上前，用手指轻轻叩了叩桌面。

前台文员1号尚在通话中，捂住话筒头也不抬地道："不好意思，通宇今天不接待访客。"

倒是文员2号正好结束一通电话，不经意地抬头瞧了一眼，本来已移开的目光倏地转回来，眼睛也一亮："厉总！您回来了！"

文员1号愣了愣，很快反应过来，激动之情溢于言表："厉总！我……我马上给杜总打电话，她一直在办公室等您。"

厉凌眉头轻蹙，杜乐凝在等他？她是算准了自己放不下通宇一定会回来看一眼吗？

其实自从上次从美国回来，向杜老爷子表明立场之后，他一直有意识地在回避她。她数次提出要跟他见面谈谈的邀请，他也总以各种理由婉拒了。但他内心也知道，有些话，早晚必须面对面说清楚。

上电梯到十楼，在电梯口碰到了从走廊过来的都岚。

都岚见了他如同见了救星一般，急匆匆地走到他跟前："你总算来了！我刚刚见了杜总，歌手跳槽的事看来已成定局。唉，通宇，恐怕无力回天了。"

"我去跟她谈谈。"他越过都岚向杜乐凝的办公室走去。

"如果昕瑶在就好了……"都岚叹息的声音随着电梯门的关闭而消散。

杜乐凝的办公室他来得并不多，虽然他们的办公室仅有一墙之隔，但印象中杜乐凝从不需要他过去汇报工作，反倒是她，只要没有巡演时就常常跑到他办公室让他休息，吃点心，喝茶。

以往的他醉心于工作，并未发觉这些细节有何特别，后来他的注意力被昕瑶的出现全部吸引。现在想来，自从昕瑶出现，杜乐凝似乎总在各地巡演，再也没来找过他。

直到从美国回来，杜老爷子才告诉了他这个宝贝孙女的心思。剧烈的震惊过后，他很快明白过来，原来这几年杜乐凝待他不仅仅是同事之谊。

办公室的门敞开着，厉凌看见杜乐凝一动不动地坐在办公桌前，一旁茶几上的烧水壶正沸腾着滚出水泡，她却无知无觉。

他走过去关掉了电水壶开关，把开水注入一旁盛着茶叶的杯子里。

转过身时，杜乐凝已经从椅子上站了起来，神情复杂地望着他。

厉凌把杯子放到办公桌上，几缕茶叶在水面上漂着，随着浸泡时间的拉长慢慢沉入了杯底。

杜乐凝苦笑一声："我还以为你再也不想见到我。"

厉凌沉声道："你为什么这么做？"

"为什么？"她不禁提高了音量，却又颓然地笑道，"你问的是哪件事？是方昕瑶的事还是通宇唱片的事？"

他冷然无语。

她双手环抱胸前："没错，我希望方昕瑶能从你眼前消失，所以做了一些事。"

"昕瑶并没有得罪过你。"想到她的所为，他的语气不由得冰冷。

"呵，难道你不懂，她的存在，本身就已经得罪了我。无解。况且，我也不觉得有什么需要对她忏悔。如果你想替她雪恨，我现在就原地恭候。"

杜乐凝站得笔直，脸上却流露出落寞的神情。这样一个高傲的大小姐，正在努力维持着最后仅存的一点尊严。

他承认，她对昕瑶所做的一切，他虽愤怒，却没有办法一恨到底。因为说穿了，她的这些行为也跟他几年来对她的忽略不无关系。如果他能一早察觉，一早跟她说明白，说不定就不会演变至今日局面。

"如果你不是来为方昕瑶讨公道的，我们就谈谈公司的事吧。"杜乐凝坐下，捧起水杯喝了一口，"都岚应该都告诉你了，通宇排得上号的歌手几乎都跟甄霓跳槽去了泰华。"

"你为什么放他们走？"

"不放又怎样？那些歌手全都是你签回来的，这段时间你不在，他们早就心思浮动。公司很多核心骨干也都是你一手挖掘或培养的。我曾经跟方昕瑶说过，这个公司姓杜不姓厉，但现在看来，它其实早就改名换姓了。"

厉凌叹道："我从来没想过夺走你的公司，我会召集全体员工开会，正式宣布我辞职的消息。"

杜乐凝未置可否："刚刚都岚来找我，向我提出一个方案，我认为可行。"她又喝了一口茶，"我把唱片公司卖给你。"

厉凌讶异："公司是你的心血。"

"它是你的心血，不是我的，我顶多算心血来潮。当初通宇的注册资本不过两百万，投资也不过三百万，现在我以十倍价格出让给你。我给你一个月的时间，相信你能解决融资问题。"

"通宇的市值远远不止五千万。"

"是，所以，有一个附加条件，希望你能答应。"

对于买下唱片公司这个提议，厉凌不是不心动的，于是他道："你说。"

"爷爷的通宇集团与美国远思合作的 case，远思要求通宇的代理人必须是你。"杜乐凝无奈一笑，"这个 case 当初是你谈回来的，希望你看在爷爷对你曾经提携的分上，能够有始有终。"

厉凌十分清楚，倘若通宇集团能与美国远思合作成功，对于通宇市值的提升会有相当大的促进，所获得的利益远不是小小唱片公司所能比拟的。

这反而使他放下心来："杜老爷子对我有知遇之恩，这件事，我一定会尽全力。请他放心。"

对昕瑶以外的人，他还是比较习惯只谈利益。

谈话到此基本已形成结论，厉凌正要告辞，突然从办公室外一阵风似的跑进来一个女孩子。

"杜总，我刚刚在楼下碰到都岚姐，她说我的新专辑出不了了，这是怎么回事？"

厉凌的眼光淡淡扫过，说话的女孩子似乎正是下午在昕瑶学校遇到的那个。她居然是通宇的歌手。

杜乐凝戴上礼貌的面具："抱歉，舒小姐，这家公司即将出售给厉总，你的新专辑计划恐怕要由他来决断。"

舒叶林这才看见厉凌，浑身一个激灵，又似高兴，又似尴尬："原来是你！"

厉凌面无表情。

杜乐凝不动声色地拿出一份合同："对了舒小姐，你的合约里有三个月反悔期，反悔期内合约双方都有权力无条件取消合约，正好三天后就是最后期限，你考虑清楚了吗？"

"我当然要加入通宇！"舒叶林连忙表态，"我本来就不想要三个月反悔期。"

厉凌淡淡开口："既然这样，从明天开始你不用来了。"

舒叶林被这句话打击得呆若木鸡："为什么？"

"我没有义务向你解释。"他自然没有好脾气。

"杜总！"舒叶林转头求助，杜乐凝却抬出一副公事公办的样子："抱歉，按照合约，厉总有权这样做，我也无能为力。"

"我先走了。收购资金我会尽快解决。"厉凌微一颔首。

"再见。"杜乐凝微笑着起身相送。

没有人在意舒叶林脸上流露出的那种被羞辱后的愤恨的表情。

3. 这同样的事，同样的场景，跟两年前的除夕一模一样 /// //

很快，通宇被泰华大挖墙脚的新闻占据了各大媒体榜首。就在业内纷纷惋惜通宇即将走向末路之时，又一个重磅消息峰回路转般爆出：通宇唱片总裁杜乐凝与副总裁厉凌举行公司出售授让仪式。对于已呈衰败之势的通宇，这位新的掌权人将会有怎样的动作呢？各方人士都对通宇的未来翘首以待。

厉凌上位后，除了内部整顿，似乎一时间并没有什么动作。反而是一家大型网络媒体推出了一个让大众匪夷所思的活动：由媒体提出一些曾经活跃于音乐界，现已退隐的老一辈知名音乐人，再由网友投票选出其中影响力最高的三甲。

其中有一位名叫姚子夏的前辈很快受到了网友的关注。她毕业于国内最顶尖的音乐大学乐理系，年轻时曾红极一时，却在最好的年华里急流勇退，结婚退隐。

这原本不算太过特别，可是当有媒体想依次请各个入围的前辈向当代歌坛的后辈们说几句嘱咐之语时，才发现那位叫姚子夏的前辈已经不幸英年早逝。

沿着这条线索，媒体深挖出了她去世的因由，从而引出了一个当红歌手与一位外科医生之间生死相随的爱情故事，深深打动了网友，收获了无数含着热泪的赞叹。

紧接着，一名善于网络搜索的网友发帖称，经过他重重盘查，发现姚子夏前辈正是去年的新人歌手方昕瑶的母亲。

这一发现引起了无数歌迷的震动。尤其在得到媒体证实以后，许多歌迷回想起先前裸照事件后那些声称方昕瑶野路子出身唱功拙劣的乐评人，越发认为昕瑶无辜受屈……人家根本就是音乐世家出身的好不好！

这样一来，就连原先不相信方昕瑶裸照被冤的人也纷纷由黑转粉，一时间要求通宇解除雪藏、要求方昕瑶复出歌坛的呼声一浪高过一浪。

通宇唱片适时公开发表声明，称对方昕瑶的雪藏早在裸照事件平息后便已解除，这段时间的沉寂只是为了准备即将发行的第二张个人专辑。这张专辑依然由通宇王牌御用制作人骆添担纲，收录了业内几位知名词曲家为她量身定做的十首歌曲。此外还收录了两首方昕瑶亲自编写的歌作为回馈歌迷厚爱的彩蛋福利。

这张专辑自宣布起就受到了歌迷和媒体的高度追捧，上市一个月唱片销量即达到十万张，网络正版下载量也突破千万。

方昕瑶所取得的骄人成绩如同一把烈火，不仅破解了通宇失去甄霓所带来的困境，还顺势将通宇挑战泰华的气焰越烧越旺。

庆功宴上，通宇唱片核心团队齐聚，大家兴致高昂地打开香槟，由昕瑶和厉凌共同将酒从杯塔的顶层倒下。

都岚兴致勃勃地拍了一张照片，感叹道："哎呀，这个画面，如果昕瑶换上婚纱，就是一幅婚礼的画面啊。"

方昕瑶一向最不禁逗，脸又不争气地红了："都岚姐，说什么呢。"

"我这是帮你提醒厉总，把你骗到手这么久，也该负起责任了啊。"

在场其他人自然也跟着起哄。

她窘窘地想：他该不会以为是她联合都岚故意逼婚的吧？

扭头一看，厉凌嘴角微扬，一脸和颜悦色地望着她。

为什么他还能如此淡定！对比着自己的心慌意乱，方昕瑶恨不得找条地缝钻进去。

闹了一会儿，厉凌宣布正事："我从下周起将去集团负责与远思合作的case，因此公司里一众事宜暂时都交给都岚负责。"

这件事他早就告诉过她，她并不意外，只是有一个问题："都岚姐不做经纪人的话，公司里就只剩三个经纪人，可他们资历不够，对音乐界了解也并不深入。"

先前歌手跳槽时，将合作的经纪人也一并带走了，因此留下的只是几个原先排不上号的人物。

都岚说："留下的这三人我考察过，人聪明，也够勤奋，只要给他们机会，很快就能起来。另外，我还有一个经纪人人选。"

"你是说徐曼卿？"厉凌道，"她跟我提过，想转做经纪人。"

"没错，徐曼卿虽然不是当歌手的料，但她对圈子的熟悉程度是那三人不能比的，搭配起来正好形成互补。"

厉凌和都岚同时看着昕瑶。

方昕瑶抗议："喂喂喂，你们该不会觉得全公司就我最记仇吧？"

都岚笑着说："你不同意，我们没人敢拍板啊，对吧厉总？"

方昕瑶仿佛看见厉凌额角出现三条黑线，头顶一串乌鸦飞过⋯⋯

又是一年除夕将至，厉凌早早便约好方昕瑶一起跨年。说起来，前两次除夕他们都没能一起完成守岁，第一年他接到严特助的通知前去找寻小姨父，第二年他又为了杜老爷子远赴美国。

第三个除夕，无论如何都要在一起。她下了这样的决心。

除夕前一天，方昕瑶接到谢雪妍的电话："昕瑶，我明天要回家了，今晚你能陪我吗？咱们好久没好好聊天了。"

"好啊，干脆你来我这儿？"

"才不要，你那恋爱氛围太浓，要是那谁半夜忍不住找你，你可要嫌我碍事了。"

方昕瑶失笑："那你说吧，我听你的。"

"我磨了辅导员好久，把宿舍换到了咱们以前住的那间。现在就我一个人住，不如你过来，还睡你原来那张床，就当回味一下校园生活。"谢雪妍大概很满意自己的提议，声音里都焕发着光彩。

"行，你说了算。等着啊，我收拾点东西就过来。"

方昕瑶麻利地带了一身替换衣服和一套护肤品，出门前给厉凌发了个消息。

"雪妍让我今天去学校宿舍陪她一晚。"

这段时间他顾着远思的 case，忙得天昏地暗，和她连见面的机会都很少。前几天他又出差去了美国还未回来，但他承诺，这个除夕一定不会失约。

他很快回："好，我已经登机，明天直接去宿舍接你。"

挎着手包，拎着袋子，方昕瑶打了个车直奔学校。由于尚在寒假，学校区域人并不多，她戴着帽子和墨镜，很顺利就偷偷摸摸进了宿舍上到四楼。

谢雪妍见到她开心地迎上来："正想着下去接你呢，你动作真快。"又上下打量她一翻笑道，"大明星就是不一样啊，走哪儿都得把脸捂严实了。"

宿舍暖气充足，方昕瑶脱掉外套，摘下帽子和墨镜："我大老远地来投奔你，你还挖苦我。"

"是是是，我错了。"谢雪妍拉起她的手，"你快看看我给你铺的床。"

方昕瑶的床与谢雪妍的正对，床上已经铺上了崭新的床单，花色还是她大学时最喜欢的泼墨浓彩。

"这床单跟我以前用过的好像啊。"她不由得感触起来。

"那当然，你喜欢的东西，我都记着呢。"谢雪妍得意扬扬。

方昕瑶用手轻轻抚过桌面，这张桌子，这张床，都是她曾经用过的。虽然自从去通宇以后就几乎没怎么回来过，但这块方寸之地毕竟留下了她近三年的时光，怎么可能不怀念？

"现在已经五点半，晚饭咱们就在屋里涮火锅，菜我已经买了，你快来帮忙一起准备。"谢雪妍撸起袖子，把桌上的两大袋食材拎到阳台的洗手台上。

"啊？被宿管阿姨发现了怎么办？要挨处分的。"

"放心放心，我已经提前打好招呼了，还送了阿姨两包牛肉，她会睁只眼闭只眼的，哈哈，过年嘛。"

方昕瑶一想也是，今天也算好姐妹提前吃团圆饭了。于是她高高兴兴地拿出藏在桌底的电磁炉，把火锅底料兑水加热，熬制汤底。

两人忙完已是七点。谢雪妍又变戏法般地从衣柜里掏出几罐啤酒："来来来，涮火锅怎么能没有酒呢？"

方昕瑶很干脆地接过一罐打开："提前祝你春节快乐！"

"干杯！"

一罐啤酒很快下肚，方昕瑶问："你临到除夕当天才回家，你爸妈不会有意见吗？"

"嘿嘿，我跟他们说导师带我做项目呢。何况我家就在石家庄，又不远，坐高铁一会儿就到了。"

方昕瑶心里清楚，雪妍会留到今天多半是为了梁浩吧。也不知他们怎么样了，雪妍不说，她也不太好意思主动问起。

"你明天几点火车？"

"九点。所以我一早就得走。"

"那我送你。"

"不用不用，你睡到自然醒吧，平时你那么忙，难得放假补个觉。"谢雪妍脸上突然泛起一抹红晕。方昕瑶好像明白了什么，笑道："该不会，有人送？"

一向爽朗的谢雪妍变得吞吞吐吐："嗯，那个啦，就是随便送一下，呵呵。"

她心下了然："梁浩？"

"是……啊不，我不让你送绝对不是因为这个原因，真的只是想让你多睡会儿！"

"知道啦，知道啦。"方昕瑶给谢雪妍夹了一块肥牛，"看见你们好好的，我很高兴。"

"唉，他虽然愿意送我去火车站，但我明白，他只是把我当朋友。"

方昕瑶拍拍她的手，安慰道："很多恋爱都是由朋友发展而来，先有朋友之谊，才能有更多相处见面的机会啊。"

"嗯，道理我懂。昕瑶，我不会放弃的，只是有时候，当我努力了好久却换不来期盼中的结果时，心里难免失落。"

谢雪妍端起啤酒："来，咱们干一个，就当为我加油打气。"

"好。"

一饮而尽。

这样边吃边喝，不知不觉就度过了两个小时。库存的啤酒已经喝光了，谢雪妍想下楼再去买，可是人一站起来就歪歪扭扭，完全走不了道了。

"你喝多了……"方昕瑶艰难地扶着她爬上床。一打啤酒谢雪妍喝了八罐，能不晕吗？而自己酒量欠佳，虽然只喝了四罐，但也不可避免地眼冒星星，爬上自己的床以后没多久也沉沉睡去。

再次恍恍惚惚地睁开眼睛时，天已大亮。窗帘虽然拉着，但依旧挡不住外面灿烂的阳光。躺在这张窄窄的小床上，方昕瑶在一瞬间像穿越回了自己的大学时光。

她迷糊地摸过手机看时间，却见手机主屏上飘着一条短信："我在楼下。"

瞬间清醒。

啊啊啊啊啊啊，已经快中午十二点了！

方昕瑶连忙回了一条："我刚醒，睡过头……呜呜。"

"别着急，你慢慢来。"

她连忙下床洗漱，谢雪妍的床空着，行李箱也不见了，看来已经回家了。

洗完脸，换上替换的衣服，裹上大衣，蹬上靴子。不管她再怎么抓紧时间，下楼时依然已经过去了半个小时。

朝厉凌的车小跑过去时，她突然产生一种幻觉，这同样的事，同样的场景，跟两年前的除夕一模一样。

"怎么愣住了？快上车。"厉凌目光柔和地望着她。

"哦，好。"她回过神来，熟练地钻进车子，"没想到你这么早就来了啊，才刚下飞机不久吧？"

"嗯，回家洗了澡换了身衣服，想早点来接你。"

简单的一句话，让她心里像吃了蜜一样甜。

"那怎么不早点给我打电话？"

"早上你朋友发短信说，昨晚你们喝了点酒，所以让你多休息一会儿。"

"嘿嘿，我们现在去哪儿？"

"这个时间，先去吃午餐，我定好了位子。"

当车子七弯八拐穿街走巷最终停在一家四合院里时，方昕瑶才发现，这里不就是两年前除夕那天他曾带她来吃午餐的那家私房菜吗？

刚一下车，仍是两年前的老板迎上来："厉先生您来了，菜已经备好，随时可以下锅。"

连说的话都何其相似。

厉凌牵着方昕瑶往里走，走到包间门口时正好隔壁包房打开，一个人影窜到他们跟前："哟，小昕瑶！"

居然是骆添。

方昕瑶惊喜地问："骆老师，您怎么会在这儿？"

"我为什么不能在这儿？"骆添反问。

"我的意思是，好巧啊，两年前的今天，我们也是在这碰见。"真是一个令人惊奇的缘分。

"嘿，是巧。"骆添朝包房里喊了一声，"阿橘，快出来，咱们碰见熟人了。"

连程橘姐也在！方昕瑶高兴地看了厉凌一眼，他却神色淡定，似乎并无什么特别的感觉。

程橘微笑着走出来打招呼，一只手自然而然地挽住了骆添的胳膊，而骆添也顺势回握住她。

方昕瑶眼尖地发现了这一点："你们……是不是……"

程橘大方地点了点头，眉目间皆是笑意："昕瑶，我还没来得及谢谢你。"

骆添倒有些不好意思："我们已经复婚，本想举行一个小型仪式，谁知道前几天查出阿橘已有了三个月的身孕，不宜操劳，所以只好取消了。"

"太好了！恭喜你们！"因为在他们冰释前嫌的道路上当了一把助力，所以方昕瑶对这个美好的结果格外兴奋。

直到他们各自回到包间，方昕瑶还沉浸在巨大的喜悦中，笑颜如花，喜不自胜。

厉凌好笑地看着她："别人复婚，又不是你结婚，高兴成这样。"

方昕瑶吐吐舌头："他们解开了那么多误会才能走在一起，难道不值得普天同庆吗？"

"是，是，敬大功臣一杯茶。"

厉凌给她面前的杯子里斟满茶水，单手撑着头，一动不动地凝视着她。她觉得自己几乎快要被融化进那样深不见底的目光里，只好用拼命喝茶来掩饰心跳如鼓的窘迫。

吃完一顿有滋有味的午餐，他们继续出发。方昕瑶在车上暗暗地想，早上厉凌哥哥接她的场景，和刚才吃午餐的场景都和两年前的除夕格外相似，那下一站，他该不会……

没过多久，车驶进了一个高档小区。方昕瑶在心里惊叹：天哪，真的是这里！

"我们怎么又来这里了？"

"过新年，当然要购置一些新衣服。"他朝她伸出手，"来。"

方昕瑶由他牵着走到同一栋楼宇前，又上到同一层，进到同一家私人服饰店，就连接待他们的店员都是同一位。

"厉先生，方小姐，衣服我已经准备好了，请方小姐来这边试。"

店员从衣柜里抱出一大堆衣服裙子，这架势足足比两年前来时多了三倍。

她回头看向厉凌，他淡淡微笑着，比了一个"请"的手势。

这些衣服并不是定做的，而是秋冬季世界各一线品牌发布的新款中的一部分。方昕瑶一件件试过去，似乎每一件都特别适合她。

"很好看。"他还是一如既往。

方昕瑶瞪他："你每次都这么说。"

"实话实说而已。"

店员悄悄告诉她："这些衣服都是厉先生亲自为您挑选的。"

方昕瑶在开心的同时也有小小的疑惑：他不是在忙远思的项目吗，怎么还会有时间挑衣服……

试衣完毕，她正想穿回自己的衣服时，店员却说："方小姐，您是我们的贵客，为了更好地为您服务，希望您能允许我为您量一下身体的尺寸。"

"哦，好的。"她自然没什么意见。

店员拿出软尺，细致地在她身上衡量，每一寸肌肤都不放过，不仅量了身高和三围，连脖子的长度围度，手腕的粗细，甚至每根手指的长度都一一记录。

真仔细啊。方昕瑶暗暗感叹。

从服饰店出来，方昕瑶心里闪过一瞬的叹息。她想到了那只已然寿终正寝的小兔子。两年前的今天，厉凌正是在离开这里后带她去他家看望了兔兔。可惜重逢的喜悦并未能持续多久，大约在半年后，兔兔就由于年纪实在太大衰竭而亡。

他当时安慰她说："它活到现在，相当于人类活到一百岁，是喜丧。何况它等了那么久，还能在生命尽头等来和你相处的一段时光，它一定没有遗憾。"

她听后破涕为笑："没想到你一本正经的面孔下还藏了一颗文艺男青年的心哪。"

他于是把她拉到怀里狠狠地揉乱她的头发。

"昕瑶？"一声呼唤把她的神思拉回来，厉凌已经为她拉开了车门。

她钻进去扣好安全带："接下来我们去哪儿啊？"

他看了一眼手表："我们去超市买菜，然后回家做饭怎么样？年夜饭就应该在家吃。"

"好啊好啊！"她高兴地一拍手，"距离上次吃你做的饭已经大半年了，而且——"她脸一热，"上次还没吃饱。"

没吃饱就被他抱去卧室吻得天昏地暗。一回想当时的情景，她脸上的温度更高了。

厉凌意味深长地笑道："我保证，今天一定让你吃饱。"

呃，好像有哪里不对呢……

在超市买菜时，方昕瑶特意多拿了几个土豆。

"今天我也要露一手，贡献一个菜。"结账时，她得意扬扬地说。

"炒土豆丝？"他一眼看穿。

"啊，你怎么知道……"

"因为所有的菜里只有这几个土豆是你拿的，我实在想不到第二个可能。"

她怨念地想，为什么自己所有的小心思都逃不过他的法眼呢？还有没有一点点神秘感了，啊啊啊啊啊。

"嫌弃土豆丝啊？哼。"

"不，我有预感，从今天开始我最爱的菜会变成炒土豆丝。"

"嘿嘿，这还差不多。"她看了看袋子里的东西，都是她平时爱吃的，还有一大包生菜叶。

"我们又不是吃韩餐，你买那么多生菜叶干什么？"

"到时候你就知道了。"他一手拎着袋子，一手搂着她的肩走出了超市。

4. 她依偎在他怀里，眼里满满的，心里满满的，都是幸福 /// //

回到厉凌的家，刚把菜和肉拎到厨房放好，就听见隔壁的书房里传来一阵窸窸窣窣的声音。

"什么声音？"方昕瑶竖着耳朵又听了听，弱弱地问，"该……该不会有老鼠吧？"

厉凌严肃地沉着脸："你去看看。"

"啊？"她有点心虚，"我……"

"我怕老鼠。"他倒理直气壮。

她也拿不准他究竟是说真的还是开玩笑，只好拿起扫帚武装自己，壮着胆子走到书房门口。回头一看，他还朝她扬了扬下巴，催她赶快进去。

豁出去了！方昕瑶眼一闭，用扫帚顶开了门。

窸窸窣窣的声音更加明显了，老鼠果然就在书房！

"厉凌哥哥，你家有没有老鼠夹或粘鼠板？"

"哦？你还会捉老鼠？"

"以前大学宿舍有老鼠，我和雪妍布了好几个陷阱才抓住。"

想想真是奇怪，那时候自己可是面不改色心不跳地把粘住大老鼠的粘鼠板一手拎出去扔进了垃圾桶，怎么年纪长了几岁，胆子却越来越小了？

"行了，不逗你了。"厉凌从身后上来搂住她，拿掉她手上的扫帚，"你睁眼看看老鼠在哪儿？"

方昕瑶试探性地左眼睁开了一条缝，映入眼帘的却是一个小小的、雪白的毛团子。

"呀！是小兔子！"她睁开眼睛几步跑过去。这只巴掌大小的垂耳兔，正用无辜的小红眼可怜巴巴地望着她。那阵窸窣声就是它拱着面前空空如也的食盒发出的。

"好可爱啊。"她把小兔子抱在怀里，飞给他一个犀利的眼神，"哼，居然骗我说有老鼠。"

厉凌无辜地举起双手："冤枉，明明是你自己说的。"

她一愣，咦？好像是哦，呵呵呵。

"还不快把生菜叶拿过来。它一定饿坏了。"

"遵命。"厉凌从厨房取了几片叶子，"早上我走时还放了几片白菜，没想到它胃口很大啊，像你。"

她斜他一眼："像我就对了，身体好。"

"对了，我得给它起个名字。"她打了个响指，显然有了好主意。

厉凌略一扬眉："又叫兔兔？"

"什么嘛。"她捶他一下，"每个生命都是独一无二的，兔兔就是兔兔，是不能被别的兔子替代的。"

"那？"他一副不相信她能取出什么好名字的样子。

"这是我们养的第二只小兔子，就叫二兔好了！"她笑得灿烂，对这个名字极为满意。

厉凌的脸上毫无反应，只有眉毛不由自主地跳了跳。

"喂喂，你倒是表个态啊。"

他再也绷不住，开怀地大笑起来："好名字！"

方昕瑶几乎没见他这样无拘地笑过，印象中的他总是冷静而内敛，即使他们在一起后他渐渐笑得多了些，但大多也不过是浅浅的、暖意融融的笑。

而这样的开怀大笑，却是深刻而炽烈的。于她来说，仿佛能驱散世界上所有的阴霾，能给她无上的前进的勇气。

"发什么呆呢？"脸被他轻柔地捏了捏。

她噌地一下站起来："我们去做饭吧！"她当然不能承认自己刚刚被他迷得差点走火入魔了……

"现在才四点半。"

"我饿了，想早点吃饭不行吗？"她瞪她一眼。

"行行，咱们家你说了算。"

厉凌脱掉外套走进厨房，方昕瑶低头跟在他身后，被他说的"咱们家"三个字击中，心软得一塌糊涂。

他和她，如果组成一个家的话……

脑子里开始情不自禁地幻想，如果有一天，他捧着戒指盒走到她面前，她应该停留几秒钟回答才显得比较高贵大方呢？嘿嘿！

"给。"正出神，厉凌把一个圆乎乎的东西递到她眼前。

理想和现实果然是有差距的。她恨恨地接过土豆，坐在凳子上哀怨地削起来。

四个土豆笨手笨脚地削了半个小时才削好，她突然反应过来："哎呀，刨土豆丝的刨子忘买了。"

厉凌不以为意："刨子刨出的丝是软的，而土豆丝讲究一个脆字，还是用刀切的好。"

方昕瑶不服："这年头谁还会用菜刀切丝啊？"那高难度，鬼才会咧！

他无奈，随手拿过一个土豆，菜板上很快响起一阵均匀快速的剁菜声。土豆转眼间变成了一堆粗细合宜长短适中的土豆丝。

"天哪！"她震惊了，"你上过新东方吗？"

"这算什么。"他颇感自豪，"我一向追求完美。"

"谢谢，谢谢。"

"切个土豆丝而已，不用这么感激。"

"不，我是谢谢你夸我完美，哈哈。"

厉凌风中凌乱，方昕瑶成功地扳回一局。

由于做了两道大菜，等六菜一汤端上桌时时钟已经指向六点半，窗外的天也彻底黑了下来。

她坐在桌前，食指大动："好丰盛啊，有鱼，有虾，有牛肉，有鸡肉，有蔬菜还有猪骨汤，我们才两个人，会不会太多了？"

"年夜饭就要丰盛一点才好。"

一道一道尝过去，她不停地感叹："太好吃了。"

厉凌第一筷子夹的就是她炒的土豆丝。

"怎么样，怎么样？"她满怀期待。

他面不改色："你尝尝就知道了。"

方昕瑶顿时忐忑，难道不好吃吗？可她看过手机上下载的食谱，就是这样做的呀。

她夹了一筷子土豆丝放到嘴里，本来已经做好了味道很奇怪随时需要吐掉的准备。可是——

她意外地发现味道还挺不错。咸淡适中，又脆又香。

明白又被他忽悠了，她昂起头，皱眉道："好难吃，还是别吃了，我拿去倒掉。"

"别别别。"他笑着一把夺回盘子，"君子不夺人所好。"

"那你说，桌上什么菜最好吃？"

"当然是土豆丝。"他从善如流。

"哈哈，这就对了。"

餐桌上的欢声笑语被一个突如其来的电话打破。厉凌看了一眼来电号码，面色忽变："我接个电话。"然后他走到阳台。

发生什么事了吗？方昕瑶暗想。

不过很快，他神色如常地回来了："继续吃吧。"

她也就没往心里去。

然而，接下来的时间他变得心不在焉，时不时就盯着手机，像在等待着什么，连她跟他说话也是有一搭没一搭地理着。

她心里渐渐涌上一种不好的预感：今天的一切都仿佛重复着两年前的那个除夕，那一天他就是在接了电话后离开，将她一个人扔在家里。虽然她后来明白了事情因由，可是毕竟留下了未能一起跨年的遗憾。本以为今晚一定能弥补那个遗憾，可是……

她甩甩脑袋，不会的，厉凌哥哥已经答应了她，绝对不会——

"嘀嘀。"

厉凌的手机收到一条短信，他看后脸上露出为难的神色，然后回了几个字。

很快又收到一条。

这一次，他叹了一口气："昕瑶，真抱歉，项目出了点问题，我必须亲自去一趟。"

"哦。"她不禁微微失望，但也理解工作于他的重要性，"那你什么时候能回来？"

"我一定尽快解决。"

他穿好外套，亲了亲她的额头："你再吃点。"说完，他急匆匆出了门。

唉……只能一声叹息。

方昕瑶勉强又扒拉了几口，觉得一个人吃饭实在没意思，索性把餐桌一收拾，窝在沙发上看电视。

八点钟，几乎每个台都在直播春晚。她看了好一会儿也渐渐被节目带入了一片喜气洋洋中，还用手机微信摇中好几个红包。她打开微博一看，有不少粉丝都留下了新年的祝福，当然求红包是少不了的啦。

都岚早就告诉过她，除夕晚上十点钟公司会派人用她的微博账号派出三十万新年红包。很快，留言里出现一张张抢到红包的笑脸，运气最好的一个女粉丝一口气抢到两千块。

抢红包浪潮过去，厉凌却依然没有消息。

"嘀嘀。"

来了一条微信，是雪妍发的："亲爱的，新年快乐！怎么样，这会儿一定跟男朋友正相亲相爱呢吧？"

她回："唉，别提了，我们可能摆脱不了不能一起守岁的魔咒了。"

谢雪妍很快打电话过来："喂，昕瑶，什么情况啊？你们不是约好的吗？"

她沮丧地说："嗯，他最近在做一个大项目，可能今天突发了什么问题。"

"谁大过年的还工作啊？真是的，不靠谱。那你在干吗呢？"

"一个人看春晚啊，你呢？"

"我跟爸妈看春晚，这会儿在阳台给你打电话。"谢雪妍想了想，"要不，你和朋友一块出去玩吧，别在家干等了。"

"没事，我再等一会儿，说不定十二点前他能回来呢。"

"那你发个短信问问他，如果赶不回来，你就出去玩。要不一个人过年多孤单啊！"

挂了电话，她想了又想，还是忍不住给他发了个短信："你什么时候才能回来呀？说好要一起跨年的……"

等了一会儿，没有回复。她又发了一条："从前有个人说话不算话，你知道后来怎么样了吗？"

又过了一会儿："后来他鼻子就变长啦！"

手机还是杳无音信。她继续发："等你回来，我要把你的鼻子拉长，哼。"

这一次他终于回了："昕瑶，实在对不起，工作还没处理完，暂时回不去。"

方昕瑶气鼓鼓地在沙发上蹦了两下，想到雪妍的话，决定刺激他一下："如果你不回来，我就和朋友出去玩了哦。"

这下他总该着急了吧。她喜滋滋地想。

可是万万没想到，拿起手机一看，只看见淡淡的两个字："好的。"

啊啊啊啊啊啊啊啊！他怎么能这样！他是吃定了这个时间一定不会有朋友有空陪她是吗？

可就在方昕瑶准备投降宣布他赢了的时候，居然接到了梁浩的电话。

"喂，昕瑶，好久不见。"

"梁浩？"她略感惊讶，没想到他会在这时候打电话给她。事实上，两年前的除夕，梁浩打电话给她时差不多也正好是现在。

今天一整天的轨迹都和两年前的除夕夜有着惊人的相似，难道仅仅是巧合吗？

他说："雪妍说你一个人无聊，在北京这时候还闲着的人恐怕也只有我了。怎么样，要不要出来？我带你去一个地方。"

"我猜，你已经在楼下等我了。"

"哈哈，没错。"他爽朗地一笑。

"好，我马上就来。"考虑到继续待在家里很可能变怨妇，同时也想问问梁浩对于雪妍究竟是如何考虑的，她决定出去走走。

裹上大衣，戴上帽子、围巾和手套，又从抽屉里拿出一本空白支票，方昕瑶蹬好靴子便出了门。

走到室外才发现，天空不知何时开始居然飘起了细碎的小雪花，梁浩倚靠车门而立，雪花落在他身上便不着痕迹地化为一抹潮湿。

她急忙跑过去："怎么不在车上等？"

"我换了车，怕你不认识。"

绝世风光
不及你

她这才发现他原来的那辆保时捷 SUV 已经换成了一辆开罗金的 CC。

"怎么想到换车了啊？"

"已经工作了，那辆车就还给了我爸。"

上车扣好安全带，梁浩缓缓发动，车便在行人不多的宽阔马路上奔驰起来。

也许是太久没有联系，彼此之间难免感到生疏，梁浩安静地开着车，她也不知该如何挑起话头。在这小小的封闭空间内，方昕瑶感到一阵局促，她努力地想说些什么以缓和气氛。

"那个……"

"你……"

却没想到他们竟同时开口。

梁浩笑了："你先说吧。"

"还是你先说吧。"她还得再整理整理。

"这段时间见你又出了新专辑，我打从心里为你高兴。但我公司里业务越来越多，粉丝团团长一职只好找专人来替我，不过我会多留意的，你放心吧。"

"啊，没关系的，这本来应该是我经纪人的工作。你把他的名片给我，回头我让经纪人跟他联系，你专心事业就好。"

梁浩点点头："也好。"他又自嘲般说，"这样一来我们之间最后一点联系也可以断了。"

她苦涩地牵了牵嘴角，却也明白这才是于他最好的方式。

他继续道："我听雪妍说你和厉凌在一起很幸福，要是能亲眼看着你结婚，我也就彻底安心了。"

"你和雪妍……"她接过话，"雪妍很喜欢你。"

"我知道。她很好，我只是还需要一点时间。"

由他这样毫不避讳的回答来看，他应该是有把雪妍放在心上的。

方昕瑶略感放心，也知道感情的事旁人不宜过多插手，便岔开了话题："今天我一定投桃报李，我支票都带了。"

两年前跟着他去参加那场拍卖会时她没有能力捐出财物，但今天她可以为孩子们多做些什么。

梁浩一愣，旋即明白过来："昕瑶，我们并不是去福利院。"

"啊？"轮到她愣住了，"你不是说，每年都会去吗？"

"今天是个特别的日子，我有特别的任务。"

方昕瑶看着车窗外，原来他们一直行驶在灯火繁华的地段，根本不是往福利院的方向。

"我们这是去哪儿？"她不免疑惑。

"很快你就知道了。"他保持神秘。

车一直开到了世贸天阶。这里向来是除夕夜年轻人的天堂，因为两栋大厦之间有一个封顶的长廊，而整个天花板内铺了层层相连的显示屏，组成一道让人仰望的巨幕。每年接近午夜十二点时屏幕上都会出现一个巨大的时钟，人们便在这里共同迎接新年的第一秒。

方昕瑶下车，面对来来往往洋溢着笑容的人们疑惑更深："我们来这做什么？"

"你在这稍等，我先去把车停到地下。"说完梁浩便一脚油门消失了。

为了避免被人认出来，她只好尽量低着头。在来来去去的人潮中，她的耳朵被一阵欢快的小提琴合奏吸引——这个曲调，不正是她的新专辑里一首主打歌的调子吗？

顺着音乐的方向，她一直走到了幕顶之下，头顶不断变换的光华晃得她微微眩晕。地面几束聚光灯落在一队身着黑色燕尾服的小提琴手身上，十个人架着十把琴，把她这首流行乐奏出了几分古典的味道。

这曲子编得相当不错啊。她在内心赞道。

看了看手表，此时已经十一点半了。她又给厉凌发了条短信："忙完了吗？"

不出意料地没有回复，看来，今夜想一起跨年的愿望终究还是落

绝世风光
不及你

空了。

等了好一阵，忽然有人从身后拍她的肩膀。她以为是梁浩，回头一看，却是一个穿着毛绒公仔装、扮成一只大兔子的人。大概是商场里负责烘托节日气氛的工作人员吧。他手上拿着一堆气球，在她眼前蹦来蹦去，憨态可掬的样子逗得她轻声笑了。

没过多久，不知从哪里又跑出来一只大兔子——不对，这次是一群。一只又一只的大兔子笨拙地走到她附近，将她团团围住，每一只手上都捧着一大束玫瑰花。

方昕瑶愣住了，这是什么情况？

来往人群停住了脚步，目光都往她这边聚焦过来。

第一只兔子在这时突然放开了手里的气球。花花绿绿的颜色不断上升，方昕瑶的目光也随着气球上升，终于聚焦在了头顶的巨大屏幕上。

先前还在播放着春节相关内容的屏幕忽然一黑。人群发出疑惑的声音，很快，屏幕又重新亮起来，却不再是之前的内容，而是出现了几个发亮的大字：我眼中的你。

小提琴乐队骤然收住了先前欢快的旋律，换作一曲缓缓流淌的悠扬乐曲。她一下子便听出，这一曲是新专辑里她写的那首歌。

巨幕上紧随其后出现的，是一张张女孩的照片。

方昕瑶惊讶得捂住了嘴——照片上的人，竟然全是她！

有她第一次在通宇试音时的照片。

有她第一次为拍 MV 化妆时，在椅子上打瞌睡的照片。

有她第一次跟他约会时，试好一件新衣服的照片。

有她第一张专辑海报的照片。

有她第一次做签售的照片。

有她第一次拿到新人歌手奖，上台领奖时的照片。

有她在马尔代夫海边玩水的照片。

她知道这每一张照片一定都是厉凌拍的，可她不知道他是如何在她完全不知道的情况下偷偷拍摄的。

更奇妙的是，居然还有她几个小时前在他家里努力炒着土豆丝的照片。

还有许多许多，就连她自己一时也想不起来是什么时候发生的事，他却一张一张悄悄地为她记录了下来。

不知不觉，眼眶便因雾气而变得迷蒙了，她连忙用手揉了揉，却见无数照片缩小，飞速组成了一句英文：Marry Me！

"哇哦！有人求婚！"

人群惊呼，议论不绝。

"快看快看，是不是那个人？"

围观的人们自动让出一个缺口，她回过头，便看见厉凌挺拔的身影从外围缓缓走进来，一直走到她跟前。他目光中含着深沉的柔情，直直凝视着她。她分明想朝他展露出一个美丽的笑颜，可在笑的同时，眼泪也如得到许可般争先恐后地涌出眼眶。

他沉沉的嗓音响在耳边："很久很久以前我就想这么做了，今天终于能付诸实践。"

方昕瑶已经预感到接下来会发生什么，可是胸腔里的这颗心脏前所未有地激烈地收缩着，就连呼吸也急促起来，她不由自主地用手按紧胸口。

她没有想到，绝没有想到无数次幻想过的场景居然会发生在今天。

厉凌手中捧着一个精致小巧的绒面小盒，面向她缓缓单膝着地："我从来不是一个轻易许诺的人，但我向你郑重起誓，我厉凌，今生今世只会爱你方昕瑶一人。"

他将戒指盒徐徐打开，戒托上的钻石在绚烂的灯光投射下发出夺人心魄的光辉。

"昕瑶，你愿意嫁给我吗？"

她在涟涟的泪水中拼命点头："我愿意！"

没有一秒钟的停顿，她完全忘记了那些如何应对才像一个淑女的设想。她早就愿意嫁给他，一心盼望能和他成为真正的亲人，这是她最最真实的心声，她无法抗拒。

厉凌因为太过激动，脸上也泛起了潮红。他为她戴上戒指，紧紧地拥住了她，似乎还觉得不过瘾，又将她抱起来兴奋地转了好几个圈。

"太好了，你真的答应了！"

"嘻嘻，难道你害怕我不同意嫁给你？"

"我猜到你应该会答应。可是，求婚这种事一辈子只有一次，紧张在所难免。"

围观的人们有的吹起了口哨，有的为他们鼓掌，还有人已经认出了她来。

"那个女孩，好像就是歌手方昕瑶啊！"

她毫不遮掩，开心地挥了挥手："没错，就是我，谢谢你们为我见证。"

先前拿气球和拿花的群兔们脱掉了毛绒的罩衣，里面领头的人居然是都岚和骆添，其他的也是唱片公司的员工。

"哎呀，快憋死我了。"都岚理了理头发，"厉总，你求婚是成功了，可别忘了打赏我们这些功臣啊。"

骆添上前把花塞到厉凌手上："没错，等我孩子出生，大红包一定不能少。"

程橘和梁浩也从人群里走出来。程橘笑道："计划成功。"

梁浩看起来也很高兴："雪妍让我带话给你，她要当伴娘。"

方昕瑶看着眼前的朋友们，顿时恍然大悟："原来是这样！"

与两年前除夕所有的相似，都是他们联合起来安排好的。从雪妍约她去宿舍开始，一张"阴谋"的大网就已经将她套牢。而唯一不同的，便是这个与两年前全然不同的，厉凌为她创造的完美结局。

大屏幕上，倒数计时的时钟跃然而出，离午夜钟响只剩最后半分钟。

厉凌附在她耳边说："我的鼻子不会变长。"

想到独自在家闷闷不乐的自己就像傻瓜一样，她脸一热："讨厌，你故意的。"

他好心情地说："没错啊，我就是故意的。"

最后十秒，广场上的人们开始齐声倒数："10，9，8，7，6……"

她知道，以后的每一个除夕，他们都不会再分开了。

"5，4，3，2，1，0！"

"叮咚——"

午夜的钟声敲响，时间又跨进崭新的一页。她依偎在他怀里，眼里满满的，心里满满的，都是幸福。

5. 被珍重的感觉，原来如此让人想要落泪 /// //

幸福的除夕夜还在继续。

从广场散去，厉凌开车带她去了东四环稍往外走一个隐于市区的住宅区。当车接近进入小区的门禁道闸时，感应式闸杆自动徐徐抬起，身穿制服的保安在岗亭外行了一个标准礼。

厉凌轻车熟路地把车开进地下车库停好。方昕瑶四处张望，宽阔的车库里只稀稀疏疏停着几辆车，可见这里入住率还并不高。

"这是哪里啊？"

"跟我来。"他熄火下车，牵着她穿过一扇分隔停车场与上行电梯的玻璃门禁。

走入电梯，她发现里边没有任何可以操作的数字按钮。

"咦？"正好奇地想问时，厉凌不知从哪变出一张卡，放在感应区域一刷，电梯便立时启动。

"到了。"

电梯门一打开，外边并不是如普通公寓楼一般的走廊，而是脚一迈就直接进入了一户人家的玄关。

她想起来："这就是最近刚时兴的低密度大平层式套房？"她在飞机上的杂志里见过类似的楼盘广告。

"没错。"厉凌按下玄关处所有的开关，整个客厅随之亮堂起来。

绝世风光不及价

首先映入眼帘的便是铺撒一地的各色玫瑰花瓣，显然有人精心布置过。

"哇哦！"

宽敞的客厅足有五六十平方米，已做了精致高雅的轻欧式装修，朝向中庭的一整面落地玻璃前已挂上了轻纱幔帐，客厅中央的木地板上还躺着一块厚实的纯欧式羊绒地毯。但没有搬入任何家具家电，因此还显得空空荡荡。

方昕瑶明白过来："你连门禁卡都有，是不是又买房了啊？"

"对。"他搂着她往里走，"你看看怎么样？"

她仔细参观了一圈，房子里除客厅，还有四个卧房、三个卫生间、一个餐厅、一个厨房，以及前后两个阳台。若按普通公寓来说，这些房间加在一起顶多不过两百平，可大平层户型的一大特点便是每个房间都空间充裕，比普通公寓大出近一倍，因此整个套房加起来大概有三百五十平方米以上。

"你干吗买这么大的房子，一个人住多浪费啊。"

他搂过她，弯下身子把下巴搁在她肩上："谁说我要一个人住了？这里以后就是我们的家。"

方昕瑶愣了愣，一时未能明白："什么意思？"

"嗯？"他拉起她的手放在眼前，"戒指都戴上了，你想赖账吗？"

脸上一热，她反应过来，既然已经答应他的求婚，那他们早晚都会住在同一个屋檐下，成为真正的一家人。

"装修已经做好，至于家具家电就等你这个女主人亲自挑选。"

"金城阳光的房子就很不错，何必买新的呢。"

"那怎么行，新娘当然应该住进新房。"厉凌擒住她的肩，极其认真地道，"昕瑶，我虽然算不上什么大富大贵，但只要在我能力范围内，必然不会让你受委屈。"

方昕瑶呆呆地看着他，任由身体里那道名为"感动"的气流恣意窜动。直到气流满溢，想要将她的眼睛作为出口，她只能急忙扑入他怀里，在他胸口蹭了又蹭。

被珍重的感觉，原来如此让人想要落泪。

厉凌原本左手抱着她，右手抚摸着她的头发，却似乎想起来什么，右手突然变了方向，勾起她的下巴。

"刚才在世贸天阶熟人太多，还有一个步骤没做。"

"我知道。"她踮起脚，主动在他唇上轻轻一吻，笑意明媚，"是这个吗？"

厉凌双眸微眯，显然不太满足，放在她腰上的手加重力道让她贴得更近。

"远远不止。"话音刚落，他的吻便联合他的气息狂热地席卷而来。她的唇舌毫无抵挡的办法，只能方寸全无地任由他豪取掠夺。不过渐渐地，她适应了这样热烈的节奏，竟然也开始尝试着回应他，手臂也不自觉地攀上了他的脖颈。

厉凌眼里闪过一丝惊喜的光，同时也被她的回应勾起了更深层的渴望。脑中所有理智似乎都被一把火烧光，手掌控制不住地想要蠢蠢欲动，刚开始还是试探般地在她的后背游走，但见她全无退避的反应，动作不由得越发大胆起来。

"呀！"直到她发出一声轻呼，他才发现，自己居然鬼使神差地拉开了她后背上的拉链，露出一大片细腻柔滑的肌肤，在水晶灯暖黄的光线下更显得勾魂夺魄。

厉凌正在懊恼自己没控制住，艰难地想要退开，然而却见她眼波迷蒙地望着他说："冷……"

这个信号，分明就是默许。

刚刚恢复的一丁点理智瞬间又荡然无存，他再次急切地欺身上去吻她，可这一次仅仅唇舌的交融已不能满足他，他的吻开始转移，落在她的脖子上，锁骨上，手臂上。裙子的存在变成了阻碍，他不由自主拉下拉链的最后一段，终于成功让这件阻碍从她身上滑落至地。

眼前美好的曲线让他血脉贲张，身体里的欲望空前强大，叫嚣着想要将她吞噬殆尽。

方昕瑶闭着眼睛，双颊滚烫，她不是不知道发生了什么，她明明可以拒绝的，可她也不知道为什么，就是不愿意让他停下。

厉凌横抱起她，轻轻把她放在了客厅中央的地毯上，跟着不再迟疑地解开了她的内衣。她连最后一道防线也彻底失去了。

她不敢睁开眼睛，只能用肌肤去感受他的狂热。他的吻第一次突破了以往的界限，自锁骨逐渐往下，无比渴求，却又小心翼翼。

"不要！"她惊慌地叫出声。

厉凌抬起头，脸上似乎因为克制而露出为难的神情。但很快，强大的自控能力让他撑起残存的清明："昕瑶，对不起，对不起。"

他急忙想从她身上退开，可当他起身时，手臂却突然被她抓住。

"不是……"她艰难地挤出这两个字。

他不明白地看着她。

"我是说……不要停……"方昕瑶说完，脸上已经烫得几乎可以着起火来。

厉凌愣了愣，深深吸一口气，翻身将她罩在身下："你再也不可能让我停下了。"

欲望一旦彻底释放，便无法收回。

方昕瑶微微颤抖着，任由他的吻落在每一处未曾有人到访过的地方。身体一寸寸被点燃，一种来自灵魂深处的悸动越来越强，虽然她拼命忍耐着，却依然有细碎的呻吟不受控制地溢出。

这样的声音，连她自己听了都觉得羞涩难当。

似乎是故意的，她越觉得难以忍耐的地方，他就越是眷恋不去。

方昕瑶紧张得心咚咚直跳，虽然她没有过经验，但也不是全无理论知识，当然知道接下来会发生什么。

这一刻终于来临。

当他冲破最后一道防线，她感觉到一种像被撕裂的疼痛，双腿不禁绷得笔直，手也无意识地死死掐住了他的手臂。

厉凌不敢再动，担忧地问："很疼吗？"

她见他的额头因竭力控制而浸出了汗珠，心中一点点地柔软下来，渐渐地觉得疼痛也不是那么难以忍耐。

"我没事，可以的……"她给了他鼓励。

他再也控制不住，任由自己沦陷在身体的渴求之中，失去了自我，忘却了天地，只是本能地为她而着迷。

世人都说男人征服女人，他却觉得，他的一切分明都臣服于她。而他，心甘情愿。

结束之后，厉凌躺在她身边紧紧抱住她，又拉过一件大衣盖在她身上，满足地叹道："感觉像在做梦。"

他又关心她的状况："还疼吗？"

方昕瑶羞得缩进他怀里，不敢看他的脸："一点点，没关系的。"

他略感自责："我没经验，下次一定会做得更好。"

她红着脸扬起头来："没经验是什么意思？"

"我也是第一次。"

"不会吧？！"她觉得不可思议，"可是……可是我看你流程很熟的样子。"

厉凌轻轻一笑："行为是第一次，可是这里。"他用手指点了点自己的额头，"已经不知道演练过多少次了。"

"讨厌。"方昕瑶娇嗔道，"你每天脑子里都想什么呢！"

"当然是想你。"他大方承认。

又惹得她不好意思地埋下了头。

"我困了……想睡一会儿。"

"好，可是睡在这里能行吗？"

"地暖很暖和啊，盖上衣服就不冷，地毯也厚，挺舒服的呢。"

厉凌让她枕着自己的手臂："那你休息一会儿。"

"我只睡十分钟……"身体的酸软很快就令她坠入梦乡，她做了一个很长的梦，梦见妈妈牵着她的手沿着一条小路往前走，在路的中央出现了一个人的身影，当那个人转过身来，她看清那是厉凌哥哥。妈妈微笑着把她的手放在他的手心，他微笑着接过，然后领着她继续往前走。回头看去，妈妈站在原地目视着她，随着她越走越远渐渐地模糊。但她知道，无论何时何地，妈妈会一直存在她心里，替她见证着今后所有的幸福。

一觉醒来，天光大亮。

微一侧身，厉凌正撑着头看着她。

“啊，几点了？”她彻底醒来。

“大概八九点。”

方昕瑶坐起身来，大衣滑落，露出里面赤裸的身体，提醒着昨夜发生的一切。

脸又不争气地红了，她连忙抓起衣服遮住自己：“怎么不叫我啊？”

厉凌目含笑意：“看你睡得太香，何况昨晚也算我们的新婚之夜，住在新房正合理。”

“我……我要穿衣服。”

“请便。”他一点回避的意思都没有，反而面有期待。

方昕瑶眼珠一转，突然将手上的大衣一扬，盖在厉凌脸上，笑嘻嘻地说：“你就这样躺好，不许动！”

她探身去捡地上的内衣、裙子和丝袜，每一动便觉得身体还是有些不适，看来还得恢复几天啊……都怪他！她媚眼如丝地瞪他一眼，当然，被大衣盖住脸的他又怎么能看得见呢？

两人都整理好出门时，她正想问今天去哪儿玩，他却接到一个似乎是律师的电话：“半小时后到我办公室。”

方昕瑶噘嘴：“正月初一，你又要工作了。”

厉凌笑着搂过她的肩：“这不是工作，你跟我一起去。”

在通宇唱片的总裁办公室里，他们见到了电话里的那位冯律师。冯律师是公司的首席法律顾问，她也曾因工作与他有过几面之缘。

冯律师从公事包里拿出几份文件：“厉总，婚前协议我已经按您的意思准备好了。”

婚前协议？她看了看厉凌。一直都听说圈内人结婚基本上都会签署一份婚前协议，以免双方因为利益纠葛而影响了感情。虽然她从来没想过这些问题，不过既然他有所安排，她遵从便是。

厉凌接过文件看后递给她："你看看，如果没有问题就签个字吧。"

"哦，好的。"她拿起笔唰唰签了三份。

他很意外："昕瑶，你怎么都不看看内容。"

"啊？你都看过了，说明没问题啊，不就是财产独立嘛。"

冯律师哈哈大笑："厉总，您媳妇真大度，跟您比不遑多让啊。方小姐，建议您还是仔细看看内容，不然厉总一番痴心可就埋没了。"

厉凌无语地扶额。

方昕瑶这才翻到文件第一页。三份文件中两份是赠予协议，一份是承诺声明。

赠予协议一中，厉凌将名下所有房产，包括金城阳光一套、公司目前为方昕瑶租住的公寓一套，以及昨晚他带她去看的那套婚房全部转赠她名下。

赠予协议二中，厉凌将所持通宇唱片公司的百分之四十股份的一半，即百分之二十转赠给方昕瑶。但为避免引起公司运营混乱，这项赠予将只在私下进行，暂时不会在公司内披露。

最后一份承诺声明中，厉凌自愿在婚姻中做出保证，若因男方过错而致女方提出离婚，男方将无条件净身出户。

方昕瑶呆呆地看着手中的文件，一时间说不出一个字来。

"昕瑶？"

直到他叫她，她才回过神来："不，你不能把什么都给我，这些都是你多年的积攒，我不能要。"

他微微扬眉："我的东西如果不能跟你分享，我挣来何用？"

"可你这哪只是跟我分享啊，分明是全给我了……"

"没有全部，我还留了20%股份。"他振振有词。

"喂，这不是重点好吗？"她瞪着他。

"那我们谈谈重点。"他走到她跟前，抽出她手上的文件，悠然道，"重点是，你已经签字了。"

"啊，快还给我！"方昕瑶伸手去抓，然而厉凌已经把文件交到冯律师手上，后者会意，立马一溜烟跑出了办公室。

她无奈地看着他："为什么要这样？即使没有一分钱，我一样跟你在一起。"

厉凌握住她的双肩，正色道："我知道，昕瑶，是我想给你一个安稳的家。"

心里又涌上一股酸酸的感动，她吸吸鼻子，听见他又叹道："与其说我想给你一个安稳的家，不如说我请求你给我一个家。你知道我从小就没有家，没有爱我的亲人，这么多年来我所有的快乐、幸福，都是你带给我的。"

他喃喃地说："以后，我也有家了。"

方昕瑶紧紧抱住他，将他脆弱的一面心疼地纳入怀中："我们一辈子都会在一起。"

厉凌抬起她的下巴，俯下身吻她，吻着吻着便不自觉加深，气息也紊乱起来。他的嘴唇逐渐往下，在她纤细的脖子上烙下痕迹，手也不老实地又探进外套里去找寻她背上的拉链。

他太想再次回味昨夜撩人的风景。

"不行！"意识到他的企图，她急忙想推开他。

"为什么不行？"

"我……"她捂脸，"还疼……"

"嗯？"厉凌强迫自己刹住车，关切道，"怎么办呢，要不然我们去买点药膏？"

她窘，买什么药膏，跟药店的人怎么说，啊啊啊啊啊啊啊啊！

他似乎看出她的想法："你别担心，我去买。"

方昕瑶脸红地白他一眼："不用，让我休息几天就好。"

"好吧。"他又吻了吻她的嘴唇，憧憬道，"还想帮你上药呢。"

方昕瑶顿时石化，有句话叫作看起来越正经的人其实越不正经，果然很有道理，嗯！

1. 一切都完美得令人不敢相信 /// //

春节假期过后，厉凌在远思的案子已尘埃落定，也算是报完了杜老爷子当年的恩情。

向杜老爷子汇报完毕后，厉凌在离开集团时遇到了等候在外的杜乐凝。

一段时间没见，她看起来憔悴了不少："以后我们还是朋友吗？"

厉凌面色淡淡地说："从你决定陷害昕瑶开始，就已经斩断了这个可能。"

离开几步，他回过头："我就快结婚了，你也多加珍重。"

算是对她最后的真正的道别。

杜乐凝闭上眼，上次在通宇见面时她尚能凭一己之力维护住她的高傲，可是这段时间以来，看见方昕瑶在歌坛风生水起，她感觉自己所有身为大小姐的骄傲正在一点一点坍塌。

脑海中不禁浮现出三年前的那个除夕夜。

那一晚，当她欣喜地打开酒店包厢的门时，身后的亲人们也都往门口望过来，准备迎接厉凌这位特殊的客人。然而，她脸上的笑容在对上门口男子那双暗藏质问的眼睛时，不由得僵了一僵。

幸而老爷子的招呼打破了尴尬："小厉，来来来，坐我旁边。"

厉凌伫立了几秒后，依言走进包厢，坐在了老爷子左手边。她才松了一口气，陪在他左手入座。

杜乐凝知道，他是看在老爷子亲自发邀请帖的面子上，又以为今晚的除夕宴是公司高层的聚会，才会前来赴约。

她承认自己有意误导了他。可是这么多年来，厉凌孤身一人漂在北京，她只是希望这份融洽的家宴氛围能稍微破解他心里的壁障。

她的亲人们和乐融融，对他的到来显然也十分欢迎，然而他虽然礼貌地回应着，她却看得出他兴致缺缺。

酒过三巡，老爷子让服务员打开包厢里的电视，大家一边吃菜一边互相敬酒，时不时听几句主持人播报的新闻。觥筹交错间热闹非凡，可是他和她都无法融入其中。

杜乐凝一直在观察着厉凌。

突然，她看见他握住杯子的手指猛然收紧。顺着他的目光看去，电视上正在播放一则新闻："中国赴法留学生走上街头，抗议法国政府粗暴干涉中国内政……事件持续升级，法方派出警察维持秩序……中国留学生情绪激动，与法方执法人员发生冲突，导致流血事件发生……目前已有数十人受伤，八人伤重……"

这则新闻很快便过去了，他手上的力道却不减，总觉得再多一分力杯子就要碎掉。她认识的他一向是内敛而克制的，还从来没见过他这种说不清是担忧还是焦虑的状态，忙拍了拍他的手臂："怎么了？你有朋友在法国留学吗？"

厉凌闻言似乎回过神来，松开了手。

"如果担心的话，就给朋友去个电话。"

"……"他无言地沉默着，目光黯然。杜乐凝想，或许因为某种原因他无法打给这个朋友。

"或者，你可以打个电话去驻法大使馆问问。"

他像得到了什么金玉良言一样眼神一亮，在告知老爷子一声后立即握着手机走了出去。

看样子，她一直以来的猜想是对的，他如此封闭自己的心是因为，他心里早就驻扎了另一个人的影子。

待他打完电话回来，她并没有从他脸上看出放心，反而只有更加失望的神情。回到席上，他开始喝酒，一杯又一杯，敬完老爷子，又敬了她所有的亲人，之后自然是亲人们的回敬，他也都全部喝下。

当然他很快就喝醉了。

也不明白自己是怎样的心理，她当时并没有让司机送他回去，而是在酒店要了一间客房。她扶他在床上躺好，自己则抱膝坐在床边地毯上，就那样看着他。

"你心里的人究竟是谁呢？"

"如果没有这个人，你是不是就会看见我？"

自诩为名门千金，见惯世面的她，却只能在他醉酒沉睡时才敢问出口。

床上的人忽然翻身动了动。

"呀！"她吓得一声惊呼，还以为问的话被他听见了，仔细辨认发觉他不过是在说梦话。

"……哪……你在哪……"他说得模糊不清，断断续续。

心骤然一缩，杜乐凝扑在床前："谁？你说的是谁？"

她把耳朵凑到他唇边，终于听清了那两个字。从那时起，那个叫"昕瑶"的女孩子，就成了她心上的一根越扎越深的刺。

如果没有这个人？你是不是就会看见我？

时隔三年，杜乐凝再一次在心里默念这个问题。可是，没有任何人能够给她答案。

唱片公司里，对于究竟何时宣布方昕瑶与厉凌婚讯的问题，厉凌与都岚产生了很大分歧。厉凌的意思是想越快越好，但都岚有更多的考量。

"昕瑶的首次个人演唱会正在筹备中，这可是个造势的好机会啊！一定要在演唱会上当场宣布婚讯，然后演唱会结束的第二天立即去登记领证，跟着在一个月内举行婚礼，然后放你们一个月假爱去哪度蜜月就去哪。这样一来昕瑶的这场演唱会就能和婚礼结合在一起，至少能引起好几个月的关注。"

都岚越说越双眼放光，当然这个方案对昕瑶来说是最佳的选择，因此得到了演唱会筹备团队所有人的支持。

只有厉凌不满地沉着脸。上次他想跟昕瑶一起搬到新房，也是被都岚说，还没结婚就住一起的话，被媒体拍到会影响昕瑶的形象。现在他想早点结婚，又被演唱会阻拦。

徐曼卿扯着尖细的嗓音劝道："厉总，演唱会也不过还有三个月而已，为了支持昕瑶的事业，您就坚持一下吧。"

徐曼卿自从转做方昕瑶的经纪人之后，一直兢兢业业。当初甄霓跳槽时本欲将她这个跟班一起带走，但徐曼卿拒绝了。感念这一点，都岚也十分上心地指点她，慢慢地她竟然出人意料地快速成长起来，到现在已经越发得心应手。

"就这么定了吧。"都岚拍板，横竖是为了昕瑶好，她料定厉总一定不会真的反对。

果然，厉凌虽然神色阴森，但最终什么也没说，只丢下一句"演唱会好好做"，便郁闷地离开了会议室。

一屋子工作人员忍俊不禁，他们的冷酷 Boss 自从被爱情收服后就像被掐住了命脉，变得一点也不可怕了。

说来说去，他们所讨论的演唱会女主角却并不在现场，而是在为了三个月后的演唱会拼命练习舞蹈。

方昕瑶的首次个演于 5 月 1 日在首都体育馆举行。开唱前十天门票即告售罄，足可见这位新生代小天后人气之高。

整场演唱会计划两个半小时，分成四个阶段，每段演唱五首歌曲，此外还准备了三首返场安可，共计二十三首歌，这对首次开唱的她来说，无论从唱功还是体力上都是一个巨大的考验。

当然，舞台上的造型也是一大重头。厉凌为此还颇纠结了一番，他既想在后台亲手为她打理，又想去场下亲眼看着她唱歌。最终，他亲自为她设计了五套妆容及造型，又为她挑选了对应的衣服，然后第一套造型由他一手包办，剩下的交托给Vivian，而他则去前场观看。

离演唱会开场只剩最后两个小时。

后台化妆室里，方昕瑶闭着眼坐在妆镜前，而厉凌躬身相对，细致地为她描画眉眼。

都岚在一旁抱手观看，啧啧称奇：“你说你明明已经好几年没有亲自动过手了，怎么就还能保持巅峰时期的水准呢？”

厉凌斜她一眼：“说吧，你自问自答的下半句是什么？”

“哈哈，答案就是爱的力量！”都岚沾沾自喜。

“呵呵。”方昕瑶扑哧笑出声，脸随之一动，使得厉凌手中的眉笔歪了一画。

他皱了皱眉，眼光犀利地一扫，都岚投降道：“行行行，不影响你们，我去前场再看一圈舞台布置。”

虽说设计了五套妆容与发型，但首套显然是最重要的基础，后续只需Vivian稍加补妆并更改发型即可。他一边动作一边向站在一旁的Vivian事无巨细地交代，Vivian诚惶诚恐，还拿出小册子一字一句地记录下来。

底妆终于上完，厉凌深感满意，于是接着操作起她的头发来。开场发型为了配合她所唱的第一首歌《Angel》，同时也为了衬托一直以来她在歌坛的定位和路线，因此他为她设计了一个清纯甜美、仙气十足的发型。

将长发自中间起微微烫卷至发梢，塑造出蓬松感，再将秀发全数掖至后顶扎成花苞式样，同时将刘海全部梳起，搭配以碎钻石镶嵌的发夹。看似简洁，但往往越是简洁的发型越考验造型师的功力。

绝世风光不及你

Vivian在一旁赞叹道："头顶头发的蓬度，后顶花苞盘发的高度，还有整体发型的弧度，都与方小姐的脸型搭配得完美无缺。我做造型师十几年，自问达不到。"

"并非你技艺不够，而是对手中的人了解不够。"或许是因为心情好，一向不爱解释的厉凌破天荒地回了一句。

Vivian露出恍然有所悟的微笑。

方昕瑶眉眼弯弯地望着镜中的自己，每次经他手之后，她都觉得有一种像是经过修炼而更进一层的感觉。对于待会儿上台似乎也变得更有自信了。

她看了看墙上的钟，离演唱会正式开幕只余一小时。

"我的手机呢？雪妍说会和梁浩提前来后台看我，怎么还没到。"

厉凌找出她的手机递给她，她拨通谢雪妍的电话，可响了好几声都无人接听。隔了五分钟，她又拨了一次，这一次很快便通了。

"喂，雪妍，你到哪儿了？"

电话那头却无人接话。

"喂？"是信号不好吗？正准备挂了重打，那边却说话了。

"昕瑶……"

是雪妍的声音，可是听起来无精打采，还带了些浓浓的鼻音。

"雪妍？你怎么了？"

"我没事……"谢雪妍吸吸鼻子。

方昕瑶微微一愣，这个声音听上去……似乎刚刚哭过。雪妍哭了？她会哭吗？认识她几年，从来没有见她哭过。

"发生什么事了吗？你在哭？"

"我真的没事，昕瑶，今天演唱会我可能来不了了，对不起。"谢雪妍强撑起精神，"梁浩自己去了，这会儿应该快到了。"

"不能来没关系，但我不放心你，你让梁浩好好照顾你，不用过来了。"

"呵呵。"她苦涩一笑，"你的首唱，他怎么可能不去？就算天要塌了，他想的也只是会不会压着你。"

方昕瑶握着手机蒙了，不知道为什么雪妍会突然说出这样的话。

"对不起，我失言了。昕瑶，演唱会好好加油。"说完这句话，谢雪妍挂了电话。

方昕瑶把手机捏在手中，只觉得耳畔灼灼发热。雪妍一定是跟梁浩发生了什么吧？

厉凌在一旁忙碌，应该没有听见。他走过来："你怎么了？"

"哦，雪妍说她身体不舒服，我有点担心罢了。"

他撑着椅子扶手弯下身，盯着她的脸："先别想那么多，等演唱会结束我陪你去看看她。"

"嗯。"她收敛心神，暂时把心里的疑问抛开。

Vivian取出第一件演出服："厉总，这边已经准备完毕，您去前场入座吧，我要替方小姐换衣服。"

厉凌点头，握住方昕瑶的手："怎么办，我已经迫不及待了。"

她笑："那你就快点出去，我才能快点换衣服，快点开场，快点结束，快点到明天。"

到了明天，他就能正式从法律上与她建立起世界上最亲密的关系。

一切都是那么令人期待。

梁浩正驱车奔往演唱会所在的首都体育馆。原本与谢雪妍约好一起提前去后台为昕瑶打气，她也提前来他家找他，可是临出门时不知怎么回事，雪妍突然哭着质问他是不是仍然喜欢昕瑶，一丁点都没有把她放在心上。

他不知道该如何解释，事实上也根本无从解释。

只是这么一耽搁，出门时时间已经稍晚，又赶上车流晚高峰，待他开到体育馆停好车时，观众已经开始检票进场。

他只好夹在人流中缓慢朝前挪动。好容易到了检票口，在接受入场安检时，他看见一个女孩儿从内场出来，低着头快速地走到栏障前欲钻过去。

所有观众都在往里走，唯独那个女孩儿恰恰相反。保安试图制止她："这里不让通过，要出去的话请走侧门。"

女孩儿不接话，一把推开保安钻过栏障快步往外走。保安毫无办法，只能叹了口气。

这只不过是一个小插曲，引不起任何人的注意，可梁浩偏偏觉得那个女孩的身影似曾相识，好像在哪里见过。

"好了，可以进去了。"安检员把他的个人物品还给他。

梁浩一边往里走一边回头张望，恰好看见那个女孩儿走到外围大门边，又回头看了一眼。

脑中的记忆一刹那间被点燃。

这个女孩儿不就是在两年前的校园歌手大赛上，偷了昕瑶 CD 的人，他记得名字叫舒叶林。

她怎么会在这儿？她来干什么？又为什么在开场前匆匆离开？

入场后，梁浩想先绕去后台告诉昕瑶一声，可是工作人员告知后台已封锁，他不能过去。

正心急时，有人走过来："怎么回事？"

"都总，他想去后台，可是现在后台正在做最后准备，外人不能进去了。"

梁浩见过都岚几面，都岚也认识他。

"嗨，你不就是昕瑶的学长，厉总的……咳咳。"她咽下"情敌"两个字，"走吧，我带你进去。"

有都岚带路，工作人员随即让出通道。

"谢谢。"梁浩犹豫了片刻，决定暂时先不要告诉都岚，以免影响了演唱会的正常进程。毕竟舒叶林的出现未必一定就有问题，或许只是自己关心则乱而已。

随都岚一起走到后台，方昕瑶已经换好衣服，正准备去舞台侧面候场。她穿着一身纯白一字肩缀碎钻及地裙，头发全数拢起来，露出光洁的额头，整个人亮眼得就像从画里走出来的贵族公主，看得他微微失神。

"梁浩，你来了。"她迎上来，本来挂着笑容的脸上不知为何突然露出担忧的神色，欲言又止道，"你没事吧？"

"我——"他刚一开口，就听见在另外一边检查工作人员的都岚说，"灯光组、舞美组、音响组、摄像组都 OK 了，可是道具组怎么少了一人？"

都岚核对了一遍："负责吊威亚的小邓去哪儿了？"

道具组组长答道："小邓刚刚还在，这会儿去厕所了，他说很快就回来。"

都岚显然不太高兴："演唱会只剩下最后几分钟，非要挑这时候上厕所吗？"

组长道："都总，威亚只在最后一首歌时才用，等开场特效做完我就去找他。"他又补了一句，"所有道具我全都亲自检查过，您就放心吧。"

开场在即，都岚也不便再追究。梁浩却莫名心中不安："演唱会上还有需要吊威亚的高空动作？"

方昕瑶解释道："没有，只不过最后一首歌要从高空坐活动秋千进场，吊威亚只是起保护作用而已，本来不吊也没问题的，是他们不放心。"

都岚扫过来一道耐人寻味的眼光："怎么，你保护欲过盛啊？"

梁浩不理她："我刚才进体育馆时，看见舒叶林从馆内跑出去了。"

"舒叶林？她来干什么？"

都岚不以为意："嗨，原来你就是看见她了。她能做什么，顶多不过羡慕嫉妒恨来找场子呗。你操心太过了，她根本不可能进后台，又能掀什么风浪？得，我去跟见过她的工作人员说一声，再看见她就拦在场外不许进馆。"

这样也好。梁浩稍微松了口气。

时间不多了，方昕瑶推他道："你快去贵宾席入座吧，我马上要上场了。"

他点了点头，脚步刚一挪动却又收回来："我能不能就站在舞台侧面的角落里看？"

"这……"她不明白，但梁浩坚持，她只好说，"好吧，那你和道具师一起。"

晚上七点整，演唱会正式开始。

由于这是方昕瑶出道以来的第一场演唱会，规模并不算太大，只选取了能容纳一万八千人的首都体育馆。这里虽然座席数比不上工体，但胜在舞台宽阔，挑高足够，方便打造各种高端华丽的舞台特效。历年来能在歌坛站稳脚跟的人，首唱大多都选在这里。

厉凌坐在贵宾席正首位，双掌交握轻撑下巴，一动不动地注视着台上的状况。

音乐先起。

这段音乐是《Angel》这首歌的前奏，骆添特意重新编排拉长至五分钟。环绕在舞台左右后三方的巨幕上出现了方昕瑶从出道至今许多剪辑而成的镜头。

随着前奏结束，舞台上忽起一片白色烟雾，茫茫交汇，犹如一层洁白的云。云层之上，先有动人的天籁传来，几句哼唱的音律之间，看台上就已爆发出剧烈的欢呼声。

引子过后，舞台后方的屏幕缓缓一分为二向两边打开，方昕瑶身着一袭长裙款而出，宛如踏云而来的仙女。

她的歌声通过手中的麦克风席卷全场，厉凌自认为并不是很懂音律，可在通宇唱片这么多年，也算听过许多歌手唱歌，却没有一个人比得上昕瑶声音的质地。

记得毕业时在通宇集团实习结束后，杜老爷子问他愿不愿意去通宇唱片协助他的孙女。学市场营销出身的他原本对音乐可算一窍不通，但那个时候，他莫名地就回忆起昕瑶小时候曾热切地缠着他说，长大以后如果能像妈妈一样做一名歌手就好了。

现在，她的梦想已然成真，而他的愿望，只要等到明天，也将实现。

一切都完美得令人不敢相信。

演唱会有条不紊地进行着，方昕瑶每次换装时便由其他知名歌手作为特邀嘉宾登台献唱。春、夏、秋、冬四幕过去，二十首歌演唱完毕，观众却显然不满足于此，齐声高呼"安可"，震得体育馆的屋顶都像要被掀起来。

团队自然早就预料到演唱会会是这样火爆的局面，因此安可返场的安排才是最后压轴的盛装。

厉凌几乎按捺不住自己内心小小的激动，安可的歌一旦结束，昕瑶便会向观众宣布他们的婚讯。

当音乐重新响起来的时候，他直直盯着舞台，他知道昕瑶即将返场。

从二十多米挑高的舞台顶部，一架扎满鲜花的秋千徐徐降下，方昕瑶穿着一件前短尾长的繁复拖尾长裙，双腿交叠坐在秋千上，微笑着朝看台上挥手。

有那么一瞬间，她向贵宾席看过来，甜甜一笑。厉凌正欲抬手回应，可是秋千悬挂的一边突然下沉，整个秋千一歪，差一点将她甩下去。虽然她眼疾手快抓住了扎满鲜花的绳索，秋千却因此晃动，摇摆不定。

他的心猛然提到了嗓子眼。

已经有前排观众发现了这一点，纷纷相互低声询问，这是出了什么状况吗？还是策划方刻意的安排？

秋千离地面尚有十几米的高度，厉凌控制不住地站起来，他仿佛能看到昕瑶望向他惨白的脸色。不对，秋千有问题！

他不顾一切地翻身跃过长桌，朝舞台跑去。那一段不算太远的路却像怎么也到不了，他还没能抵达舞台，就听见一声惊呼，秋千的一侧彻底断裂，他眼睁睁地看着昕瑶从十几米高空坠落下来。

头像被一记钝器闷击，厉凌脑袋里轰然发黑，喉咙里一股腥甜上涌，几欲窒息。

"昕瑶！"他根本来不及救她。他的世界，忽然蜕变成一片死寂的灰黑。

绝望之际，一道人影从舞台侧面急速跑来，在昕瑶即将坠地之时扑上去抱住了她。巨大的重力压得人影摔在地上，两人纠在一起滚了好几圈才停下来。

世界无声，体育馆内明明有那么多人，厉凌却什么也听不见，只看得到两个紧闭双眼昏迷不醒的人。他强撑着双腿跨上舞台，他不断告诉自己要振作，要冷静，昕瑶需要他，可是仅仅走到她跟前就耗费了他所有的力气。

双膝猛地着地，他也没有任何疼的感觉。他颤抖地伸出手去，想摸一摸她的脸，却不知道被什么人拉住了；也不知道是什么人在说："不要碰他们，救护车马上就到！"

他只能无助地跪在那里，眼睛一眨不眨地盯着她，想从她脸上看出一丝丝她还活着的希望。

昕瑶，我可以什么都不要，也什么都不在乎，只是请求你，一定要活着。

活着就好。

2. 她还从来没有听见过雪妍这种责备的语气 /// //

方昕瑶知道自己在一团黑暗里待了很久。她一直告诉自己不能就此睡去，一直都在寻找哪怕一丝丝与外界的联系，可是她不管怎么走，怎么跑，怎么跳，黑暗始终如影随形，如同将她吞噬了一般。

跑得累了，她便坐下来休息一会儿，稍微恢复些力气，就又起来继续寻找出口。她记得自己跟厉凌哥哥约好了要去登记结婚，如果她失约，他一定会误会自己不愿意嫁给他。

因此，无论如何她都要找到出去的路。

方昕瑶感觉到身体轻松一些了，于是继续站起来上路。这一次，她走着走着，似乎隐约听见何处传来一点细微的声音。

"病人的生命体征正在好转，应该很快就会醒过来。"

病人？说的是她吗？

"谢谢你医生。"

这个声音……是厉凌哥哥？可是听上去为何有一种她不曾听过的沙哑？

"已经一天一夜了，就算是铁打的身体也需要休息啊。"

"我要等她醒来。"

方昕瑶虽然看不见外面，可她逐渐有了些知觉，她感觉到她的手似乎被他紧紧握着贴在额头上，感觉到他整个人由内而外的悲伤。

心骤然一疼。她怎么能让他伤心难过呢，她一定要赶快去见他！

这么一想，身体仿佛忽然涌进一股源源不绝的力量，她借着这力量拼命往前跑，不知又跑了多久，周围的黑暗似乎在不经意间化作了一条狭长的隧道，隧道尽头照进来一点明亮的光线。

虽只是星星之光，却足以让她燃起熊熊希望。

她终于触摸到光亮。

睁开眼睛时，第一眼看见的便是天花板的顶灯。

思维还有些迟钝，她一时想不起来自己究竟发生了什么，只觉得像沉睡了很久，身体的每一寸骨骼和血肉都是酸痛的。

方昕瑶试探着动了动手，右手指尚能活动，可左手不知怎么回事，如同被死死固定住了一般。

"昕瑶？"她听见这个欣喜若狂的声音，"你醒了？"

紧接着一张憔悴不堪的脸出现在她眼前，他的眼睛里布满了干涸的血丝，下巴上也长出了青色的胡楂。

"厉凌哥哥……"

"怎么样，有没有觉得哪里不舒服？我马上叫医生。"似乎太过激动，他连声音都微微颤抖。

"全身都在痛……左手也动不了了……"

厉凌脸色立变，抓住刚进来看诊的医生连珠炮似的发问："怎么回事？不是说没有大碍吗？为什么她全身都在痛？为什么左手动不了了？"

医生给她检查了一番后说："少安毋躁，病人从相当于四层楼的高度摔下来，只受了轻伤已经属于万幸。左手不能动是因为骨折打了石膏，没事的。"

手电的强光照了照她的眼睛："瞳孔还有点扩散。怎么样，头疼吗？想得起发生了什么吗？"

"头倒不疼，只是发生了什么……"方昕瑶用力回忆，"对了，我在唱最后一首歌时从高空悬挂的秋千上摔下来了，后来就什么都不知道了。"

医生说："从拍的片子看，头部应该没有受伤，充其量只是轻微脑震荡，休息几天就好。至于身体的痛感，能忍受尽量忍受，实在忍不了可以注射吗啡镇痛。"

方昕瑶急了："我不要吗啡……会变笨的……"

"哈哈。"医生放心地笑了，"还能在意笨不笨的问题，可见没什么事了。"他又拍拍厉凌的肩膀，"你俩都需要好好休息。"

医生出去后，厉凌坐在床边，满眼疼惜地望着她。她很想伸手抚平他眉间的褶皱，可是实在没什么力气，只好尽力挤出一个自认为不错的微笑："医生都说我没事了，你回去睡一会儿吧。"

"我不走。"

"呃……我也需要睡觉呢。"

"我就坐在这里，不会发出声音，你安心睡吧。"

方昕瑶看了看窗外，是白天："现在不抓紧时间休息，晚上谁陪我呢？"

"我。"他斩钉截铁。

"……你是想创下不合眼的世界纪录吗？"

"我不放心你一个人。"

"都岚姐呢？"

厉凌脸上闪过一瞬暗芒："她在处理演唱会善后工作，另外，我还交给她一件事。"

咔嚓一声，病房的门应声而开，方昕瑶侧头看去，便见谢雪妍抱着一个香水百合花篮走进来，带来一室清香。

"雪妍来了。"她捉住了救兵，"雪妍可以陪我，你回去休息吧。"

厉凌为难地看了谢雪妍一眼，还是不愿意离开。

"我陪着昕瑶，你就放心吧。再说，我还有悄悄话想和昕瑶说。"

"听见了吗？还不快走？"方昕瑶笑眯眯地下了逐客令。

"好吧。"他站起来，"但你们不能说得太久，要多休息。"

"遵命！"

厉凌离开后，谢雪妍把花篮放下，坐在床边的椅子上。这回离得近了，方昕瑶才发现雪妍的脸色有些苍白。

"我没事的，别担心。"她安慰道。

谢雪妍撇撇嘴："你当然没事了，可怜的是梁浩。"

方昕瑶茫然："梁浩？他怎么了？"

"你还能更忘恩负义一点吗？"谢雪妍不悦道，"他舍身救了你，你居然不知道？"

她怔住了。

"你摔下来，如果不是他接住了你，承担了大部分的冲击力，你能安然无恙吗？"

听雪妍一说，她脑中浮现出一点模糊的印象，在她坠地之前似乎确实被什么东西挡了一挡，跟着才失去知觉。

是梁浩？

"梁浩呢？他怎么样了？"

谢雪妍几乎要哭出来："他全身多处骨折，脾脏破裂，生命垂危。"

"什么？"方昕瑶全身猛地绷紧，不由自主便想坐起来，全身因

绝世风光不及你

为这一动而传来一阵剧痛。

"很意外吗？他连自己的命也不要地去救你，你很意外吗？"

她还从来没有听见过雪妍这种责备的语气，可眼下哪里顾得上这些，只是心急如焚："他现在在哪儿？"

"就在这家医院的 ICU 病房。"

"我去看看他！"方昕瑶挣扎着撑起了身体，忍着剧痛下了床，脚步虚浮，一个不稳差一点跌在地上，幸而谢雪妍拉住了她。

"我不会劝你别去的。走吧，你应该去看看他。"

方昕瑶拖着步子，在雪妍的搀扶下缓慢地移出了病房。现在的她就像小美人鱼一样，每走一步都像踩在刀尖上。

ICU 病房就在长长走廊的尽头。眼下正好到探视时间，她们挪动到病房门口时恰好见梁浩的主治医生走出来。

主治医生意外道："你不是前天跟梁浩一起送来的病人吗？怎么下床了？"

方昕瑶着急地问："我没事，他怎么样了？"

"他已经度过危险期，暂时没有生命危险了。"

一颗提着的心稍微舒缓了一点。

"只是——"医生叹了口气，"之前由于脾脏破裂，内出血过多，大脑长时间缺氧，以致他虽然被抢救过来，却陷入了重度昏迷。"

方昕瑶心口蓦地一紧，忙问："重度昏迷是什么意思？他什么时候才能醒？"

医生沉重道："抱歉，这个没有人知道。或许他的大脑异于常人，很快就能恢复，也或许很长时间都恢复不了。但以我从医二十几年的经验来看，更大的可能是，他会长期昏迷。换句话说，就是植物人。"

方昕瑶蒙了，头脑一片空白，身体因为受不了这个打击而瘫软下去，雪妍也身体颤抖，根本扶不住她。还是医生眼疾手快地架住她："你现在还很虚弱，回病房休息吧。"

"我想进去看看他。"方昕瑶紧咬着嘴唇，几乎用尽全身力气才勉强站住。

谢雪妍也倔强地抿着嘴，用手反复地擦拭夺眶而出的眼泪。

医生没办法，只能扶她进去，让她在椅子上坐下："ICU每天探视时间只有半小时，时间到了你们就回去吧，病人也需要休息。"

医生出去了。病房里陡然安静下来，各种维持生命的仪器包围着躺在床上的人，发出各种有节奏的提示音。梁浩一动不动地躺在床上，脸色黯然，双眼紧闭，头部被缠上了厚厚的绷带，嘴和鼻套着呼吸机。

"梁浩……"方昕瑶呼唤一声，多希望下一刻他就能睁开眼睛，还跟以前一样一见她就笑得清澈明朗。

当然，只不过是妄想罢了。

谢雪妍止住哭泣，哀伤道："医生说，你从高空掉下来的时候，幸好梁浩接住了你，帮你承担了大部分冲击力，你才能安然无恙。他却变成这个样子。等他醒来，我一定要问他，值得吗？你明明都已经快结婚了，明明从来就没有在乎过他的感受，他值得为你豁出性命吗？值得吗？"

顿了顿，她又如同自嘲一般："他飞身出去救你的时候，恐怕根本就没有考虑过值不值得吧？昕瑶，我曾经认为，只要我耐心等待，总有一天他会对你死心，总有一天他会真心发觉我的好。可是现在我明白了，我永远都不会有这个机会。"

方昕瑶安静地听着，心被一种巨大的愧疚吞噬，她无力去辩驳雪妍所说的每一句话。

"演唱会开场前，你不是在电话里问我为什么不跟梁浩一起去吗？"谢雪妍从背包里拿出一个iPad，"这是他的，我去他家等他时，发现了他存在里面的日志。"

方昕瑶讷讷地接过，看见页面上有一个写日记的软件，点击一下，系统提示输入密码。

谢雪妍讽刺道："密码再简单不过了，难道你猜不到？"

方昕瑶输入自己的生日，便进入了日记分类页面。

看来梁浩一直都有记录和整理的习惯，每一篇日记都打上了分类标签，数量最多的一类，标签写着"昕瑶"。

心顿时抽痛起来。

第一篇，2008 年 8 月 21 日。方昕瑶记得，她是在 2008 年 9 月 1 日才进入 C 大的，为什么 8 月 21 日的日志会和自己有关？

今天提前返校安排十天后新生入学接待事宜，学生会主席派我去校长办公室送一些资料。一进门我就看见校长拿着几页装订的 A4 纸长吁短叹。他告诉我说，有个女孩带着简历来求学，她高考成绩很好，可是不知道为什么没有通过正常的填志愿流程报考大学，这让他很为难。

我问校长："虽然为难，但学校不是有特招名额吗？只要说服特招委员会的成员们，是可以破例收下她的不是吗？"

校长反问："你希望我收下她？"

"我只是觉得，作为一所知名学府，不应该放弃任何一名有资格求学的学子。何况，她一个女孩子，如果不是遇到天大的难事，怎么会用这种办法找学校？如果没有学校肯收留她，恐怕她从此以后就会流落社会了。"

"嗯……你是学生会副主席，我会仔细考虑你说的话。"

其实我看得出，校长本就有意收下她，只是需要一个人给他最后的决心而已。

简历上没有贴照片，不过我却记住了一个很好听的名字——方昕瑶。

看完这篇，方昕瑶抬头看着病床上的梁浩。她记得当初校长打电话时告诉过她，本来对于收下她这件事有所犹豫，是一个学生的话点醒了他。她一直以来在心里感激着贵人相助，可她无论如何也没有想到，原来她的这个贵人，就是在大学里始终照顾着她的梁浩。

压了压心里的钝痛，她继续往下看。

2008 年 9 月 1 日

今天主席带着学生会各干事在校门口迎新。我负责引导的第一位学妹，当她在册子上写下自己的名字时，我惊呆了。她居然叫方昕瑶，她就是简历上的那个女孩。

我不禁关注起她来，帮她注册了学籍，又帮她把行李送到了宿舍。她很漂亮，鹅蛋脸，大眼睛，应该是一副很甜美的面孔。可偏偏她从头到尾一点笑容也没有，整个人冷冷清清，就像没有一点喜怒哀乐的样子。除了向我客气地道谢，再没多说过一个字。

联系到她求学的举动，实在很难不去猜想：她究竟是怎样一个人？究竟发生过什么事？

2008 年 9 月 30 日

没想到会在今天的迎新晚会上看见她。她应该是加入了学校合唱团，跟合唱团一起表演了最后压轴的大合唱。台上二三十个人里就属她唱得最认真。说来也奇怪，明明那么多人的声音混合交叠在一起，我竟然能分辨出她的声音。她的声音超级好听，就连我这个原本对唱歌听歌不怎么感冒的门外汉也被深深吸引住了。

节目完毕后我去后台找她，我叫她的名字，她一脸冷淡地瞥了我一眼，似乎完全不记得我是谁，完全不搭理我。直到我说："你唱歌真好听。"她眼睛里才染上一点神采，微微牵了牵嘴角，说了声谢谢。

这甚至都不能算是一个正式的笑容吧？可是我的心跳居然不听使唤地加速了。我想我必须承认，我对这个女孩动了心。

之后还有许多篇，记录了梁浩如何一次次煞费苦心地制造邂逅，记录了他如何一步一步向她靠拢，终于在两年以后成为她的朋友。她给他的每一个反应，每一个表情，每一句话，都在他的日记里有所解读。

方昕瑶不是不知道梁浩喜欢自己，可是从来不知道原来他在她看不见的地方也花了这样多的心思。这一份感情，分量太重。

足足看了两个小时，她看到了两年半以前的除夕夜。

2012 年 2 月 12 日

今天是我有生以来最幸福的一个除夕夜，因为我第一次和昕瑶一起跨年。我还在拍卖会上拍下了一个她喜欢的发箍送给她。她并不知道这个翡翠发箍是我妈妈捐出来的，看见她戴上妈妈的首饰，我心里其实很有一些别样的窃喜。

本该是完美的一天，如果，不是有那个人出现的话。

我一直都知道，她心里住着一个人。原本我并不在意，既然他现在不在她生命中，凭我的努力早晚可以打动她。

可是今晚雪妍告诉我，昕瑶在电话里跟她讲述了过去。原来，昕瑶从小就喜欢的人最近又重新出现了。

送她回宿舍时，我见到那个人在等她。后来，我回车旁等了一会儿，他走出来，走到我面前，用带有敌意的目光冷冷看着我。我被激起了怒意，冲他强硬地说："你只不过是一段过去，我才是她的未来。"

他似是不屑，说了一句："她的过去、现在、将来，统统都是我的。"半步也不肯退让。

以往，不管昕瑶对我怎么冷淡，怎么拒绝，我都从来没有气馁过，可是那一刻，我竟然心慌了，我怕我赢不了他。我没有机会参与她的过去，这就是我致命的弱点吗？

2012 年 4 月 14 日

昕瑶遇到了这么大的事，那个承诺说要保护她的人去哪儿了？

无论如何，我不会让任何人伤害她。

这一篇，指的是她遇到朱启铭吧？

2012 年 7 月 28 日

我终于明白，我赢不了那个人。昕瑶喜欢的人从来都不会是我。但正如雪妍所说的，爱的极致是成全。我愿意做一个远远旁观的守护者，只要她能幸福。

再后来，梁浩的日志渐渐少了起来，从时间上看，大概是他为开公司而忙碌，也尝试着要将自己放下吧。

最后一篇日志的日期是三个月前，厉凌向她求婚那晚。

2014 年 1 月 23 日

那个人要向她求婚了。从雪妍那得知，为了重现出和两年前除夕夜相似的情景，需要有一个人在午夜前将她约出去，并带到求婚的地点。我主动找到那个人说，两年前做这件事的人就是我，今天也应该是我。这是不是有点自虐的味道？可我控制不住自己，既然这一生我无法向她求婚，那起码让我做一个见证者。我真的很想亲眼见证她每一个重要的时刻。

当她从楼上下来，朝我的方向走来时，我居然有一种窒息的感觉。我有多久没见过她了？这些日子我不断用高强度的工作来麻痹自己，压抑自己，可是所有的努力都在她出现的这一刻完全粉碎。

我把她带到世贸天阶，目睹了那个人精心准备的整个求婚仪式，看见她流着泪说"我愿意"，戴上了他送的戒指。我突然发现，我因为她而练成了一种神功，即使我的心狠狠揪痛，脸上也能露出让她放心的笑容。

我想，这样一种毫无保留的爱情，这一辈子我也只能给她了吧。至于雪妍，我会找时机向她道歉，我还是辜负了她。

看完所有日记时，天已经完全黑下来。雪妍早已离去，她一个人无力地躺在病房里，思维犹如静止。她仿佛出现一种幻觉，幻觉中的自己茫然无措地站在一条岔路中间，不知应该往左还是往右。

病房门突然被推开了，厉凌拎着食盒进来，快步走到她床边："怎么就你一个人？你朋友呢？"

方昕瑶心里一酸，眼睛里含着泪花："厉凌哥哥……"

他似乎被吓坏了，急忙放下食盒握住她的手："你怎么了？是不是哪里不舒服？我马上叫医生！"

"不是。"她阻止他按铃，"我只是饿了。"

他不太相信："真的？"

"嗯，真的很饿。"

他总算心头一松，拿过食盒打开，一阵软糯的香味随之飘来。

"我知道你会饿，所以熬了鱼片粥。来，我喂你吃点。"

方昕瑶吃了两口，粥黏稠入味，一尝就知道费了不少工夫。

"你一定没听我的话好好休息。"

"谁说的，一回家我就熬上了粥，睡一觉起来粥刚刚好。"

可她知道，惦记着炉子上的粥，他又怎么能睡得安稳呢？

厉凌坐在床头，她稍微移动身体，把头枕在他腿上，感受着他用手轻轻梳理着自己的头发。

"医生说你元气大伤，应该吃点人参或者阿胶补补气血。人参公司的礼品库里就有，阿胶我亲自熬的会比较好。"

"我不想你太辛苦……"

"昕瑶，只要你能快点好起来，做什么我都愿意。"

方昕瑶闭上眼，任由眼泪在他看不见的地方无声地滑落。

3. "我不会跟你结婚了。" /// //

休息了一段时间之后，方昕瑶的身体已经恢复了大半，左手臂固定的石膏也取了下来。而梁浩依旧昏迷着，只是从 ICU 转入了普通病房。医生说他的大脑竟然真的以异于常人的速度恢复着，虽然仍旧不知道什么时候能醒来，但似乎不再是毫无希望。

出院那天，厉凌准时来接她，到了病房却不见她人。稍微一想，他便猜到她大概又去看梁浩了吧。

于是他转去梁浩的病房，见她果然默默坐在他床边。

"昕瑶。"他叫她，"出院手续已经办好，我们该回去了。"

方昕瑶却没有应答。

他又道："我们可以明天再来看他。"

她背对着他，开口："厉凌哥哥，我有话想跟你说。"

厉凌怔住，心里忽然涌上不好的预感。

"怎么了？"

"我不会跟你结婚了。"

"什么？"他明明听清了她说的每一个字，但一点也不明白她的意思，"你说什么？"

方昕瑶深吸一口气，站起来转身望着他："我们取消婚约吧。"

这突如其来的状况霎时扼住了他的咽喉，心上犹如被利刃划过，裂开了一道渗血的沟痕。

"为什么？"他上前两步，双手握住她的肩膀，难以置信地死死盯着她。

她却别开脸不敢看他："梁浩救了我，我欠他一条命。"

"我知道，他现在昏迷不醒，你一定放心不下。其实，不只你觉得亏欠他，我也很感激他。我并不要求你现在就嫁给我，我会和你一起照顾他，我愿意把我们的婚约推迟到他醒来之后，但是，无论如何我都不会同意取消！医生也说他醒来的几率越来越大，不是吗？"

厉凌强自镇定，试图说服她。

"如果他永远都不醒呢？我不想拖累你，我已经下定决心，要永远照顾他。"

"昕瑶，你看着我！"他扳过她的下巴，几乎快被心里的慌乱击

绝世风光
不及你

266

倒，"你不可能是认真的，你只是太愧疚，所以才这么说的对不对？何况救你是他自己的选择，根本与你无关！"

"你的意思是他活该吗？厉凌哥哥！你还要瞒我到何时？我已经知道，那个秋千和威亚都是人为弄坏的，目的就是要置我于死地。是梁浩替我挡了一劫，根本就是我害了他。我已经没有办法将真正的凶手绳之以法，难道还要让梁浩白白为我牺牲吗？"

厉凌的身体蓦地僵住。这些天以来，他最担心的事还是发生了。他小心翼翼隐瞒的真相，还是被她知晓了。

"梁浩如果真的有幸醒来，我会和他在一起。他若愿意跟我结婚，我就嫁给他。"方昕瑶紧紧攥着拳头，"对不起，我真的欠他太多。"

厉凌感觉自己像要被一股巨大的力量撕碎，心上的痛楚一直传到了指尖，他颓然地放开手："等他醒来，不管他想要什么回报，我都会倾尽全力给他。可是，唯独你，我决不同意。"

他再也无法多待一秒钟，害怕还会听见她更决绝的话语，只能近乎狼狈地夺门而逃。

方昕瑶蹲在地上哭得声嘶力竭，此时此刻，她真的宁愿躺在病床上昏迷不醒的人是她，那样她就不会亏欠任何人。在爱情与良心之间，最终做出这样的选择，于她来说也是刀剐凌迟般痛苦。

"厉凌哥哥……对不起……对不起……"

命运并非第一次愚弄她。以往，不管是妈妈的去世，还是小姨的背叛，她都能咬紧牙关坚持下来。可这一次，她毫无办法。

厉凌独自回到办公室，进门的那一刻看见窗外过于灿烂的阳光，竟觉得刺目得难以忍受。

曾经的他最讨厌炽烈明亮的光线，喜欢将自己置身于幽暗中。可自从昕瑶重新回到他的生命里，他原本已渐渐适应，渐渐变得不再惧怕，变得可以坦然地走在阳光里。

而现在呢，他又要失去她了吗？

他心烦意乱地把窗户两旁的窗帘往里拉扯，可大概由于许久没有拉动，窗帘轨道失灵，这一拽竟然卡住了。他满腔的懊恼无处发泄，手上力道过重，居然把整副窗帘从轨道上生生扯了下来。

"厉总……您没事吧？"办公室门口传来一个诚惶诚恐的声音。

"没事！"厉凌回头，见是冯律师，只好尽力压下心中的情绪，"找我什么事？"

冯律师瞥他一眼，道："刚才接到方小姐的电话，她说……"

厉凌背脊不由得绷直："她说什么？"

"她问我……如何才能解除之前你们签好的……婚前协议……"

办公室陡然安静了。

厉凌的太阳穴突突直跳，手指关节因握得太紧而咯咯作响。她这是什么意思？以这样的行为向他宣告自己的决心吗？

"你怎么回答的？"

语气冷意森森，冻得冯律师打了个哆嗦："我谎称在忙，说一会儿给她回电话，然后就赶紧来跟您汇报了。"

"知道了。"他的表情稍微松了松，"你告诉她，协议已经生效，永远无法废除。"

"这……万一方小姐再去咨询别的律师呢？"

厉凌向冯律师射过去一个刀子般的眼神："总之，我不同意，谁也不能解除！"

"是是是，我先回办公室了。"冯律师冷汗连连，着急之下转身撞到了前来汇报工作的严特助。冯律师递给严特助一个"祝你好运"的神色，便匆匆忙忙坐电梯下去了。

严特助仍是戴着黑框眼镜，态度恭敬又谨慎。

"厉总，您让我调查的事办好了，果然如您所料。这是证据文件。"

"很好，你帮我叫都岚来一下。"厉凌手拿着文件袋，逐渐握紧。他希望，他还能有不用上这份材料的机会。

"好的。"严特助倒行退出了办公室。

厉凌坐在椅子上，再一次整理了这些天来的线索。

事实上，自从昕瑶从秋千上摔下来，他第一时间就派都岚维持住现场，打电话通知了警方。

果然，经过警方鉴定，那架秋千和系在昕瑶身上的威亚环扣都被人动了手脚。都岚提出了当天现场的两个疑点，一是梁浩在体育馆见到了匆匆离去的舒叶林；二是演唱会开场前负责秋千和威亚的道具师小邓称肚子疼去了厕所，很久都没有出现。

这两人很快就被警方控制起来。舒叶林和小邓一开始都拒不承认。厉凌和都岚都认为，小邓与昕瑶并无仇怨，反而舒叶林更有动机，因此很可能是舒叶林花钱买通了小邓。

循着这个思路，都岚找她舅舅想办法调出了两人的资料和口供，却从中发现了更大的疑点。

小邓在口供中说，当时他是去了厕所，可不知道被什么人从外面反锁住了，所以才迟迟未归。那时候所有工作人员都在后台做最后的准备，因此直到开唱后很久才有其他人上厕所把他放出来。

另一个疑点是，舒叶林家境很普通，她本人自毕业以来也没签到好的工作，根本就没有所谓花钱买凶的资本。

厉凌嗅出了这其中的不寻常，他提醒都岚："你再想想，还有什么人，什么事是你漏掉的？"

都岚一遍遍回忆，终于想起来："对了！当时道具组长向我保证，他已经检查过所有设备！"

两人对视一眼，彼此肯定了这个猜想。

这一切很有可能是这个道具组长做的，也很有可能是他把小邓反锁在了厕所里。虽然不算有什么确凿证据，但至少应该把他带来警局问问话。

然而，所有人万万没有料到，当警察赶到那个道具组长的家时，他已经服下安眠药烧炭自杀，还留下遗书，忏悔自己因为一时贪财收了钱才做了这些事，没想到害得两个人重伤躺在医院，良心的谴责让他最终选择了绝路。

舒叶林被这个消息吓傻了，在警局又哭又叫，终于承认是她想惩罚一下昕瑶，没想过真的会搞出人命。

事情似乎水落石出，但厉凌直觉认为，这件事并不那么简单。

咚咚咚的敲门声打断了他的思绪。

都岚走进来："您找我？"

厉凌略一颔首："怎么样，舒叶林还有交代新的信息吗？"

"唉，她翻来覆去就那些话，给了道具组长五千块钱，让他想办法让昕瑶在演唱会上出丑，没想过闹出这么大事。"

他嘲讽地一喊："你相信吗？以通宇道具组长的年薪水平，会看得上区区五千块？"

都岚认同："是啊，我也觉得不可能，但警方说舒叶林现在的状态应该不会撒谎。"

"另外，道具组长工作十几年，会不清楚秋千一旦断裂，人从二十米高空坠落会是什么结局吗？这仅仅是为了让昕瑶出丑？他根本是铁了心要昕瑶的命！"厉凌重重捶在桌上，震得水杯都在晃动。

"您是怀疑，道具组长的背后另有人指使，舒叶林只是被推到台前的替罪羊？"

他没有接话，算是默认。

"可是，那个人现在死了，该如何查下去呢？"都岚颓然叹息。

的确，道具组长一死，所有线索都中断了，似乎再也无迹可寻。然而，厉凌心知肚明，那个幕后的真凶一直在暗处冷眼旁观着这一切。

杜家有一处位于顺义郊区的独栋别墅。近期杜老爷子身体不适，因此暂时放下了集团事务，迁到别墅静养。

厉凌在管家的引领下走进会客室。这里他并不是第一次来，之前几次他向杜老爷子汇报跟美国远思合作的案子也是在这里。

刚坐下不久，杜乐凝便从二楼下来了，手上还端着一份精致的茶点。

她亲自为他斟茶，又把茶点推到他面前，自己才在隔壁沙发上坐下。

"你今天怎么有空过来？"她语中有掩饰不住的欢快，衣服和妆容显然也是精心打理过的，厉凌却懒得多看一眼。

他直入主题，冷冷道："我知道是你。"

杜乐凝一愣："什么？"

"别装了。收买道具组长谋害昕瑶，是你做的。"

杜乐凝双目微眳，脸上表情几经变化，最终定格出一个平时常用的完美微笑："抱歉，我听不懂你在说什么。"

厉凌按捺住心中升腾而起的怒意："我不明白，你对昕瑶究竟有什么深仇大恨，上一次毁她声誉不成，这次你居然想要她的命。"

她嘴角微微抽动，但面色依旧平静无澜："我说过，我听不懂你的意思。"

"你是不是以为，我带了录音笔想套你的话？"他嘲讽道，"放心吧，没这个必要，我有的是证据。"

提到"证据"二字，杜乐凝脸上终于绷不住地垮了下来。

"不可能，你不可能有任何证据。"

厉凌的手骤然握拢，虽然他心中早已十成认定她就是幕后主谋，但此刻亲耳听到这句等同于承认的话，还是如同受了一记重击。

"究竟为什么？"

"我以为，我们这么久没见，你今天是好意来看看我和爷爷，没想到，原来你只是兴师问罪来了。"

"你触犯的是法律，并不需要我来问罪。看在我们曾经的同事之谊上，我最后劝你一句，自首吧。"

杜乐凝突然失态地大笑起来："同事之谊？哈哈哈哈哈哈！"她笑得弯下腰，"没错，我为了一份同事之谊，就要置人于死地。"

厉凌眉心紧蹙，他在裸照事件之后就已经跟她说得很清楚，他对她从来都没有任何男女之情。他确实不明白，为何她仍旧不放过昕瑶？

上一次的一时心软，换来的却是纵虎归山。这一次，他再不会留情。

"是了，这就是我要她死的原因。"杜乐凝蓦地收住笑，眼里的光变得凶狠，"她不死，你就永远看不见我，永远对我只有同事之谊。"

她站起来走到厉凌面前，居高临下地看着他："她哪一点比我好？论容貌，论才华，论家世，论对你的帮助，她哪一点比得上我？你对她念念不忘那么多年，没关系，我可以忍，可以等，我相信总有一天你会把目光聚焦在我身上。"

"可是！"杜乐凝加重了语气，"她居然敢再次出现在你眼前！从我认识你以来，你的表情永远都是淡淡的，即使偶尔因为应酬不得不笑，笑意也从来未能到达你的眼睛。可你对着她就像完全变了个样，你变得温柔，变得爱笑，变成了我无数次幻想过的样子。她只是个卑贱之躯，凭什么夺走你！"

厉凌被她的一席言论彻底激怒："仅仅是因为这样，你就要杀了她吗？！"

"没错，只要她死了，就不会整天在你眼前晃来晃去。她死了，我就又能站在你身边，你的目光终将投向我。"杜乐凝眼神虚无，似乎陷入了某种美好的幻想中。

"你疯了！"厉凌再也忍受不了她对昕瑶的攻击，"你等着向警察交代吧。"

杜乐凝冷笑一声："你以为我不清楚案件进展吗？警方已经以凶手自杀认罪来定案了，你想重新把矛头指向我，根本没有任何证据。"

厉凌还从来没有像现在这样厌恶过一个人。他把手中的文件袋扔在茶几上："打开看看。"

杜乐凝露出一丝疑惑，拿起文件袋打开，抽出里面的几页纸。才看第一眼，她脸上霎时色变，忙不迭地又看了后面几页，终于惊道："你从哪儿弄来的？"

他冷然道："你没必要知道。现在，你只有两个选择，要么去警局自首，承认是你谋害昕瑶；要么我会把这份材料的正本交给警方。两者量刑应该差不多，只是这份材料影响的不只是你，还有你爷爷一辈子的心血。"

说完他站起身来，不愿意再多逗留一分钟。

手臂却被杜乐凝死死抓住了，她用近乎哀求的神情看着他："你一定要这么绝情吗？通宇集团是爷爷最珍贵的东西，他现在身体已经很不好了，怎么受得了这个打击？"

厉凌深觉她倒打一耙的逻辑简直不可理喻："你做出这些事时，就没想过一旦事发，老爷子能否受得了打击？"

他想离开，她却不愿放手。

"我！我去自首！"似痛下决心一般，她认输道，"我明天就去警局，承认是我买通道具组长加害方昕瑶，还逼迫他自杀来了结案件，也是我一手挑拨舒叶林和方昕瑶的关系，诱导她去当替罪羊。你满意了吗？"

"希望你说到做到。"厉凌回头扫了她一眼，"放手吧。"

杜乐凝脸色苍白，颓然松开了手。

正要走出会客室，二楼楼梯上却传来一个苍老年迈的声音。

"等等！"

厉凌回头一看，杜老爷子在护士的搀扶下，正佝偻着背艰难地往下走，他似乎比前几次见面时更加虚弱。

"小厉。"杜老爷子刚叫了他一声就又克制不住地咳嗽起来。厉凌于心不忍，走过去扶住了老爷子，跟护士一起把他移到沙发上坐下。

"小厉啊，我这个老头子已经命不久矣了。你是个好孩子，能不能答应我临终前最后一个请求？"

厉凌蹲在沙发前："您别这么说，只要好好休养，您会好起来的。"对于杜老爷子，他感怀他的知遇之恩，一向对他敬重有加，即使上一次老爷子曾想拆散自己和昕瑶，但毕竟没有真的伤害过她。后来当他向老爷子表明心意后，他便再也没有为难过他们。

"我自己的身体自己知道。我只有乐凝这么一个亲人了，就算在商场上再有权势，可一旦我身故，能捧着我骨灰的就只有乐凝。"

厉凌心里微微一凛，老年人一向最忌讳谈论生死，他这是在以自己的命为砝码来为孙女求情。

杜乐凝扑在老爷子肩头："爷爷，你会没事的，明年我们还要一起出国去玩，我们说好的！"

老爷子重重叹息："我刚才在楼上都听见了，你做了这么多糊涂事，折我老头子的寿也是应该。那个文件袋里是什么？"

"没……没什么。"她含糊其辞。

"小厉，你告诉我。"

厉凌看了杜乐凝一眼，她朝他露出了哀求的神情。

文件袋里装的是杜乐凝泄露公司机密、连同境外资本操纵通宇集团股价，伤害其他股东利益，而自己从中牟取暴利的证据。通宇集团虽是杜老爷子一手创立的，然而随着公司规模不断扩大、在进行了数轮融资并上市后，它已经不再只是杜家的公司。倘若这份证据公之于众，除了杜乐凝会被依法处置，恐怕杜老爷子的诚信也会遭遇危机，被其他股东、董事联名从董事会赶出去，从此再不能掌握通宇。

这样的打击，对杜老爷子来说当然是致命的。

"是我在电信局查到的一些往来通讯记录。"他再三衡量之后，在老爷子面前隐瞒了下来。

"哦。"老爷子不再追问，"小厉啊，老头子我今天觍着脸求你一回，请你看在方小姐安然无恙的分上，看在我们多年的情分上，放过乐凝这一次吧！我保证，她从今以后再也不会骚扰你们的生活。"

老爷子说着，顺势便从沙发上滑下，跪在了地上。

"爷爷！"杜乐凝惊慌失措，"你快起来，你不要为了我这样。"

厉凌也着实没有料到，他又如何受得起这一跪，也急忙去扶。老爷子却固执地推开所有人的手："乐凝从小被我惯坏了，她违法犯罪都因为我教导不善，如果一定要有人为这件事负责，我明天就去警局自首。"

"爷爷，我做的事，我自己承担！"杜乐凝再也端不住大小姐的身份，控制不住地哭起来，她大概从来也没想过她最爱重的亲人会因自己的行为而遭受这一切。

厉凌并不是铁石心肠，面对这样一个已至垂暮的老人的恳求，他实在很难无动于衷。尤其这个老人还是他曾经最敬重的人。

"好，我要她保证，从今以后再也不针对昕瑶，再也不出现在我们的生活中。"

杜老爷子脸上立时有了一丝光彩，他呵斥她的孙女："乐凝，听见了吗？"

"是，爷爷。我发誓，绝不会再打扰他们的生活。"杜乐凝颓然地坐在地上，连最后一丝斗志也失去了。

"小厉，谢谢你！你放心，我会立一份由律师团队监管的遗嘱，倘若乐凝违背今日承诺，她将无法继承我所有的财产。"

厉凌微微动容，颔首道："这些文件，我会储存在银行保险柜里，一旦杜小姐再有什么不利于昕瑶的行为，我也势必不会再做出任何退让了。"

从杜家别墅出来，厉凌觉得步子沉重得如灌了铅，心也一寸寸暗淡。

他终究还是欠昕瑶一个交代。他还有什么脸面去求得她的原谅？

4. 仿佛有千言万语，可又不知从何说起 /// //

方昕瑶从公寓出来，准备去医院换雪妍的班。

梁浩的父母在半年前就因为升迁而调去了他们在美国的总公司，这次发生的意外他们并不知情，这段时间便是由方昕瑶和谢雪妍，再加上请的两个护工轮流照看他。

推开病房门，她一边放下手中拎着的一些日用品，一边问："今天状况怎么样？"问完，她才发现雪妍似乎在用手抹着眼角的眼泪，心中一慌，"怎么了？出什么事了？梁浩有什么不对吗？"

雪妍吸吸鼻子，朝她连连招手："昕瑶，你快过来看看！"

方昕瑶连忙快步走到床边——

床上的人微微侧过头，眨了眨眼，就像在跟她打招呼。

她几乎不敢相信自己的眼睛："这……这，梁浩醒了？！"

虽然全身仍插满仪器，口鼻也罩着呼吸机，但他的眼睛分明已经睁开，凑近看还能从他眼里看见一丝含着笑意的光彩。

谢雪妍抹去眼泪，开心地点头道："早上第一缕阳光透进窗户时，他突然睁开了眼睛！在你来之前医生已经来看过，确认梁浩确实已经醒来，只是由于昏迷太久，大脑和身体机能还需要慢慢恢复，但医生们都说他一定能彻底好起来！"

方昕瑶又惊又喜，她握住梁浩的手，问："你能认出我吗？"

梁浩的手指轻轻曲起来，在她掌心轻轻画了两下。

"他认识我！"方昕瑶由衷地欣喜，这些天以来压在心上的大石犹如被移走了一半。

谢雪妍一笑："他就算谁都不认识也会认识你的。好了，既然你来换班，我就先回家休息了，明天再来替你。"

说完，她又看了梁浩几眼，便头也不回地走了。

方昕瑶明白，雪妍心里对自己仍有芥蒂。这段时间她们虽合作换班照料梁浩，但皆是一个来，一个走，彼此之间的对话不过寥寥数语。有时候她想主动跟雪妍聊聊，却被她三言两语挡了回去。

恐怕，她们都还需要时间。

梁浩身体底子好，如今人已经醒来，身体恢复得比之前更快。短短几天他已经可以自主呼吸，摘掉了呼吸机。又过了几天，喉咙伤口也基本愈合，可以开口说话了。

他尝试着说的第一句话便是："你真的没事了吗？"

声音哑哑的，却掩藏不住其中的关怀之意。

方昕瑶笑道："我要有什么事，还能照顾你吗？"

"也对。"梁浩露出一个安心的笑容，又忽然想起来，"你天天待在医院，怎么没见厉凌？"

她愣了愣，眼眸一瞬间暗淡，她想回答"我跟他解除婚约了"，话到嘴边却变作："他最近很忙。"

"这样啊。"所幸他没有再追问，她才长长舒了一口气。

从医院回到公寓楼下，不出所料，厉凌又在楼下等她。

自从上次跟他提出解除婚约以来，每天早晨她下楼，他就在等她；晚上她回家，他仍然在等她。

可是这样做，除了加深他们心里的痛苦，又能改变什么呢？

从他身边走过时，他伸手拉住了她。

四目相对，仿佛有千言万语，可又不知该从何说起。

"昕瑶，对不起。"一开口，却只是这样一句话。

方昕瑶当然知道他在说什么，他已经不止一次为他无法狠心把杜乐凝绳之以法而道歉。

"我说过，如果这件事只有我一个人受伤，哪怕我伤重死了，我也不会怪你一分一毫。当然，你也没有对不起梁浩，毕竟他是因救我才受伤的。是我对不起他。"她苦涩地牵了牵嘴角，"至于你所说的对不起我，没关系，取消婚约总是我对不住你，就当我们彼此两清，互不相欠了吧。"

厉凌的面色难看到了极点，眉心似因为拼命克制而深深蹙起，原本挺拔的身躯此时看来竟有一种萧瑟孤寂的感觉。

方昕瑶心都快碎了，她何尝不想冲过去抱他吻他，用手把他的眉头抚平——甚至她的一只脚已经不受控制地迈出了半步。

可是，这一次，横在他们之间的鸿沟实在太大。每当她在心里幻想着还能和他牵手一生时，脑海中就会出现梁浩飞身扑过来救她的模样和谢雪妍冷淡指责她的模样。

她只能生生收回那只脚。

"你不要再来找我了，我不想看见你。"假的！我说的是假话！她在心里呐喊，可脸上不得不露出冰冷的厌弃。

方昕瑶咬咬牙，低头快步往前走，绕过他时，手腕被他紧紧捉住。

这一刹那是他们这些天来离得最近的时刻。她不敢看他,他也没有看她,只听见他坚定地说:"你怪我自私也好,说我残忍也罢。总之,这一生,你休想我放开你。"

"昕瑶,我会等到你改变主意的那一天。就算你真的嫁给了梁浩,我也依然会等你。"

方昕瑶内心剧震,身体不觉轻轻颤动。他怎么能说出这样的话?他非要逼她丢掉良心的最后底线吗?

感觉到手腕上的握力渐渐松开,她在眼泪掉下来的前一秒从他眼前落荒而逃。再不逃,她恐怕真的会溃不成军。

那一夜她自然,无法成眠。

在煎熬中待至天明,当她从家里出来时,楼下,再没有厉凌的身影。明明是自己让他不要来的,可现在真的看不见他,她一点也高兴不起来。

方昕瑶心神不定地坐车来到医院,走到梁浩的病房门外时,她拍了拍自己的脸提振精神。昨天跟梁浩约好,今天早晨要试着扶他下床,带他去医院后院的草坪里晒太阳。

"我来了。"她推开门,屋里却没有梁浩的影子。

他会去哪儿?她叫住一位路过的护士一问,护士告诉她刚刚有个女孩带这间屋的病人去院子里了。

这么说,梁浩已经能走动了?

她十分欣慰,拿出手机给雪妍拨了电话:"喂,雪妍,梁浩是跟你在一起吗?"

"啊,是的,我们在草坪边的长椅上,你过来吧。"雪妍的声音一改几日来的晦沉,似乎又恢复成往日那个热情开朗的女孩了。

"嗯嗯,我马上来!"方昕瑶也开怀起来,挂了电话就往医院后院走。

由于昨夜刮过大风,今日天气晴好,清透的白云浮在半空,阳光毫无阻碍地铺满草地,一切格外生机勃勃。

她从草坪里的石子路上走过去，走到一半，脚步却不由得停驻。远远望去，梁浩坐在树下的长椅上，他换掉了病号服，穿着一身针织薄衣和休闲长裤，整个人显得英气勃发，没有一丝大病初愈的虚弱感。更为引人注目的是，谢雪妍就站在他身后，手臂分置他双肩上，倾下上身，而梁浩侧过头，两个人正亲昵地谈笑风生。

这——是什么情况？

方昕瑶犹豫了，一时不知道该不该过去。还是雪妍率先看见了她，朝她招手："昕瑶，你怎么站在那儿？快过来呀！"

她走过去，雪妍兴奋地说："你看，梁浩已经彻底没事了！"

方昕瑶也由衷地高兴："看起来精神是不错，怎么样，还有哪里不舒服吗？"

梁浩笑答："我还从来没有像现在这样身心愉悦过。"

她看见，梁浩说这句话时竟然握住了放在他肩上的雪妍的一只手。雪妍羞涩地一笑，似乎想抽手，却被他拉住不放。

"你们……"方昕瑶不禁问出口。

"我们在——"梁浩正想回答，雪妍着急地打断："等等等等！"

"怎么了？"他回过头去，无限宠溺地看着她。

雪妍被他看得不好意思，脸上一红，扮了个鬼脸："你们聊吧，我去洗手间。"然后，她便一溜小跑地逃走了。

梁浩看着雪妍的背影，缓缓道："我们在一起了。"

即便方昕瑶刚刚心里已经起了猜测，但真正听见梁浩亲口说出来，她心里仍是隐隐不安。

"真的吗？"

"当然是真的。"他爽朗地一笑，"我怎么会拿这个开玩笑。你坐着，听我跟你说。"

她点点头，坐在他身旁。

"昕瑶，我喜欢了你很久。甚至到现在，我也不能否认心里仍然有你的位置。在我最失意的时间里，是雪妍一直陪着我。曾经我一度以为，我永远都无法对她敞开心扉，可是上个星期，当她告诉我她申请了去美国留学时，我心里居然一下子就慌了。我害怕失去她。"

方昕瑶静静地听着。

"那时我仿佛突然开了窍，一下子看清了自己。原来她早已经走进了我的心里，只是我之前对你倾注了太多感情，所以在潜意识里抵抗着自己变心的事实。这次我救了你，你千万不要觉得亏欠我，实际上对我而言它是一个很好的契机，正是这件事，让我对这几年投入的感情有了一个圆满的交代。"

梁浩脸上流淌着暖暖的笑意，从他眼里仿佛还能看见他对崭新的、美好的未来的期许。

"昕瑶，我之前欠雪妍太多，我已经决定把公司交给我的合伙人，陪雪妍去美国上学，我们可能以后都不会回来了。"

她微微震惊："不回来了？"

"是的。所以我和雪妍都很想在走之前了却最后一件心事。"

梁浩微笑着看着她："我们想亲眼见证你和厉凌的婚礼。"

方昕瑶瞪着眼睛看他，心情复杂万分。原本她已打定主意用一生的时间来偿还梁浩的情谊，原本以为与厉凌再也无缘。可是突然之间，她发现梁浩原来根本就不需要她的这番自作多情啊。

她咯咯笑起来，心里霎时间就如今天的天气一样晴朗无瑕。

虽然发生了那么严重的事故，可如今自己安然无恙，梁浩也痊愈，他还握住了属于他的真正的幸福，那自己还有什么不能释怀的呢？

梁浩轻扬下巴："昕瑶，我好像看见那边有人在偷看你。"

方昕瑶顺着他指的方向看去，便瞧见一道人影瞬间闪到了草坪对面的大树后躲起来。身手倒是很矫健，可是她怎么会认不出这个人影是谁呢？

谢雪妍刚好去完洗手间回来，梁浩朝她伸出手，雪妍甜甜地笑了，把手放进他的掌心。

方昕瑶知趣道："嘿嘿，我昨晚没睡好，回去补个觉。"

谢雪妍笑嘻嘻地挥手："放心吧，以后梁浩就交给我啦！"

朝他们道别后，方昕瑶沿着来时的石子路穿过草坪，走到大树前面。

树后的人一动不动，似乎生怕被她发现了。

她也一动不动站地立在树旁。

厉凌躲无可躲，只好从树后走出来："对不起，本来并不打算让你看见我。"

或许，他已做好准备，等待从她嘴里蹦出的那些冷漠的话语，然而——

方昕瑶却主动走上前，环抱住他的腰，把头埋进他怀里："该说对不起的人是我。"

厉凌怔住，脸上浮现出一丝希冀，却又似乎不敢轻举妄动。

"厉凌哥哥……"她昂起头，歉意道，"如果我收回那些话，你还愿意要我吗？"

话音刚落，她便被他的手臂用力一卷，把她带到了树后隐蔽处，然后下巴被他勾起，压抑许久的吻急不可耐地落下来。他的热度和力量，刹那间填满了她心里的空白和缺失。

这样的吻太过魂牵梦萦，以至于她一时也昏了头忘了形，好不容易恢复理智，才想起来："这里是公共场合。"

"那又如何？"

方昕瑶的脸火辣辣的，几个来往路过的人的眼光让她如芒在背："呵呵呵呵，我们还是回家吧。"

"回家？"厉凌的眼里腾地蹿起一团火苗，一看就知道又想到什么奇奇怪怪的地方去了！她急忙辩解："我……我可不是那个意思。"

他笑意加深："我没说你是什么意思啊。"

典型的越描越黑……她索性不再解释，拉起他的手："总之先回去啦！"

厉凌反手用力地握住她的手："好，不过回家之前，我们先去一个地方。"

"去哪儿？"

"民政局。"

"哦。"嗯？等等，好像有哪里不对！"去民政局干什么？"

"登记结婚。"他侧过脸看她，神情极认真，"我不想再给你反悔的机会。"

方昕瑶心中一痛，她明白这次的变故一定给他造成了极大的伤害。

"好。"

"真的？"他眼里还有一丝不相信。

"真的，不过，我得先回家拿户口本啊。"

"不用，上次演唱会时我就把我们的户口本都放在车上了。"

厉凌说着突然加速，拉着她小跑起来。脚步轻快，之前所有的不安一扫而空。

从今以后，再没有什么能将他们分开。

5. 在他的臂弯中就能寻到自己一世的安稳 /// //

自从演唱会上发生意外以来，方昕瑶一度停掉了所有的工作。一开始是因为休养身体，后来则是为了照顾梁浩。现在一切既然尘埃落定，她便在公司的安排下重新复出，并接受了《星悦》杂志的独家采访。

当被主编问及歌迷间广为流传的"演唱会事件是有人蓄意谋害她"的猜测时，方昕瑶坦然一笑，表示这些都是无端揣测，演唱会上发生的意外真的只是个意外而已。

在采访最末，她更是坦白承认自己早已情定通宇唱片总裁厉凌，二人婚礼就定在9月20号。对于婚礼的设想，方昕瑶和厉凌都不再想将仪式公开，因此只会邀请身边朋友及唱片公司主要成员参加。

杂志上市的这一天正好是9月20号。

方昕瑶凌晨五点就被都岚抓起来化新娘妆，可她头天晚上由于紧张根本没睡着，好不容易熬到三四点才眯了一阵，这会儿真有一种想死过去的感觉啊！

"这也太早了吧……教堂仪式十点才开始呢。"她抗议。

"化妆至少要两个小时。"都岚才不管她，"快点快点，Vivian已经在客厅等你了。"

"就算要两个小时也足够啊！厉凌哥哥九点才会来。"

都岚成竹在胸地斜了她一眼："拉倒吧，我赌他最晚八点就会到。他猴急得恨不得现在给你化妆的人就是他。"

方昕瑶一乐，睡意消退不少："那我先敷一张醒肤面膜。"

"快快快！"

一阵手忙脚乱后，当方昕瑶刚坐在梳妆镜前时，摄影摄像团队便到了，领头的正是给她拍过 MV 的林导。本来她是不太好意思让一个业内知名导演屈才来给她拍婚礼的，但这次林导主动请缨，厉凌也十分属意于他，盛情难却之下唯有恭敬不如从命。

Vivian 很快开始在方昕瑶的脸上忙碌起来。都岚站在一旁看："如果不出我意料的话，今天的新娘妆也是厉总设计的吧？"

Vivian 答道："是啊，我本来提交了三套方案，厉总都说不够好。"

"啧啧，他仍端着那副天底下谁都不如他了解昕瑶的美的样子啊。"

"是啊，是啊，就连方小姐的婚纱也是厉总悄悄找意大利的华裔设计师专门制作的，听说设计图被厉总打回去十次，最后他还亲自修改了一些细节呢。"

"哈哈哈哈，赶明儿个我要送他一副字，'昕瑶在手，天下我有'。"都岚大笑。

方昕瑶尴尬……Vivian 打趣她："方小姐，你脸一红我好像就不用刷腮红了哦。"

一屋子笑声连同画面一起被相机和摄像机记录了下来。

刚化完妆梳好头，还没来得及换上婚纱时，楼下放哨的姑娘便打来电话通知："厉总的车队马上就到了！"

"啊啊啊啊啊，我还没换衣服！"方昕瑶紧张得跳起来，瞥了一眼墙上的钟，果然还不到八点。

都岚从容地指挥："你带着一分队在楼下把守，拦住他们拖延时间。"挂掉电话，她又指挥屋里的一众女孩子，"你们几个守着客厅外面的房门，剩下的跟我一起守昕瑶的卧室门。今天一定不能轻易让新郎接走新娘！"

"好！！！"屋里响起整齐嘹亮的呼喊。

然而事实是——

楼下第一道防线和客厅大门第二道防线很快就被击破了，甚至守门的姑娘们居然全部反水，气势汹汹地帮着以厉凌为首的接亲团冲击卧室这最后一道防线。

都岚气得翻白眼，隔着卧室门大喊："你们都是我组织的亲友团，怎么能反过来帮他们？"

"厉总说了，帮他的明年加薪百分之三十，不帮的减薪一半，我们当然要追随衣食父母喽。"门外一群女孩笑得花枝乱颤。

"这么见利忘义，真的大丈夫吗？！"

隔着门传来骆添的笑声："都岚，大丈夫在这儿，你赶紧认输把门打开吧。"

"不行不行，我绝对不和外边的女人一样！"

外头的人声突然齐齐安静下来，跟着门被轻轻叩响，厉凌沉厚的声音传来："你说，要怎么样才开门？"

方昕瑶穿着婚纱乐滋滋地坐在床上，好奇都岚能想出什么为难厉凌的招数。

都岚嘴角含着一抹意味深长的笑意："我要加薪五成。"

晕，还以为她有多出尘脱俗呢！方昕瑶无语地瞪她一眼。

"成交。"厉凌答应得很痛快，都岚开门也很干脆，生怕他变卦一样。

"噢！！！"接亲队伍一窝蜂拥进卧室，厉凌走到床前，目光融融地注视着她，看得她羞涩地埋下了头。

"我们走吧。"他躬身附在她耳旁轻声说了一句，然后一只手搂住她的背，另一只手从她膝下挽起，一把将她横抱了起来。

下楼的这段路上，有人欢呼，有人撒花，方昕瑶却看不真切也听不真切，只顾把脸埋在他胸前，觉得在他的臂弯中就能寻到自己一世的安稳。

厉凌一直把她抱上劳斯莱斯加长版主婚车，后面跟着十一辆劳斯莱斯幻影。浩浩荡荡的车队沿着四环转了一整圈后，便奔赴王府井教堂举行宣誓仪式。

从婚车上下来，方昕瑶的头纱被拉下来遮住了眼，在眼前白蒙蒙的景象中，她只看清了厉凌朝她伸出的那只手。她把手放在他掌心，他回身将手臂横垂身前，她的手也随之挂在了他的手肘处。

他们并肩迈出第一步的时候，现场乐队开始奏响了婚礼进行曲。

走上红毯，穿过花厅，他们一步步走向宣誓台。方昕瑶心里突然盈满感动，她和他都并不是什么教徒，但她从小就憧憬着在神父的主持下，彼此说出"我愿意"的那一刻。

她透过头纱依稀看见谢雪妍和梁浩就坐在最前排紧邻走道的席位上，他们正侧过身、扬起头，用目光见证着自己一步步走向神圣的婚姻殿堂。

终于走到教堂，站在宣誓台前，当观礼宾客的掌声暂歇后，她听见神父说："请新郎宣读结婚誓词。"

印有誓词的册子就放在他们面前的小礼台上，厉凌本该照着宣读，可他没有去拿，只是把她的手放在胸口。

"我厉凌，请你方昕瑶做我的妻子，成为我生命中的伴侣和我唯一的爱人。我会珍惜我们的感情，爱你，呵护你，无论是现在、将来、还是永远。我会尊重你，信任你，陪你一起欢笑，尽我所能不让你哭泣。

我会忠诚地爱着你，无论未来发生什么，艰难的还是愉悦的，我都会携手与你共度，永远守护着你。就像此刻你的手感受到的我的心跳一样，我会将我的生命交付于你，生死相随。

昕瑶，我衷心地请求你，嫁给我。"

方昕瑶站在那里怔住了。这段词，根本和先前婚礼主办方提供给他们的版本完全不一样。她能从这些一字一句里感受到，他是多么认真地在向她做出最神圣最庄严的承诺。

她一直都知道他对她的感情，也一直都沉沦在他所营造的幸福中，她明明已经觉得触碰到了幸福的极致，可是为什么，这一刻，她又再次体会到了一种前所未有的、无与伦比的幸福呢？

神父接着道："请新娘宣读誓词。"

方昕瑶努力地张了张嘴，却发不出一个完整的声音。

她竟然泣不成声。

"看来，新娘太过激动。那不如由我来问，新娘只需要回答愿意或不愿意，可以吗？"

她直点头。

"方昕瑶小姐，在众位见证人面前，请你真诚地回答，你愿意嫁给厉凌先生为妻，从今时直到永远，无论顺境逆境，贫穷富裕，健康疾病，快乐忧愁，都永远爱他，忠诚于他，一生不离不弃吗？"

"我很愿意！"她抽泣着说。

厉凌眸光深沉，透着巨大的喜悦。

"请新郎新娘交换戒指。"

他们为彼此戴上婚戒后，神父面带微笑宣布："新郎，你可以亲吻你的新娘了。"

方昕瑶感到面前的头纱被掀开，可是由于泪水太多，她的眼睛依旧看不清他的脸。直到他捧住她的脸，一一吻掉了她眼睛里的泪珠。

她顿时脸上发热："这……这……妆都花了吧？"

"放心，防水。"

台下宾客席再次响起了热烈的掌声，方昕瑶既羞涩又甜蜜，以目光向来宾们致敬。她看见梁浩面带微笑鼓着掌，看见谢雪妍还偷偷用手抹了抹眼角的泪。

方昕瑶心里顿时有了主意，她朝宾客道："我想把我的手捧花送给我的好姐妹谢雪妍，希望她也能早日感受和我同样的幸福。"说话间，她已经走到了第一排席位前，递出了手上的花。

谢雪妍愕然一愣，不由得转头看向梁浩。梁浩笑意不减："傻瓜，看什么呢，昕瑶一番好意，快收下吧。"

谢雪妍这才展开笑颜，把花接过来握在手中："昕瑶，不管将来如何，你永远是我最好的朋友。"

两个女孩彼此拥抱，仪式至此结束，接下来宾客们将一起搭乘专机飞往青岛，再从青岛乘游艇出海游玩。

然而，直到安排完其他所有宾客上车前往机场，却不见梁浩和雪妍出来。方昕瑶重新回教堂寻找，发现他们两个人还依然坐在座位上不动。

"怎么还不走呢？"她走过去。

雪妍没有说话，梁浩解释道："昕瑶，我们就不去了。"

方昕瑶讶然："为什么？"

"实际上我们就要坐今天下午的航班去美国了。"

她更加惊讶："今天就走？为什么之前没听你们说过？"

"雪妍的学校本来一星期前就开学了，我们一心想参加你的婚礼，所以才拖到现在。"

她又看向雪妍，雪妍歉意地点了点头。

梁浩又说："今天是你大好的日子，就别为我俩操心了，你快去吧，厉凌一定在等你。"

方昕瑶遗憾道："也只好这样了。祝你们一路平安。"她又笑了笑，"反正去美国又不是很难，等过段时间我就和厉凌哥哥一起去看你们。"

谢雪妍站起来握住她的手："你快去忙吧，我们再待一会儿也该回家拿行李了。"

"好，我们一定能很快再见。"

方昕瑶回身走出教堂，在门口又朝他们挥了挥手。

梁浩依旧平静，谢雪妍却神情复杂。她积蓄了很久的情绪，最终只能化作一声叹息。

包机飞往青岛，再乘游艇出海，待到放眼望去四下皆看不见一点陆地，只有茫茫波光时，婚礼的餐会便开始了。

餐会被安排在游艇前端宽阔的甲板上，甲板两侧摆满了各类餐点酒水，来宾们聚集在甲板上自由地一边聊天一边品尝，还有满眼大海的风光，徐徐的海风，比单纯在酒店吃吃喝喝有意思多了。

方昕瑶跟着厉凌在甲板上转了一圈，跟每个客人一一打过招呼后，便借着换衣服的由头躲在游艇内一间客房里休息。从清早五点折腾到现在，她还真有点吃不消。

换好衣服，她躺在床上，本想着只是小憩一会儿，没想到一沾枕头居然沉沉睡了过去。

迷蒙中，她听见门微微响动，好像有谁打开门走了进来。她想睁开眼看看，眼皮却像黏在了一起一样，怎么也睁不开。

又过了一小会儿，再听不见什么别的动静，她正放心地打算继续睡过去时，突然被人翻身罩在了身下。

她嘟囔道："厉凌哥哥……"虽然没有睁开眼，但她一下就认出了他的气息。

紧接着，一个火热的吻便覆盖下来，在她的唇齿间探索吮吸，好像要一点一点把她的疲惫都吸走。

过了好久，他才抬起头："怎么，累坏了？"

"一点点，刚刚眯了一阵好多了。"

"来，我帮你按按。"厉凌坐起来，抬起她的上身靠在自己身上，用手指轻轻揉按着她头上的穴位。

方昕瑶赞叹道："好舒服啊，手艺真不错。"

按了一会儿头，他的手又移动到她的肩膀，帮她舒缓着肩部和脖子的酸痛。她闭着眼睛享受着他的服务，忽然感觉他的嘴唇落在了自己的后颈。

"呀！"方昕瑶一声轻呼，脖子上酥痒难耐。

"我听说，用嘴吸比用手按的效果好。"他一边继续按她的肩，一边亲吻她的脖子，吻着吻着呼吸便不由自主地加重，手也不老实地逐渐往下。

"等……等等！"她抓住那只移到她胸前的手。

"嗯？"

"这是我刚换上的衣服，一会儿还得出去见人呢，不能弄皱了。"

"哦，这还不简单。"

方昕瑶刚听见他这么说，下一秒后背便一片清凉。她此刻穿的是一件 A 字形小礼服，拉链被拉开后礼服很轻易便从她身上剥落下来。

这这这这这——

"厉凌哥——"抗议的话还没说出口，她已经再一次被他吻住，不同于刚刚的温柔，这一次的吻显然昭示了他要将她就地正法的热切。

方昕瑶承受不住他的力量倒在了床上，这岂不正合他意？他顺势伏在她身上，品尝够她的唇舌后，他大掌绕到她后背，除掉了她胸前最后一点遮蔽物。

"不行啊！"她连忙双臂环抱遮在胸前，"客人们都在等我们呢。"

厉凌的眼神已然着火，喑哑的声音里带有一丝祈求："已经一个月了……"

可怜巴巴的语气揪得她心里一软，这个月为了筹备婚礼他们都忙得不可开交，都岚又抬出一个"新郎新娘婚前不宜'亲近'，否则会不吉利"的理论来限制他们见面，即使偶尔约会也仅仅吃个饭就必须各自回家。厉凌虽然对这个规则极为不满，但到底还是强迫自己遵守到了今天。

其实，不仅他在忍耐，她又何尝不思念他呢？这么一想，脑子里稍一恍惚，双臂已经被他乘机分开推过头顶，十指交叉紧扣。

如此一来，她完全暴露于他炽热的目光之下，肌肤都好像要被他眼里的火苗寸寸引燃。

"别一直看……"方昕瑶羞得满脸通红，完全不敢去看他的表情。

"呵，如你所愿。"

厉凌伏下身，从她的脖颈开始流连往下。她的身体里流过一道酥酥麻麻的电流，便不由自主地微微挺起上身。那样子，分明就是主动把自己奉献给他。

他被她这个无意识的举动取悦了，一手捧着她的背，另一手顺着她的腰和小腹往下，去探索她身体中最隐秘的地方。

方昕瑶沉沦在敏锐的感官中，思绪轻飘飘的，恍惚间仿佛就坐在游乐园的冲浪船上，身体随着轨道逐渐上升，上升，直至越过最高点，身体骤然下坠，随着冲浪船一起坠入水中。

"啊……"这种呼啸而来的愉悦瞬间引爆了四肢百骸，她紧紧缠住他的手臂，不由自主地轻轻颤抖着。

厉凌撑起身子，吻了吻她的唇，让她稍微休息了两分钟。

"昕瑶，可以了吗？"他额头上已经因为忍耐而出了一层薄汗。

"嗯……"方昕瑶又羞红了脸，为什么一定要问她这种难以回答的问题呢？

身体的节奏开始填充这些天相思的空虚，这样完美的交融足以让任何人都无法自拔。他一遍又一遍地索取着她的美好，似乎永远难以餍足。

三个小时过去了……方昕瑶浑身虚脱地被厉凌抱在怀里，床上的床单、被子、枕头通通移形换位，衣服也凌乱地扔了一地。

感觉到他的手又开始不老实地在自己身上游走，方昕瑶躲躲闪闪地推辞："不要啦……都已经三次了……我实在没力气了……"

厉凌心情甚佳，一边轻轻吮吸她的后肩，一边故作轻描淡写地说：

絶世风光
不及价

"没关系，不用你动，你躺着就好。"

说着，他便又一个翻身把她罩在身下，正准备重新营造气氛时，门外突然响起一个煞风景的声音："咳咳，都三个多小时了，你们还要多久？这会儿天都黑了，半小时后甲板上还有烟花表演，你俩总得出现吧。"

是都岚。方昕瑶羞得一把拽过被子，不知道都岚是什么时候站在门外的，该不会听见什么吧？天哪！哪里有地缝可以让她钻进去？

厉凌明显因为被打扰而不高兴，脸色一沉："知道了，我们马上就出来。"

方昕瑶推他："还不快起来？"

他却不愿意："半个小时啊。"那副认真的神情似乎在思考如果动作快一点还能不能再亲一亲芳泽。

"不能老让客人等我们啊，快起来。"见他还是不乐意动，她只好一咬牙，"明天再……"

他果然眼睛一亮："你说的。"然后他立即抬起身子想要起来，却到一半又改了主意，"穿衣服补妆二十分钟就够，还有十分钟，让我再亲一下。"

说完，他又深深地吻住她，本已降温的空气陡然间又重新燃烧起来。

游艇的房间空间并不算大，然而此时此刻，这个小小的方寸之地，就像他们的全世界。

其实，不只明天，他们还有后天，大后天，大大后天，以后每一天。

结发同心，生死相随。

/// ///尾 声///

爱一个人的最好方式并不唯一

谢雪妍和梁浩在候机厅等待飞机起飞。

当登机广播响起的时候，一个漂亮的空姐走过来问："先生，需要我帮助您吗？"

梁浩眼神空洞，静默不语，谢雪妍抢先站起来："不用，我一个人就够了。"说着，她便推着梁浩进入登机桥。

走到机舱门外时，两名空少已经等在那里，合力帮忙把梁浩架起来扶进机舱入座，谢雪妍把轮椅折叠起来，交给空姐保管。

待梁浩坐好后，谢雪妍问空姐要了条毛毯，盖在他腿上。或许是因为头等舱的位置很宽松，所以她明明就坐在他身边的位置上，却依然觉得他遥不可及。

"你真的不会后悔吗？"

听见这句话，梁浩回头看了她一眼。

"昕瑶跟我说过，如果你希望她留在你身边，她就不会嫁给厉凌。

你为什么要拉着我一起演戏骗她？"

梁浩一瞬怔住，沉默半晌才深深吐出一口气："对昕瑶，我自认不会比厉凌爱得少。换作以前的我，说不定真的会利用所谓的救命之恩来跟他争上一争。"

他拍了拍自己的腿："可是现在的我，给不了她幸福，只会拖累她一生。"

谢雪妍还是不服气："你是为了救她，腿才变成这样的，她就算照顾你一辈子也是应该的！"

"她就算应该，可我不愿意。雪妍，你是昕瑶最好的朋友，难道不希望看见她幸福吗？"

她微微一怔。是啊，昕瑶是她最好的朋友，她当然希望她幸福。上午在教堂的婚礼上，她听见厉凌的誓言，看见昕瑶的眼泪，她也是由衷地为她高兴。可是，每当她看见梁浩落在昕瑶身上的目光时，她心里的刺痛也是真的。

梁浩曾对她说，爱一个人的最好方式并不唯一，除了守护，还有成全。昕瑶爱的人是厉凌，所以他成全了她的心。而自己答应陪他演戏，也是为了成全他那颗成全的心。

"雪妍，谢谢你，在她面前帮我留住了尊严。"

飞机很快起飞，谢雪妍看着机窗外这个自己生活了数年的城市正在逐渐缩小，逐渐远离。她就要踏足一个完全陌生的大洋另一边的城市。这是不是代表着他们两个人都可以告别过去，重新开始呢？

她想，他或许不知道，对于他，她从未放弃。

You are

the one

绝世风光，唯你而已

当我终于写完这个长长的故事时，北京已经走入初秋。

写作的过程十分快乐，我常常有一种感觉，笔下的这些人物，不管是方昕瑶还是厉凌，程橘还是都岚，他们都有自己的灵魂和轨迹，而我只不过是将它们记录了下来。

因此，随着这本书，我又体验了一把爱情的滋味。如梦如幻，却深入骨髓。

相信每个女孩儿都对自己的爱人充满了期待吧？我亦是如此。故事中的男主角厉凌正是我理想中的对象，他外表可以冷酷，对工作对生活可以极有原则，但唯独必须对我疼爱有加。茫茫世界弱水三千，他只能对我情有独钟（笑）。

我写这个故事的主题，正是"唯一"二字。

其实，这本书里，不仅方昕瑶与厉凌，还有梁浩、谢雪妍、杜乐凝、程橘、骆添，他们都从始至终坚持着心里独一无二的那份爱。尽管并不是每个人都能得偿所愿，但至少，他们从来不改初衷，守住了

绝世风光
不及你

心中那份纯粹的爱情。

很理想化，对吧？

然而女孩儿对爱情的期许，向来都是理想化的。我们都知道这样的爱情极其难得，但从方昕瑶和厉凌的故事里，我嗅到了一丝可能。它让我心怀美好憧憬，积极面对未来生活的挑战。

我一直都认为，女孩儿想要收获一段美好的爱情，仅凭运气是不可能的。要想得到更好的爱人，首先我们自己须得变得更好。

所以，在还没有遇到那个他的日子里，我们不妨抓紧时间修炼自己，从内到外变得更美，这样才能在遇到他的那一刻，有足够的自信把手放进他的掌心。

从此一路同舟，生死相随。

一部作品本身就代表了作者的三观。

我从来没有写过天然呆类型的女主。我笔下的女主，可以心地善良，但绝不会愚蠢；可以心胸豁达，但绝不会圣母；可以遭遇低潮，但绝不会一蹶不振；可以很爱一个人，但绝不会依附于谁而失去自我。

方昕瑶正是这样一个人。她遭遇过许多挫折，甚至连一个亲人也没有了，可她从来就没有放弃过自己。正是由于她的坚持，才能来到北京上大学，才能偶然被唱片公司相中，才能在茫茫人海中重遇厉凌，才能重新打开生活里的那一扇窗。

歌坛之路并非一帆风顺，但方昕瑶并没有被名利蒙住双眼。一路浮浮沉沉，她不改初心，荣辱不惊。因为对她来说，唯有厉凌才是生命里最重要的人和事。

当然，她与厉凌之间有过误会，但绝对没有为了虐读者而刻意制造甚至拉长的误会（笑）。这本书想呈现的是一份正能量的暖爱，不管是谁，读后都一定会被它治愈，大呼甜蜜。

相信有眼尖的读者发现，《绝世风光不及你》的每一个大章节名都是一首歌，而每一首歌都特别符合我写作相应章节时的心境。

比如在写第一章时，耳机里滚动播放着苏打绿的《我好想你》，心里不断翻起的就是厉凌在分别的几年里对方昕瑶无尽的思念。真的感同身受！当写到两个人终于见面时，明明应该高兴，可我居然落泪了。因为身为作者的我知道厉凌的爱有多么深沉，可我们的女主此时还不知道，我替厉凌感到着急。

好在，最让我欣慰的是，方昕瑶和厉凌最终拥有了一个圆满的大结局。厉凌对她的爱竟然连我这个作者也羡慕不已。

愿所有读完此书的你们，都能拥有一段完美的爱情。

章琪琪

2015—11—02

于北京